にいがた地名考

~歴史と由来~

長谷川 勲
Hasegawa Isao

序にかえて

地名以前

1963（昭和38）年、蒸気機関車の引く列車で隣の市へ通勤をすることになった。当時のことして車中は60分ほどであった。この60分を同乗者との会話などに費やすこともあったが、読書に親しむことも少なくなかった。その中の1冊に国語学の大野晋著『日本語の起源』（岩波新書一九五七年）があった。

日本語はいったい、何時からこの日本の国で話されるようになったのだろう。また、日本の何処で初めて話されたのだろう。日本語は、どんな人間によって初めて日本の島で話されたか。私に分っているかぎりをお話ししてみよう。

とあり、日本の歴史といえば、神話から始まる歴史しか習っていない筆者にとってはすごく刺激的で魅力的な書き出しであった。続いて、

およそ日本語ほど世界のさまざまの言葉と関係づけられた言葉はないだろう。ギリシア語と日

本語とは先祖が同じだとか、チベット語で日本語はすべて解けるとか、フランスとスペインとの間にいるバスクという民族の言語は日本語と似ているとか、さらに最近では、ヒマラヤの谷底のレプチャ語で万葉集の言葉が解釈できるとか、まだまだ多くの説がとなえられた。日本語は朝鮮語・満洲語・蒙古語と同じ系統であるとか、南方に日本語の土台があるとか。

と述べ、北の方から「日本人とアイヌと」「日本の東部と西部と」「南方に日本語の親戚があるか」「古代日本語とアルタイ語・朝鮮語」「探索はつづく」とあり、全編を貫く流れは後年、インド南部の「ドラヴィダ語・タミル語」探索の途に就く前夜の研究姿勢が読み取れる内容でもあった。中でもアイヌと日本人との関わり、アヅマ論などはわが越後も巻き込んで考古・民族・民俗・言語の諸学を前面に、第一・第二・第三のアヅマを画然と線引きしていく。とくに万葉集の東歌・防人歌の方言を重視し、これを手立てに展開していく論法には胸のすく思いもして読了したことを記憶する。

1972（昭和47）年、長年の汽車通勤から解放され、1日に約3時間の時間的余裕が生じた。この余暇を何に充てようかと思案していた折、たまたま「峠に関する二三の考察」という柳田國男の一文に出合った。その二の「たわ・たを・たをり」の項では、人が山を越える場合について、

鞍部を通るのが一番に楽である。純日本語では之を「たわ」と云ひ（古事記）又「たをり」とも云って居る（萬葉集）。「たわ」「たをり」は地名と為って諸国に存在するのみならず、普通名詞としても活きて居る。

と述べ、「鎌倉の武士大多和三郎は三浦の一族で、今の相州三浦郡、武山村大字太田和は其名字

の地である。伊賀の八田から大和へ越える大多和越……」と地名の例も挙げる。「たおり」の例としては、大隅から都城へ越える「通山」、美濃恵那郡静波村大字野志の「通り澤」、越後南蒲原郡大崎村大字下保田の「通坂」、常陸那珂郡勝田村大字三反田の「道理山」を挙げている。さらに、

> **中国（地方）では峠を「たわ」又は「たを」と云ひ、其大部分は乢の字を當て丶居る。乢は所謂鞍部の象形文字で、峠の字と同じく和製の新字である。内海を渡って四国に入れば、「たを」とは言わずに「とう」と呼ぶけれども、「とう」は亦「たを」の再転に相違ない。土佐の国中から穴内川の渓へ越える繁藤に、肥後の人吉から日向へ越える加久藤は、ともに有名な峠であるが此藤もまた「たを」であろう。「たうげ」は「たむけ」より来た語だと云ふのは、通説ではあるが疑いを容る丶余地がある。行路の神に手向けをするのは必ずしも山頂とは限らぬ。逢坂山は山城の京の境、奈良坂は大和の京の境であるから、道饗の祭をしただけで、そこが峠路の頂上であった為では無からう。「たうげ」も亦「たわ」から来た語であるかも知れぬのである。**

ここには、地名はいわずもがな、歴史が存在し、名字の由来、古代日本語とその転訛・表記、そしてその地域差の多様さが述べられている。これは正直当時の筆者にとって目から鱗の驚きであった。大野晋から古語の重要性、方言の大切さ、柳田國男から地名は古語の残存であることを学び、3時間の余暇を地名研究と方言の採集に充てることを決めたのであった。

方言は、自分が子どものころから使っていた言葉をノートに書き並べただけでも、語彙は優に千語を超えた。エリアは岩船郡内とし集落の古老を順次訪ねたが、それはまた地名との出合いとも

なった。由来を尋ねる場合ももちろんあったが分からなかった。時折、おとぎ話のような説話を拝聴する場面もあった。何冊か関係の書籍を求め目も通したが、その中で、小論を述べられるようになったのは、「いわふね」と「やぶき」くらいで、地名という坂道をあえぎつつ一人で登っている状況が続いた。

日本地名研究所との出合い

1982(昭和57)年、新潟日報社は創刊40周年を記念して、前年、川崎市に誕生した「日本地名研究所」を招聘(しょうへい)、新潟市イタリア軒を会場に、シンポジウム〝風土と地名・地方の根っこを考える〟を開催したのであった。日本地名研究所の谷川健一先生との出会いは筆者の地名研究にとって率直に言って一大エポックであった。というのも以来、翌年から川崎の全国地名研究者大会に少なくとも20年間はほとんど無欠席で通い続け、その間、幾多の出会い、幾度かの発表、刊行物「地名と風土」「地名談話室」などへの寄稿の機会を得たからであり、新潟県地名研究会の設立の萌芽(ほうが)もこれが機縁となったからである。

川崎に2、3年通ううち不思議なことに気付いた。新潟県からの参加者に全く出会わないということ、あのイタリア軒のにぎわいは何だったのか。その後、1986(昭和61)年には平凡社から

『日本歴史地名大系・新潟県の地名』が、続いて1989（平成元）年には角川書店から『日本地名大辞典・新潟県』が刊行され、これにも出版記念シンポジウムのような事業があり会場は満席の盛況を呈した。だが川崎の大会に新潟県人の姿はなかった。

全国地名研究者大会の第8回大会（1988年）に「田麦地名と手向地名」の発表の機会を得ているから、谷川先生とはかなり距離が近くなっていたのであろう。「新潟県に地名の会をつくってはどうか」といった示唆を頂いたことを記憶する。筆者も同じ思いであったから、二つ返事で応諾はしたものの、実行にはかなり困難が伴った。というのも、理系の筆者は前記の二つの地名辞典などには全く関わりがなく、従ってその道の人脈もない。また名のある人はすでに歩むべき道を持っておられる方である。某日そうしたある方に、わが意図を伝える機会を得たが、「わが師は地名などに手を染めるなと戒められた」と、けんもほろろのご返答であった。いたずらに日を送るうち、2年が経過した。全国大会も10回目を迎え筆者は再度発表の機会を得て発表者の席に着くと、隣席に中老の男性が着座した。お国を問うと「新潟」だという。10年目にして初めての新潟県人に出会ったのである。お住まいは巻町（現・新潟市西蒲区）で、姓は藤田、谷川先生の『青銅の神の足跡』に再々名の出るという郷土史家であった。発表の合間に「新潟県にも地名の会をつくりませんか」と問いかけると「作りましょう」と即座に応じた。帰宅の車中で考えた。「日本地名研究所に県内入会者の名簿を拝借しよう」。やがて名簿の送付があり、かくて電話作戦、14名全員の賛同を得たのであった。

越後・佐渡地名を語る会の設立

1992（平成4）年4月5日、都合のつく者だけでもと、5名であったがJR新潟駅前の一隅に集い、とりあえず会を立ち上げ、4月19日の全国地名研究者大会で「越後・佐渡地名を語る会」の誕生を報告したのであった。同年、建設中の県立文書館が竣工し、その記念講演会が8月9日、同館のホールで行われた。この講師が谷川健一先生であったことも、わが会にとっては幸運であった。入会者二十数名。設立総会は同年11月1日、会場は新潟市のホテル・ニュー越路で会員数80余名、参集会員50余名、会則・事業計画などを審議決定し、事務局をするはずの筆者が会長に推されたのであった。筆者が地名の道に分け入って20年目のことである。会報第1号を同年12月25日に発行、以後会報発行は年2回、これは現在も変わらない。1993（平成5）年5月、第1回の地名探訪は「和島村に八幡林遺跡と良寛の足跡を訪ねる」を行った。以後、原則として春秋年2回、実施することとなる。

1995（平成7）年には県教育委員会の「新潟ふるさと地名講座」の企画に参加、講師は谷川健一（日本地名研究所所長）、市川健夫（長野県立博物館長）、笹本正治（信州大教授）、田中圭一（筑波大教授）、岩鼻通明（山形大助教授）の諸先生、ほかに本会から久保田好郎副会長（上越市史編さん室長）と筆者であった。この7講師による7講座をすべて収録、許諾を得て『新潟県の地名』（野島出版）を刊行した。1997（平成9）年9月、『大日本地名辞書』の著者、吉田東伍の記念博物館が安田町（現・阿賀野市）に開館した。あくる１９９８（平成10）年5月、第17回全国地名研究者大会は、新潟市と安田町で「日本海交通と越後・佐渡」をテーマに開催され、本会からも筆者ほか3名が発表者・パネリストとして参加した。これは、この吉田東伍記念博物館の開館に連動する開催であることは言うまでもない。なお会誌『越佐の地名』の創刊は２００１（平成13）年3月である。

２００２（平成14）年は10周年記念、谷川先生から「北陸地方の地名」のご講演をいただき、シンポジウム「新潟県における中近世の新田開発と地名」を新潟市のワシントンホテルで開催した。7名のパネリストはすべて会員、コーディネーターは久保田副会長であった。

新潟県地名研究会以降

会設立10年を経て２００３（平成15）年、会名を「新潟県地名研究会」と改称した。翌２００４（平成16）年、春の地名探訪は1泊2日で佐渡へ渡った。佐渡には以後も2度、いずれも1泊2日である。２００６（平成18）年の探訪先は城下町村上であった。せっかくの機会ととらえ、テーマを「越後城下町の歴史と地名」と銘打って、六つの藩に7名のパネリスト、高田・植木宏、長岡・稲川明雄、三条・羽賀吉昭、村松・伊藤正、新発田・鈴木秋彦、村上・本間哲郎・佐藤三良の諸氏、コーディネーター長谷川で、岩船広域教育情報センターを会場に開催、超満席の盛会であった。翌

2007（平成19）年は会設立15周年で、県立生涯学習推進センター大ホールを会場に「越蝦夷とアイヌ語地名」をテーマに、講演とシンポジウムを開催、「越の国と蝦夷」谷川健一（日本地名研究所所長）、「新潟県内のアイヌ語地名」村崎恭子（元横浜国立大教授）、「東北南部のアイヌ語地名」太宰幸子（宮城県地名研究会会長）、「越の蝦夷とアイヌ語地名」（長谷川）の講演、パネリスト同前で、コーディネーターは杉田幸治副会長であった。

2011（平成23）年3月11日、筆者は書斎で会誌「越佐の地名」11号の校正を急いでいた。午後2時40分を過ぎたころ、遠雷のような異様な地鳴りがあり、やがて机が揺れだした。大きな揺れではないが長い。新潟地震などの体験から、震源は近くはないがかなり大きな地震と受け取った。果たせるかな、これが空前の大津波を伴った東日本大震災、さらに福島第2原発のメルトダウンの誘発をもたらす結果となった。ここで日本地名研究所も急きょ災害と向き合う状況が生じていた。

2012（平成24）年、6月9日、筆者はここしばらく欠席していた川崎の全国地名研究者大会に参加していた。事前に谷川先生から「川崎に出てこないか」との電話をいただき、参加を決断したのである。発表は全国の災害と災害地名の報告であったが、これらを軸に編まれたのが谷川健一編『地名は警告する』（冨山房インターナショナル）である。

一方この年は新潟県地名研究会の設立20周年で、前例にならって講演会とシンポジウム「新潟県の地名」、副題を「～新潟・蝦夷・東北&災害と地名～」を企画し、会場を新潟市幸西の新潟会館、期日を10月7日（日）とした。講師と演題は「考古学からみた新潟の地名」橋本博文（新潟大学教授）、

「北方情報と新潟・蝦夷地」浅倉有子（上越教育大学大学院教授）、「東北地方のアイヌ語地名の痕跡研究から新潟県の研究に期待する」鏡味明克（三重大学名誉教授）、「新潟県における災害の痕跡とその地名」長谷川であったが、シンポジウムのコーディネーターには望月正樹副会長が当たった。なお、１９６７（昭和42）年の羽越水害に完膚なきまでに被災した安田町の、広田康也運営委員にもご登壇願い、その体験を語ってもらった。

筆者の演題は当初「新潟県の地名」であったが、急きょ上記のように変更、これを原稿化したものが前記『地名は警告する』に掲載されることとなった。なお、同書の発刊は２０１３年3月27日である。そしてこの年8月24日、いつも筆者の前を歩いておられた谷川健一先生の突然の訃報に接したのである。年初に「昨年六月大兄にお目にかかれて嬉しく存じました。御元気なご様子に安心しました」と年賀をいただいておったのに。まさに〝巨星落つ〟の感。日本地名研究所からの連絡に、とりあえず弔電を託した。

２０１４（平成26）年の全国地名研究者大会は、ご子息の谷川章雄氏も来会され〝谷川健一先生追悼大会〟となった。谷川彰英先生が新しい所長さんに就任され、新生の日本地名研究所が発進した。前途多幸であることを祈念してやまない。

以上、新潟県地名研究会の今日に至るまでの経緯を述べたが、それはまた筆者の歩んだ道とも重なるものである。その筆者を支えてくださったのは、新潟県地名研究会の同志であり、日本地名研究所であり、谷川健一先生であった。

本書の執筆に当たって

新潟日報社から執筆依頼を受けたのは２００８（平成20）年4月であったかと記憶する。当時平成の合併が進み、遅れていた筆者の住まいする村上市もようやく合併が成立した時期で、同社の依頼の一つの動機も「合併で地名も変わる」あたりにあったかと記憶する。条件は月2回、1回８００字程度、図または写真を入れる、であった。第1稿を送ると「にいがた地名考 由来と歴史」の表題が決まった。この第1稿は別として第2、3、4稿は、この度の合併について述べた。続いて人口の集住する、新潟・頸城の両平野部、特に潟湖の干拓に筆を進めた。

話が前後するが、会の発足した１９９２（平成4）年当時、「地名の研究会を作りたいのだが」と呼びかけると「つい先般、新潟県の地名辞典が2冊も発刊されたばかりなのに」いまさら何でといった声も聞こえてきた。2冊の地名辞典とは『角川日本地名大辞典（新潟県）』と平凡社の『日本歴史地名大系・新潟県の地名』のことである。両辞典とも編集の大要は、見出し項目（多くは集落名）を挙げ、そこに営まれたヒトの歴史を記述する。その傾向は後者に著しく、角川の場合は多少多角的ではあるものの、筆者などが求める「なぜにその地名がそこに存在するのか」、別な表現をするならば、「地名の理解」にほとんど及んでいない。この未開の原野をカルチャーすることにこそ、執筆の意義が存在するのではと考えるようになった。

江戸時代に誕生した地名、たとえば紫雲寺潟干拓による新田地名などは、由来は探りやすい。しかしこれが中世、さらには古代ともなると、そこまで文献はさかのぼれない場合が多い。よって全く不明であったり、巧みな説話で説明されていたりする。しかし、これらの壁を前にたじろいでは地名研究の前進はない。

　地名研究は多面的だと承知しているが、それ故に本書ではその多くを「地名の探求」に絞った。理由は前述の両辞典などの述べ残した部分、それは出版元の編集方針にのっとったものであったろうが、そこに筆を入れてみようと考えたからである。これにはかなりな勇気が要る、と同時にリスクも伴う。この一見愚かしいことに踏み入る最大の理由は「なぜにその地名がそこに存在するのか」という素朴な疑問、その動機への無垢（むく）な関心からである。

　一つの地名の歴史をさかのぼるとどこかで見えなくなる。その先は考古学、地質学、人類学等々であろうが、本書の場合、多くを言語学に先導を願った。それは地名がかつてそこに居住した人たちが使用していた「ことば」が、考古学の遺物のごとく残存したものと考えるからである。ここに想起されるのが谷川健一先生の地名に対するお考えである。

　地名は大地の表面に描かれたあぶり出しの暗号である。とおい時代の有機物の化石のように、太古の時間の意識の結晶である。

谷川先生に新潟日報紙への地名の連載を話した折、「いま何回?」の問いに「もうすぐ100回になります」と答えると、「もう、やめなさい」という。これは筆者の体力などを熟知する適切な制止であったと考える。日報紙の都合もあって延長3カ月、最終稿は2012（平成24）年12月25

日となった。果たせるかな、出版には予想を超えた日時を費やし、先生の訃報を編集の途上で受ける遺憾な結果となった。

話を本書に戻すと、日報社との約束はすでに述べた程度で、何回とか、何年とか期限を切る約束はなかった。従って意の赴くまま県内を放浪した感じで、いま少し計画的であった方がよかったのではと反省している。ことに魚沼が手薄になったことが心残りである。

ただ連載とはいっても読者の側に立てば、1回きりの場合も考えられ、基本的には、その稿はその稿で完結しなければならない。従って意を尽くせない稿もあったがこれも致し方ない。不足の部分は本書の場合《補注》として加筆させていただいた。

文章は、一般読者を考え平明を心がけた。また新聞には使ってはいけない表現、使わない漢字や数字、独自の表現があり、代々の支局長さんには大変お世話になった。さらに読者からは稿の誤りのご指摘をいただいたこともあり本書では改めた。ともども謝意を表したい。

発刊に臨み

本書の地名考の結論を可とする人も、また否とする方もおられよう。本書がその地名論考のたたき台となるならば、これも幸せであると思っている。そしてその行く手に地名研究の新しい光明を望むことが可能となるならば、それはまた本書のこの上ない喜びである。本書は諸先達の貴重な著作や教示をいただいての執筆であり、先述の両地名辞典もまたその例外ではない。

地名研究に志して四十余年、浅学の身を顧みず書き進めたものが出版社のご厚意により発刊となる。願わくは本書がこれから地名研究を志す諸兄の目指す「地名学」への一つの捨て石とならんことを。

2015（平成27）年5月

目次

本書は2008年5月から2012年12月まで「新潟日報」に連載された「にいがた地名考」をまとめたものです。出版に当たり《補注》を加えるなど一部加筆修正を行いました。

にいがた地名考

——歴史と由来——

1　磐舟と都岐沙羅

柵の別称だった可能性

県内の平成の大合併からは2年遅れたが、県北の5市町村が合併して新しい村上市が誕生した。人口約7万人、面積約1174平方キロメートルは本県の自治体の中で随一であるという。

そもそもこの地方が歴史に登場するのは、大和朝廷が蝦夷(えみし)に備えて「磐舟柵(いわふねのき)」を築造する648（大化4）年である。その後、「岩船郡」が生まれ、南北朝時代から江戸時代初期にかけては「瀬波郡」、その後再び岩船郡に。ほとんど郡域を変えることなく昭和を迎えるのである。

1954（昭和29）年、この地に旧村上市が誕生する。このため今回の合併では、市名を「村上」とするか「岩船」かで、一度暗礁に乗り上げてしまった。

11年前になるが、1996（平成8）年、そんな岩船・村上広域圏に県の価値づくり事業「里創プラン」が始動した。圏域7市町村の関係者が集まる中、講師を務めた筆者は「このプランの愛称はツキサラ（都岐沙羅）がいいかもしれません」と話したのであった。

『日本書紀』によると、磐舟柵が築かれた10年後、阿倍比羅夫(あべのひらふ)は船師180艘(そう)を率いて齶田(あぎた)（秋

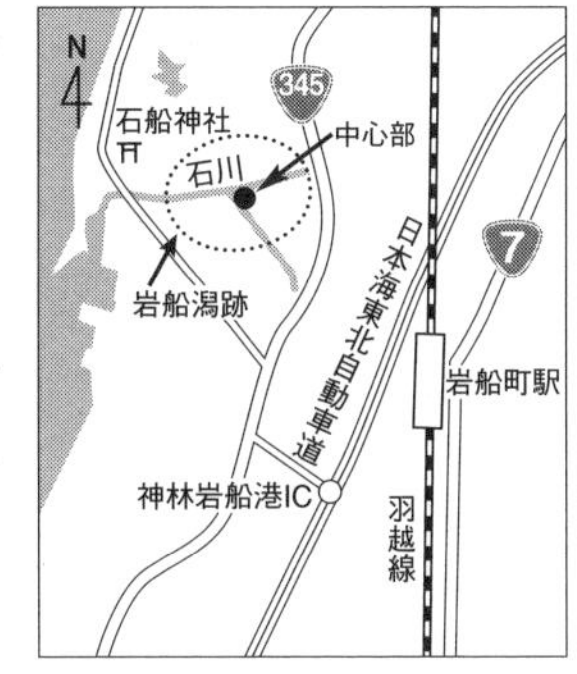

臥牛山（お城山）の頂上から見た村上市街
この地方が歴史に登場してから1360年が経過した（写真／新潟日報社）

磐舟柵跡碑＝石船神社境内

田）・渟代（能代）の蝦夷を討つ。その１８０艘の軍船の集結地が磐舟の柵に近い潟湖（後の岩船潟、別名琵琶潟）であったろうとする推測は許されると考える。そして遠征後の論功行賞の中に、渟足の柵造（きのみやつこ＝長官）と並んで都岐沙羅の柵造が賞を受けているのである。ところが磐舟の柵造の名はない。これが古くから問題になっていて、柵の位置が確定できていないこともあって「都岐沙羅柵は磐舟柵の別称かもしれない」と、『大日本地名辞書』を著した吉田東伍博士らも述べている。

ツキサラ（ｔｏｋｉｓａｒ）はアイヌ語で「湖の耳」を意味し、潟などの入り江を指す。古く越の蝦夷の時代、岩船潟の入り江をそう呼んでいたことも十分考えられるのである。

４月１日（平成20年）、新しい市は「村上市」を名乗り、「岩船郡」も残る。里創プラン「都岐沙羅」は10年の輝かしい足跡を刻み終え、くしくも同じ日、自立の道を歩み始めた。ともども幸多かれと祈念せずにはおられない。

（２００８年５月23日）

２　平成の大合併

旧市町村名　扱いに違い

４月（２００８年）の村上市の発足も含めて、平成の大合併で２０００年に１１２あった県内の市町村は現在、31となった。

これは、山形県の44から35、福島県の90から60、群馬県の70から38、長野県の１２０から81、富山県の35から15という隣接各県の合併の数字と比べて、格段に高い割合である。

言い換えれば、一気に巨大な自治体が生まれたわけで、例えば佐渡市千種（ちぐさ）と突然言われても「どこだ、どこだ」となる。実はその地は佐渡市役所本庁舎の所在地で、旧金井町千種なのである。事ほどさように、この大合併は住所表示の面から多大な混乱を招いている。

人口80万人の大世帯の新潟市は、一部でかなりの抵抗もあったが、それを退けて既存の地名を用いず、全市を八つの区に分けた。中央区、北区、東区など、位置や方位を付けたことにより、市内でもおおよその位置関係が頭に描けるのはせめてもの救いである。

21万人の上越市は周辺13町村を吸収合併したものだが、旧町村に「区」を付けることによって、

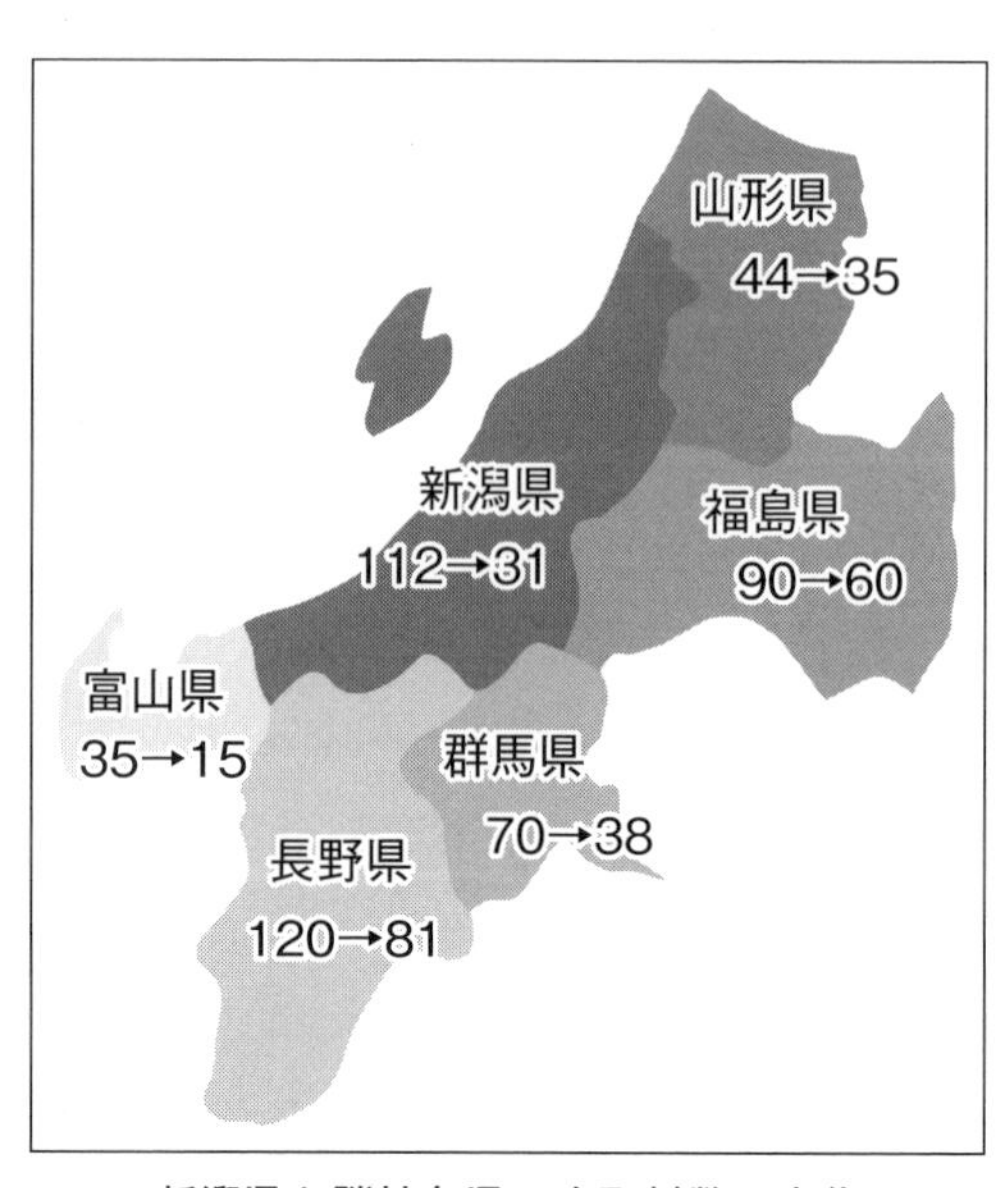

新潟県と隣接各県の市町村数の変化

その区域と地名をそのまま残した。このことは、巧みな合併の一つの型を示したといえるであろう。

長岡市は9市町村を合わせ28万都市となったが、旧与板町、小国町については「町」を残し、栃尾、越路、三島、中之島、和島の場合は原則として「市町村」をすべて除いた。その中で、山古志村は集落名にすべて「山古志」を冠称し、寺泊は町名（旧字）や集落に「寺泊」を冠称することとした。

それぞれに理由あってのことなのだが、外から見ると何か統一を欠くように見えなくもない。旧長岡市は集落すべてに「町」を付けていたこともあって、余計複雑になっている。

以上、県内の代表的な四つの市について概観したが、地名（住所表示）という視点だけからしても、この大合併はいろいろな問題を今の社会に投げ掛けてきている。

（2008年6月13日）

3　新潟県の成立

管轄変更とともに改称

平成の大合併を成し遂げた新潟県であるが、この県が、いつ、どのようにして成立したのかを地名の上からも知っておきたいと思う。

1867（慶応3）年10月、江戸幕府15代将軍徳川慶喜の大政奉還によって成立した新政府は、翌明治元年には勅書を送るなど越後への働き掛けを強めてくる。一方、奥羽には列藩同盟が結成され、越後の諸藩もこれに加盟したので、ここに北越戊辰戦争の戦端が開かれるのである。

5月の長岡城をめぐる攻防を中心に、8月の村上藩抗戦派の庄内撤退まで、およそ3カ月半にわたる戦いは、戦死者双方合わせて2200人余りという激戦であった。

そんな中、府藩県の三治制の成立で、5月29日には新潟に「越後府」が設置されるのである。「府」とは京都、大阪、東京のほかは、新潟、神奈川などの開港地に限られた呼称である。

7月には頸城、刈羽、魚沼の3郡を管轄する「柏崎県」ができ、管轄が三島、古志、蒲原、岩船の4郡だけとなった越後府は、9月に「新潟府」と改称される。また、同月に「佐渡県」が設置さ

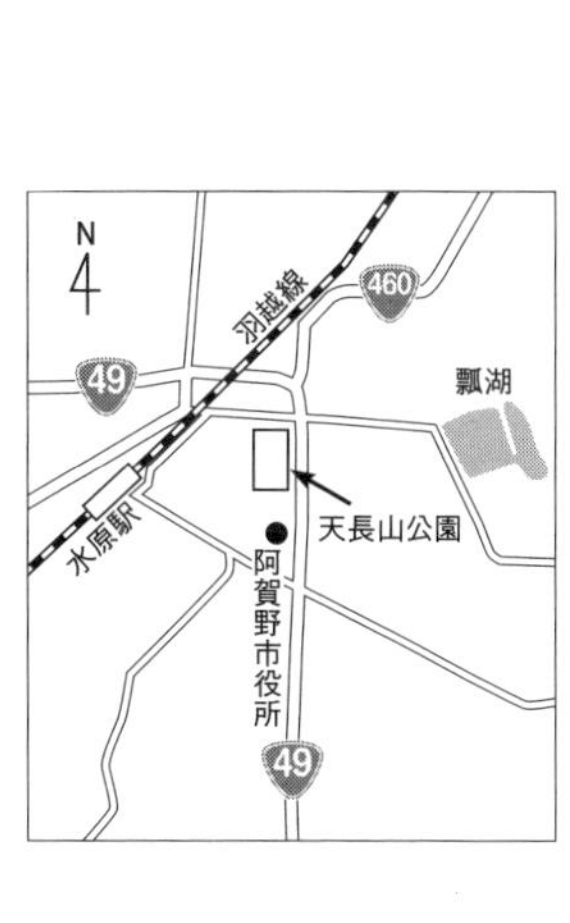

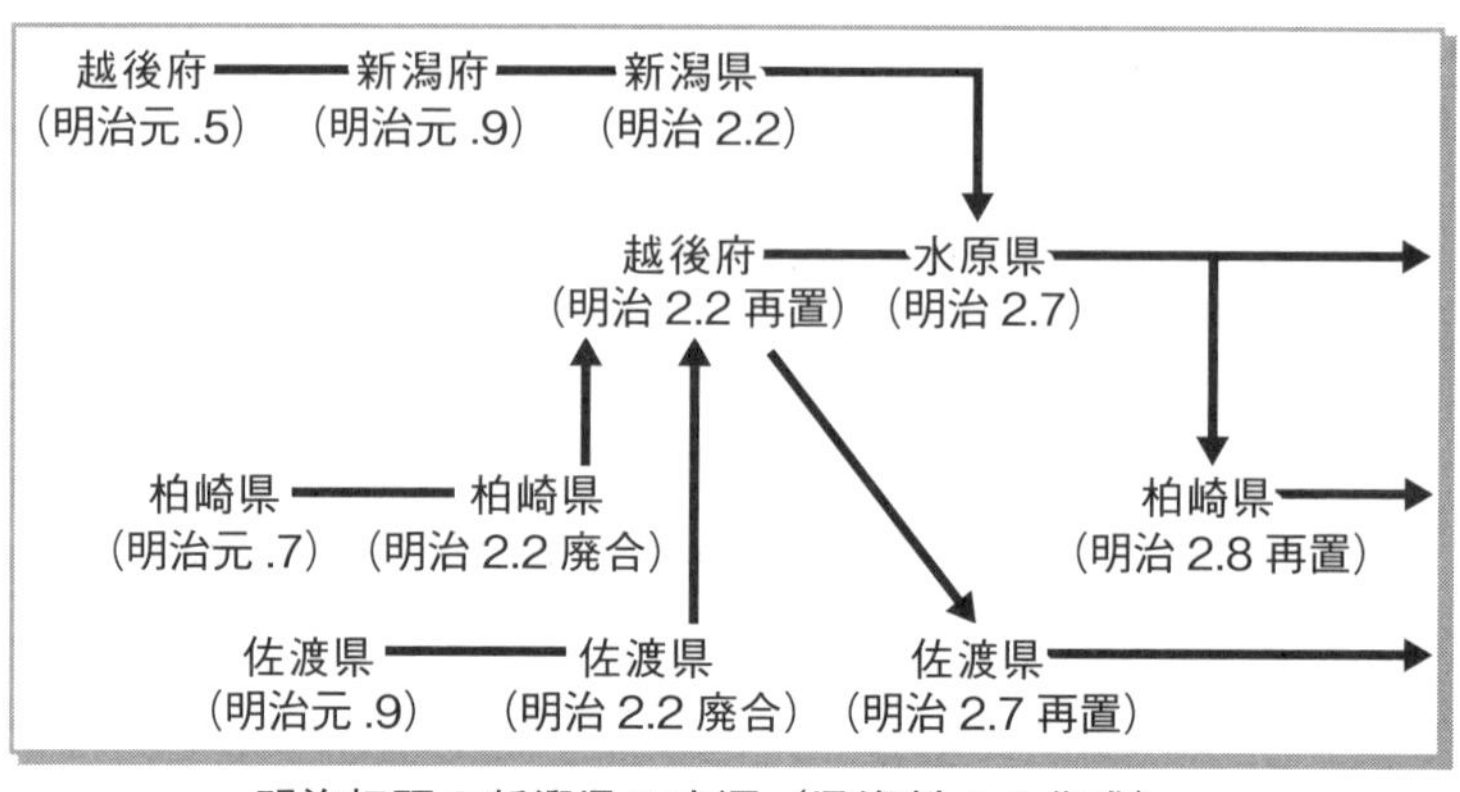

明治初頭の新潟県の変遷（県資料から作成）

天長山公園　かつての水原県の庁舎跡＝阿賀野市中央町1

れている。

11月になって新潟府は柏崎県、佐渡県をその管轄下に置く中で、19日には新潟港が国際貿易港として開港するのである。翌1869（明治2）年2月8日、政府はあらためて越後府を水原に設置し、柏崎県と佐渡県を越後府に併合する。新潟府は「新潟県」と改称するが、管轄は新潟町のみとなった。

この後、6月17日に諸藩の版籍奉還があり、新政府はついに旧藩主を知藩事に任命するのである。

7月23日には佐渡県が越後府から独立。同27日、越後府は「水原県」と改称し、新潟県を合併した。その水原県は、今度は頸城、魚沼、刈羽、三島、古志の5郡を柏崎県として分離して、蒲原、岩船2郡だけの県となった。

現在の新潟県が誕生するにはなお紆余(うよ)曲折があるが、ここまで見ただけでも明治維新が想像を絶する激動の時代であったことをわれわれは知るのである。

(2008年6月27日)

4 一県に統合

東蒲原編入し県域確定

紆余曲折を重ねる新潟県の誕生であるが、1870(明治3)年3月7日、水原県は廃止されて「新潟県」となり、県庁も新潟に移された。さらに1871(明治4)年には越後の10藩はすべて「県」となり(廃藩置県)、越後と佐渡はそれまでの新潟県、柏崎県、佐渡県と合わせて13県となるのである。

現在の信濃川河口付近　新潟は明治以降、港を中心に近代化を遂げた（写真／新潟日報社）

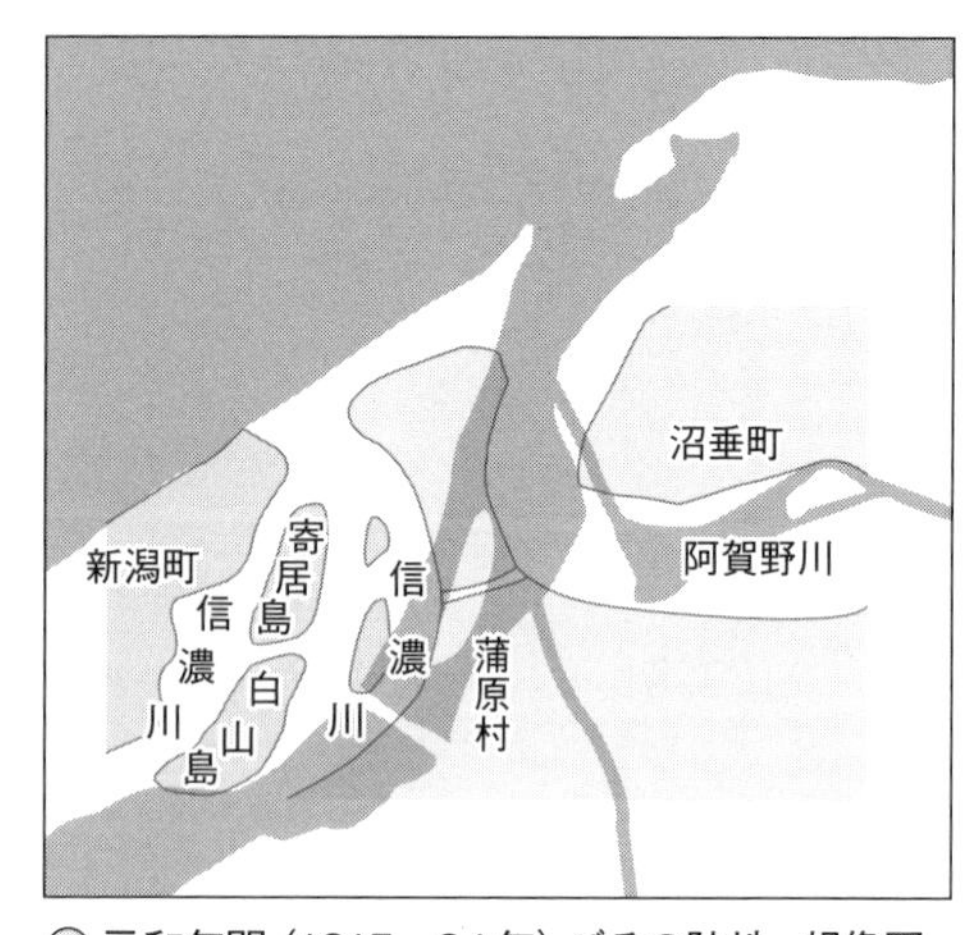

◯元和年間（1615〜24年）ごろの陸地・想像図
◯明治44年測図地図　（『新潟市史』より）

同年11月20日には、今度は佐渡を除く12県をすべて廃止。あらためて蒲原、岩船を管轄する「新潟県」、頸城ほか5郡を管轄する「柏崎県」を置いた。佐渡県は「相川県」と改められ、越佐の地は3県に改編されるのである。

そして、1873（明治6）年6月、政府は柏崎県の新潟県への合併を告示する。さらに1876（明治9）年4月には、相川県に対して新潟県への合併の告示がなされ、3県は新潟県一つに統合されてゆく。

東蒲原郡はこのころ福島県に属していたが、1886（明治19）年5月10日、勅令により新潟県に編入されることとなり、ここに至って現在の新潟県の県域がようやく確定するのである。

明治政府が最終的に県庁を新潟に定める背景はいろいろあったと考えられるが、越後平野をまとめる信濃川の河口であり、そして何よりも国際貿易港としての将来性を考慮したものではあるまいか。

ここで新潟という地名に注目すると、源義経とその主従を書いた軍記物語で室町時代初期の成立という『義経記』の一節に、「国上弥彦を拝みて、九十九里の浜にかかりて、乗足、蒲原、八十里の浜」と見える。信濃川河口を中心とした当時の海岸線の地名が並ぶが、ここに新潟はない。『大日本地名辞書』は「新潟は古代に聞こゆるなし。蓋しその興るは上杉家入国の後の事とす」と述べている。

さらに同書は、大和朝廷が蝦夷との境をこの地に定めたことは、渟足・磐舟柵の位置を見ても分かる。その後、蒲原の津が起こり、『延喜式』にも記された。それから蒲原、沼垂は相並んで久しく海口の湊として栄えたが、その後、河口の変遷があって蒲原、沼垂は衰え、新潟がこれに代わったのである、としている。

（2008年7月10日）

5 「新潟」の始まり

岸に形成された集落名

今、新潟といえば、県内では新潟の町を指す場合が多いが、県外では新潟県をまるごと指して言っていることも多い。しかし新潟とは、もともとは「潟」の名であって、その潟の北側の岸に、ある日誕生した集落が新潟と呼ばれたのが始まりなのである。この村を後に「新潟浜村」とも呼んだ。

これが文書に現れるのは1568（永禄11）年10月22日、上杉輝虎（謙信）が村上城の本庄繁長を討ちに向かうとき、栗林という武将に送った書状の中である。

昨二十一日、柏崎へ馬を進め候（中略）二十七日、新潟を打ち立つべく候

「潟」は信濃川の左岸と河なかにできた砂州（島）との間にあり、新しくできた潟なので「新潟」と呼んだのであろう。1699―1700（元禄12―13）年の新潟沼垂訴訟の立会図に、砂丘の辺りに「古新潟町跡」、寺裏堀に「古川跡」「西川跡」とも書き込みが見えるから、潟は砂丘と砂州に囲まれた河跡湖であったと言ってよい。

『新潟市史』（昭和9年刊）によれば、このころ信濃川は1年に2間（3・6メートル）の割で東北へ汀線（ていせん）を移していたといい、潟は衰退していく。やがて砂州の白山島と寄居島は一つになるが、この白山島に「島村新潟」が新しく形成されるのである。天正年間（1573—92年）のころのことという。

ここで新潟の初見を新しい史料によってさかのぼってみよう。冒頭に「永禄六年癸亥」の記載のある「北国下リノ遣足」という旅人某（醍醐寺の僧侶）の金銭遣い控え帳に注目する。この年の「九月廿日」が書き始めで、その中に「ニイカタ（が）」が見える。いくつか地名（宿泊地など）を拾ってみると、廿四日は津川泊り四十五文、廿五日マヲロシ泊り三十六文、廿六日は村松、横越を経て対馬（津島）屋泊り三十文、廿七日は神原（蒲原）まで進んで「十文　ニイカタノワタリ」と見える新潟へ信濃川を舟で渡ったのであろう。これに十文かかったというのである。さてこれが永禄6年、西暦なら1563年で、天正に入る10年前である。

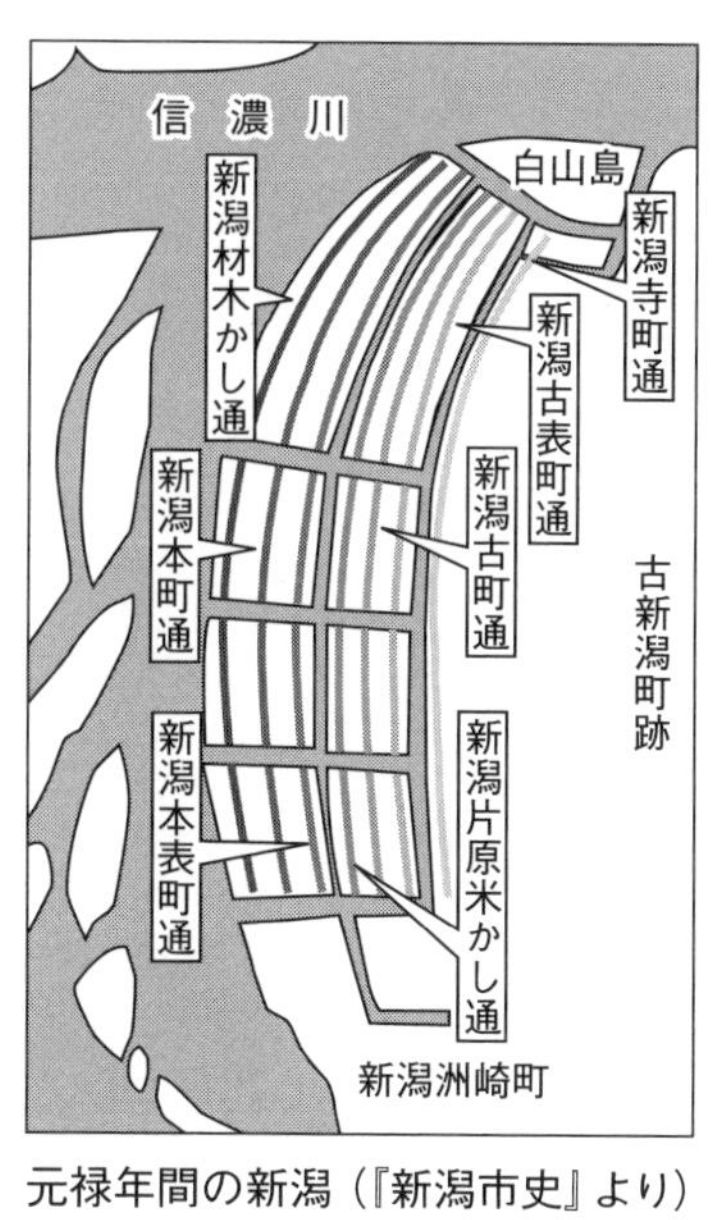

元禄年間の新潟（『新潟市史』より）

さらに古い記録は高野山清浄心院「越後過去名簿」（山本隆志・2008年）の中にある。過去名簿とは供養帳名簿のことのようで、初期のものは戦国期までさかのぼり、この中に「新潟・新方・新カタ」などの表記で記録されている。中で最も古いものは「正春　新方　田中ト

ノ　永正十七年四月八日」と見える供養記録である。「正春」は被供養者の戒名、「田中トノ」は「田中殿」で仏の供養者であろう。永正17（１５２０）年は前の永禄６年をさらに45年さかのぼり、現時点での新潟の初見は、この永正17年ということになる。

江戸時代になって１６１６（元和２）年、長岡に入部した堀直寄（なおより）は、既に白山島、寄居島に移っていた新潟の町づくりを推進する。まず沖の口船役をはじめ、湊にかかわる九つの諸役を免除して人口の集住を図る。

翌年には町建て令を発し、新たに「新町」（後の本町通）、「材木町」（後の大川前通）、「片町」（片原通）をつくることを命じ、「本町」（後の古町通）には絹、布、小物、紙を、新町には米、大豆、海産物を、材木町には木材を商わせるという、取扱商品も規定した。

この堀直寄の町建てが、その後の新潟湊の繁栄の基礎となったものといわれている。

（２００８年７月25日）

6　潟と新潟平野の開発

新川開削で田地が拡大

新潟などの「潟」は、「砂州などが張り出して海と分離してできた湖や沼」のように辞書には見える。事実、秋田の八郎潟、富山の放生津潟（ほうじょうづ）、石川の邑知潟（おうち）や河北潟（かほくがた）、みな海端の湖水だ。しかし、新潟平野では海から離れても、なぜか鳥屋野潟、福島潟、佐潟（さかた）、御手洗潟（みたらせ）と、すべて「潟」の名で呼ばれている。

1645（正保2）年ごろの「越後国絵図」の新潟平野には、「塩津潟」（旧・紫雲寺町）、「島見前潟」（旧・豊栄市）、「鎌倉潟」（旧・小須戸町）、「白はす潟」（旧・白根市）、「百津潟」（旧・京ケ瀬村）、「鎧潟」（旧・巻町・潟東村）、「大月潟」（三条市）、「赤沼潟」（旧・中之島町）、「圓蔵寺潟」（旧・寺泊町）などが描かれている。

これら多くの潟を抱えたこの平野の農業は、深田との闘いでもあった。まず浅瀬に真菰（まこも）を植え、根の張ったところで根を切り腐食させ、そこへ稲の苗を植える。こうして田地を広げたのだという。

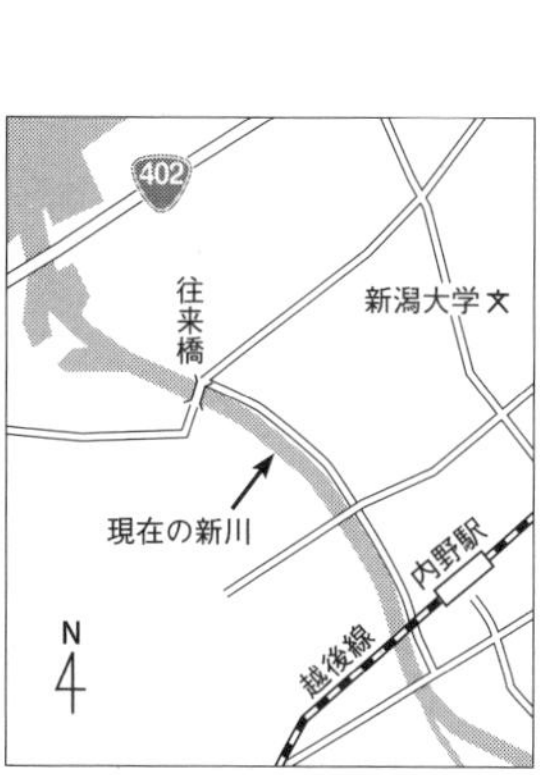

現在の新川　完成から約200年を経てもなお新潟平野を水害から守っている＝新潟市西区

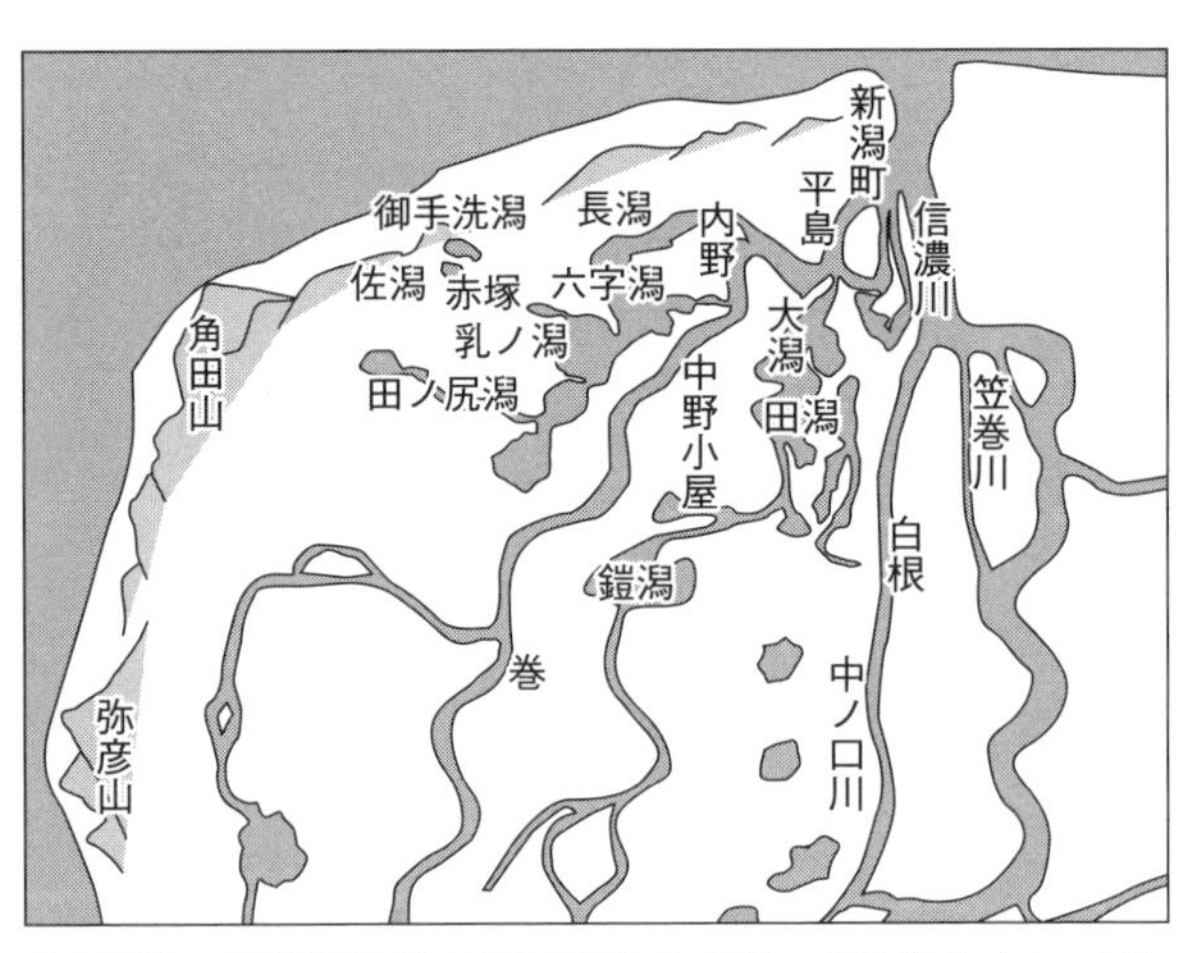

江戸期　新川開削前の西蒲原地方の潟（『新潟市史』より）

西蒲原辺りでは、腰まで漬かる田を「古志田（こしでん）」（現在の新潟市西蒲区漆山付近）、顎が田面をなでるほどの深田を「髭削（ひげすり）」（現在の同区羽黒）と言うのだとも聞くが、風土に根差した地名解として興味深い（古志田は、古新田が正しいとの説もある）。

こうした土地柄だから、西川、中ノ口川の土手が破れればたちまち一帯は泥の海となる。ことに下流部には群小の潟沼が存在し、洪水の常襲地であった。ここに三潟水抜きの事業が持ち上がるのである。

「鎧潟」「田潟」「大潟」は早通川で結ばれ、水は西川に落としていたが、これを直接日本海へ放流したい。１８１４（文化11）年、中野小屋村割元伊藤五郎左衛門は、長岡領・村上領などが複雑

に入り組む周辺52カ村を一つにまとめて組合を結成した。（中野小屋は第7稿地図参照）
1817（文化14）年、70年来のこの悲願に幕府の許可が下り、西川と新しい川を底樋を伏せて立体交差させるという驚異の工事は着手された。そして、砂丘の鞍部（あんぶ）、内野の金蔵坂を掘り割って、五十嵐浜へ幅18メートル、全長5キロメートルの新川（しんかわ）を完成し、1820（文政3）年には水抜きが開始されたのである。
この水抜きによって、長岡藩領だけでも51町歩、17の新田村が成立したという。

（2008年8月22日）

7　三つの潟

規模や形、伝説を基に

「鎧潟（よろい）」「田潟」「大潟」の3潟の水抜きが成功しても、直ちに潟が干上がったわけではない。そ

れは1842（天保13）年の「越後国細見図」にも、1911（明治44）年測図の大日本帝国陸地測量部の地形図にも、三つの潟が残っていることからも明らかである（次頁地図参照）。

干上がるのは、田潟が1948（昭和23）年、排水機場の完成によるというから、大潟もそのころであろう。鎧潟は1958（昭和33）年に干拓事業に入り、10年後の1968（昭和43）年に消失した。その潟を惜しむかのように、いま幹線排水路の橋の傍らに「こゝに鎧潟ありき」の碑が立っている。

「こゝに鎧潟ありき」碑　かつて鎧潟があった場所に立つ。いまでは豊かな田園が広がっている＝新潟市西蒲区
（写真／新潟日報社）

「新川掘さく請願書附属絵図」（巻町双書）には、3潟のほか、大潟に続いて「丸潟」「浦潟」「徳人潟」があり、西川左岸には、川下から「早潟」「ちの潟」「上関潟」「陽枝潟」、海岸砂丘部に「佐潟」「御手洗潟」が描かれている。

江戸期の地誌を記した『越後名寄』には、佐潟は「坂田潟」とあり、『越後野志』には「此潟殺生を禁ず。ゆえに鳧・雁、鴻、水鳥群游す」とある。ラムサール条約登録の素地は、江戸期からの信仰の中で育まれたもののようだ。

新潟市西区赤塚で、御手洗潟北岸の神明宮はこの潟の守護神とも聞いたが、一般的には、この潟名は神明宮参詣の御手洗ゆえの呼称であろう。

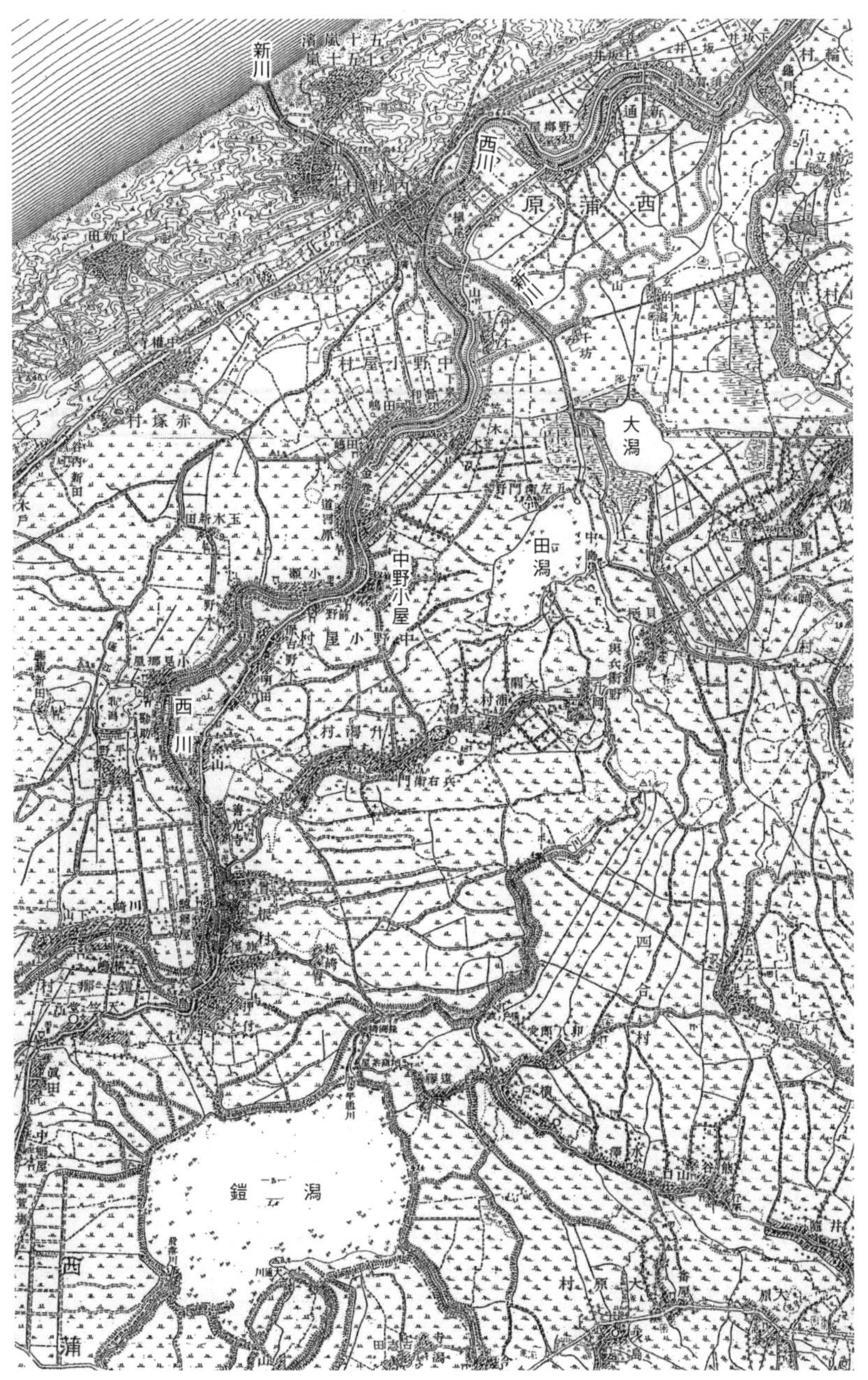

三潟（鎧潟・田潟・大潟）と新川・西川＝1911（明治44）年
「大日本帝国陸地測量部図」より

上関潟のセキは堰とも書かれ、灌漑に関わる潟の意であろうし、陽枝潟は「楊枝潟」とも書き、弥彦神の楊枝が由来と伝説は語るが、古い文献には「やうじ潟」と見え、「ヤ」も「ウジ」も湿地に関わるものと考えている。

田潟は田と関わり、大潟、丸潟はその規模形状から付いた。ちの潟は「乳ノ潟」とも書くが、干拓後の航空写真などは半円形の潟跡を写し、その名の由来を示している。

（2008年9月12日）

8 鎧潟

寄る囲炉裏なまる？

「鎧潟」が文禄（1592—96年）以前の洪水で潟となったことは江戸期の諸書にも見え、「洪水度々」と記すもの（『北越雑記』）もある。しかし、鎧伝説が記されないのは、地名説話の多くがそうであるように、地名が先で説話が後だからなのではなかろうか。ならば、「鎧」の地名はどうして生まれたのか。以下愚考を試みたい。

ヨロヒ（鎧）の元となる語にはヨロフ（動詞）が考えられ、『万葉集』の長歌「大和には群山あれどとり与呂布天の香具山…」に、そのヨロフが見られる。『時代別国語大辞典』（三省堂・1983年刊）によればこの語は語源的には「寄る」に動詞語尾「ふ」のついた語、私見では与呂布の語幹「よろ」に語尾「ふ」のついた語で、武具の鎧には「身に寄せまとうもの」の意があるように思う。

一方、中・下越の方言に「よろう（ふ）」があり（『新潟県方言辞典』）、「触れる」「触る」の意で用いられる。「寄る」と「触る」の語義は近いから、方言は先述の長歌同様、「寄る」を語源とする語ではなかっただろうか。諸書のいう「三方から河水」が寄って成った潟を「よろい（ひ）潟」と呼んだとすれば、それも一つの解であろう。

また、潟が往々その形で呼ばれることは、既に丸潟や乳ノ潟で見た通りである。鎧潟の原初の形状は想像すべくもないが、四角く描かれた古図にもよく出合う。この地方最初の5万分の1地形図は、1911（明治44）年の大日本帝国陸地測量部のものだが、潟の形は開田のためか「囲い土手」を巡らせていて、四角に近い。

岩船地方には広く「よろり」の方言があり、囲炉裏を意味する。この「よろり」が旧潟東村にもある。旧巻町では「よろぎ」（原意は炉縁）と聞いたが、ヨロギは「よろり」の語の存在したことを裏づけているといえよう。

かつて囲炉裏は各家の中心的存在で、一家団らんの場であった。ある日萱野（かやの）のただ中に出現した潟を、またのある日、「おお、囲炉裏形よ」と見た者はなかったか。

ちなみに、大木金平著『郷土史概論』（1921年刊）所載の図（第十五図）は、紫雲寺潟（塩津潟）を載せている。従って、享保（1716〜36年）以前の図と見るが、潟と鍛冶（加治）川の合流点付近に、清潟・丸潟・海老潟・鎧潟が見える。清潟は地下水湧いて清く、丸潟は名は体を表して丸く、海老潟は海老が背を伸ばしたように細長い。そこで、鎧潟だが、これが長四角、長方形また囲炉裏（よろり・よろぎ）の形である。ヨロリ・ヨロギの「よろい」への転訛は容易で、これも解の一つ。

小林存著『県内地名新考』（1950年刊）には、東汰上（ひがしゆりあげ）・西汰上の項で「ヨロイはユリアゲ（汰上）の転」とするがこの転訛はまずあり得ない。ただ、ユリ→ヨロ、ヨリ→ヨロの転訛は十分可能で、従ってヨロイは、イを「居」と解すれば、砂土のゆり上げる土地、また人々の寄り合う所と解することも可能である。後者については、『越後野志』（1815年編）の「四時水渺漫（びょうまん）トシテ商客常ニ船ヲ泛（うかべ）、帆ヲ揚テ不絶（たえず）」という鎧潟のかつての姿など、参考となろう。

鎧潟の由来については、種々の角度からのアプローチが可能であるが、結論的には万葉以来の古語「よろふ」の名詞形「よろひ・よろい」が地名化したものと考える。

（2008年9月26日）

9 「通り」の付く川

船の道だった名残か

「鎧潟(よろいがた)」跡から流れ下る川は現在、「新川」と呼んでいるが、三潟(さんがた)の水抜き以前は「早通川」であった。また、鎧潟の上(かみ)からは「大通川」が潟に流れ込んでいた。この川に「通り」とつくのは、何によるのだろうか。

新潟市江南区に「早通(はやどおり)」という南北に長い集落がある。村中を通る道は2車線で広い。古老に尋ねると、以前は川が流れていたが、それを埋めたのだという。早通の名の由来は「新潟・沼垂への近道」によるという（『角川地名大辞典』）。「早通」とは、川船による近道を呼んでいたのではあるまいか。

そう考えて1639（寛永16）年ごろに描かれたという「横越島絵図」（新潟市文化財）を見てみると、「花ノ牧」から取り入れられた川は、付近の潟を連ねて「とやの潟」に注いでいる。潟と潟の間には「境通り」と記されている。川は「とやの潟」から、やがて「あがの河」に落ちるが、その落ち口には「志やうぶ(しょうぶ)崎通り」とある。したがって、この図で見る限り、この川は信濃川の上手と

新潟平野に多く見られる「通り」の付く川
（1975年当時の国土地理院地形図より）

阿賀野川を結ぶ「早通り」＝近道＝とも言えそうである。

さて、1975（昭和50）年当時の地形図＝地図参照＝では、「旧早通川（新川）」は中ノ口川の西を流れ、旧白根市には「下鷲ノ木」に川口をもつ「大通川」が見える。そして、信濃川を越えた東側、旧新津市には「覚路津」からさかのぼる「旧大通川」があり、「小屋場」付近から東に延びる枝川には「東大通川」の記載がある。さらに、福島潟南岸からさかのぼる川に、またまた「大通川」がある。西川の西だが「広通江」が新川に流れ落ちている。

『改版温故の栞』の三潟の項には「船路の自由を得る為め夏日折々藻刈といふを成せり」と見え、『越後野志』の鎧潟の項には、すでに述べたが「四時水渺漫トシテ商客常ニ船ヲ泛、帆ヲ揚テ不絶」と見える。商いの船が頻繁に潟に出入りしているのだ。

「通り」はかつての船道故の名ではなかろうか。そして、かつての「鎧潟」「白はす潟」「鎌倉潟」には、それぞれの「大通川」が通じていたように思えるのである。

ここで付言するならば、新潟市江南区の「早通」については既に述べたが、阿賀野川を挟んで新潟市北区にも「早通」がある。北区の早通は１７３０（享保15）年、阿賀野川の松ケ崎掘割の本流化に伴って開発された集落で、当初は「早通新田」、１７３７（元文２）年の検地で「内島見西興屋」を称し、１８７６（明治９）年、「早通村」となった経歴を持つ。

地元では、江南区早通からの住民移住による地名の移植を考える向きもあるが、根拠は見当たらない。ここで再度、大木金平氏の『郷土史概論』第十五図を取り上げるが、阿賀野川の右岸に３本の枝川があり、最下流の枝川は無名だが、他の二つには「にごり川」と「はや通」と記されている。この図は松ケ崎掘割以前の図であるから、集落早通は存在しない。にもかかわらず河川の「はや通」が明記されているのである。３枝川の流路と位置から、この枝川が新潟町から新発田方面への船路の近道として命名されたことはまず間違いない。そしてそれが、やがて集落「早通新田」を誕生させる根拠ともなったのではあるまいか。

（２００８年10月10日）

10　消えた潟、名を残した潟

大潟が表記変え大形に

1639（寛永16）年ごろの「横越島絵図」の南西部には、「そえ潟」「尾長潟」「へら潟」「丸潟」「面て潟」「なか潟」「ひる潟」「泥潟」が密集し、その北部に、「なべ潟」「とやの潟」が描かれている。さらに、その東部には、「境潟」「みたらせ（潟）」「はす潟」が見え、「かた」とのみ記されたものや名もない沼沢も描かれている。

一方、1975（昭和50）年ごろの同じ地域の国土地理院地形図（5万分の1）で、水面を残すのは鳥屋野潟と清五郎集落西方の潟だけである。前記の絵図の潟で名を残したとすれば、「丸潟」（新田）、「泥潟」、「鍋潟」（新田）ぐらいで、多くは消滅している（小字名は未調査）。ほかには、「舞潟」、「長潟」（旧・新潟市と旧・亀田町の2集落）があるが、これらは寛永以降に誕生した潟の名であったろうか。「女池」「上沼」「児池」など、かつての潟の名残かと思える池や沼の名も見える。

JR大形駅の「大形」は、1901―43（明治34―昭和18）年の自治体である旧大形村に由来するのであろう。また、この大形村は、河渡にある延喜式内社「大形神社」（白山神社）に由来する

と考えられ、そしてこの社名を、『大日本地名辞書』は「(境内の)小山の上にて、見おろす田沼は、往昔の大潟なるべく」の「大潟」にちなむという。つまり、大形は大潟が表記を変えた地名だと述べている。

現在の大形神社　今では周囲に住宅が立ち並ぶが、かつて神社正面には大潟が広がっていたという＝新潟市東区河渡本町

阿賀野川は、現在は日本海に注ぐ1級河川となっているが、もともとは現在の通船川の川筋を信濃川に注いでいた川である。それを1730(享保15)年に「松ケ崎」に分水を掘り割り、洪水時のみの溢水(いっすい)処理を企てたのであるが、翌春の融雪期の大洪水に止めを破られ、掘割が逆に本流と化したのである。

「島見潟」(旧・豊栄市)は、それ以前、阿賀野川を介して新潟港と直接船道でつながる潟であったが、以後、水位が下がり、北西でつながっていた福島潟とも分離し、潟は著しく縮小した。『越後野志』には「島見潟　沼垂郷島見村ニ在(あり)、小潟ナリ」と記されている。

(2008年10月24日)

11　毘沙門潟

木像の漂着石碑に刻む

1730（享保15）年に「松ケ崎」（現在の新潟市東区）に分水を掘り割った阿賀野川は、翌1731（享保16）年春の洪水で本流となった。このため、1815（文化12）年の成立という『越後野志』には、再掲となるが「島見潟　沼垂郷島見村ニ在、小潟ナリ」とある。

潟の水が抜けて深みのところに小さい潟が残ったのであろう。「新井郷（にいごう）川」も水抜けの跡に流れた川で、古い島見潟跡に残った潟には「松潟」や「毘沙門（びしゃもん）潟」があった。毘沙門潟は現在のJR新崎駅の南側にあり、周囲およそ5キロメートル、松潟は駅の東側で大きさは同じくらいであったという。

地元の伊藤昇氏（80）によると、毘沙門潟の名は、いつのころか潟端（かたはた）に毘沙門天の木像が流れ着いたことによるという。木像は濁川の龍雲寺に預けたが、その後の火災で焼失してしまった。潟は漸次干上がり、1928（昭和3）年の耕地整理で全面田地となったが、中央部はフケ（卑湿地）と呼ばれ、腰まで潜る深田であったという。

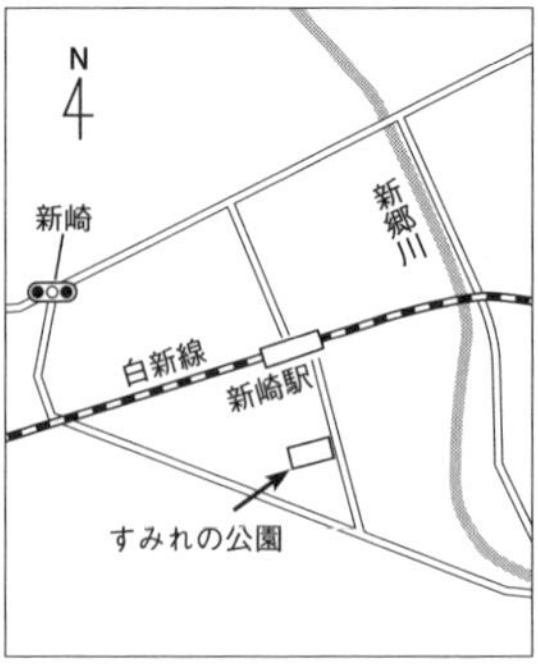

かつての深田も近年は宅地化が進み、訪ねてみると住宅団地はきれいに「すみれ野」となり、工業団地は新崎何々番地で、毘沙門の名は住居表示からは消えてしまっている。

そんな中で、潟に思いを寄せる人たちは記念碑を建てることを決意する。潟を永く子孫に語り伝えたいというのだ。かくして1995（平成7）年、「毘沙門潟の由来碑」は、「すみれ野公園」の西の緑地に建立されたのである。

現在のすみれ野公園　かつてこの辺り一帯が毘沙門潟だった

すみれ野公園の一角に立つ毘沙門潟の碑＝新潟市北区すみれ野1

本書第7稿の「こゝに鎧（よろい）潟ありき」の碑も同じ思いの結実であろう。地図に「鎧潟」の名はもうないが、集落に「潟頭（かたがしら）」が見える。地元に尋ねると、そこがかつては鎧潟の頭頂部（上手）であったらしい。

類似の地名に「潟端」がある。村上市の潟端は旧岩船潟の東岸にあり、佐渡市の潟端は加茂湖の西岸に位置する。この湖は「加茂潟」とも単に「かた」とも言った歴史があり、潟端はその潟の端なのである。また、その東南には「潟上」がある。潟の上手の意であろう。ここには潟上本間氏の古城跡がある。

（2008年11月14日）

12 潟上と鏡潟

連続した長い潟存在か

佐渡の「潟上」は加茂湖の南方、湖（潟）に注ぐ天王川下流にある。ところが同じ「潟上」が新潟市西蒲区にもある。旧・岩室村で、「和納」の西北西、西川を隔てて3キロほどの集落である。

地名からこの下手（北）に潟の存在したことが推測される。しかも、もう一つ注目される地名に「西船越」が近くに見え、かつての潟の存在がますます濃厚になった。探索しているうち、年紀不詳だが、三根山藩の江戸期＝1863（文久3）年以降か＝の地図のあることが分かった。12年ほ

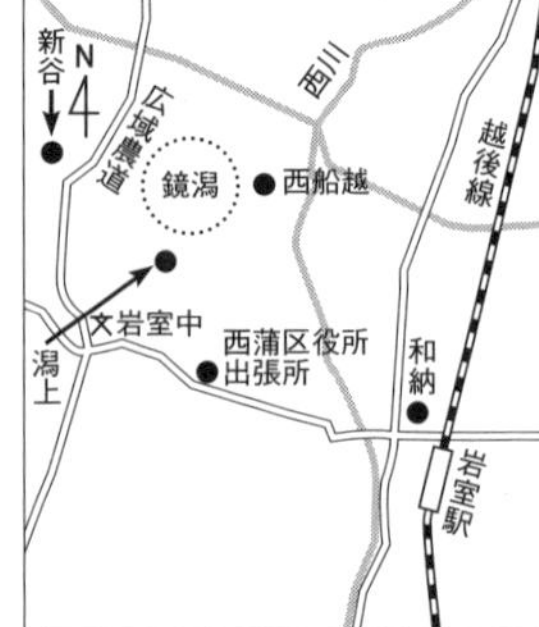

ど前のことである。

持ち主の井田忠三氏（73）＝同区新谷＝を訪ね、それを見せていただくと「潟」が描かれているではないか。名も「鏡潟」とあり、古鏡を思わせる真ん丸の潟だ。「潟上村」が確かに潟の上手に描かれている（左図）。

潟の下手には畑地があり（現状は田地）、さらに下手に「谷内（やち）」と記された湿地が2カ所並ぶ。そして、谷内の周縁に、今はない「広瀬村」や「梅田村」が描かれている。

想像をたくましくすれば、鏡潟と二つの湿地は連続して長い潟のようになっていたかもしれない。そして、その流れは西の矢川に注いでいたのではないか。「広瀬」の地名が自然地名とすれば、ここに瀬が存在していたことをうかがわせるし、「梅田」は潟や谷内を「埋めた田」とも受け取れる。

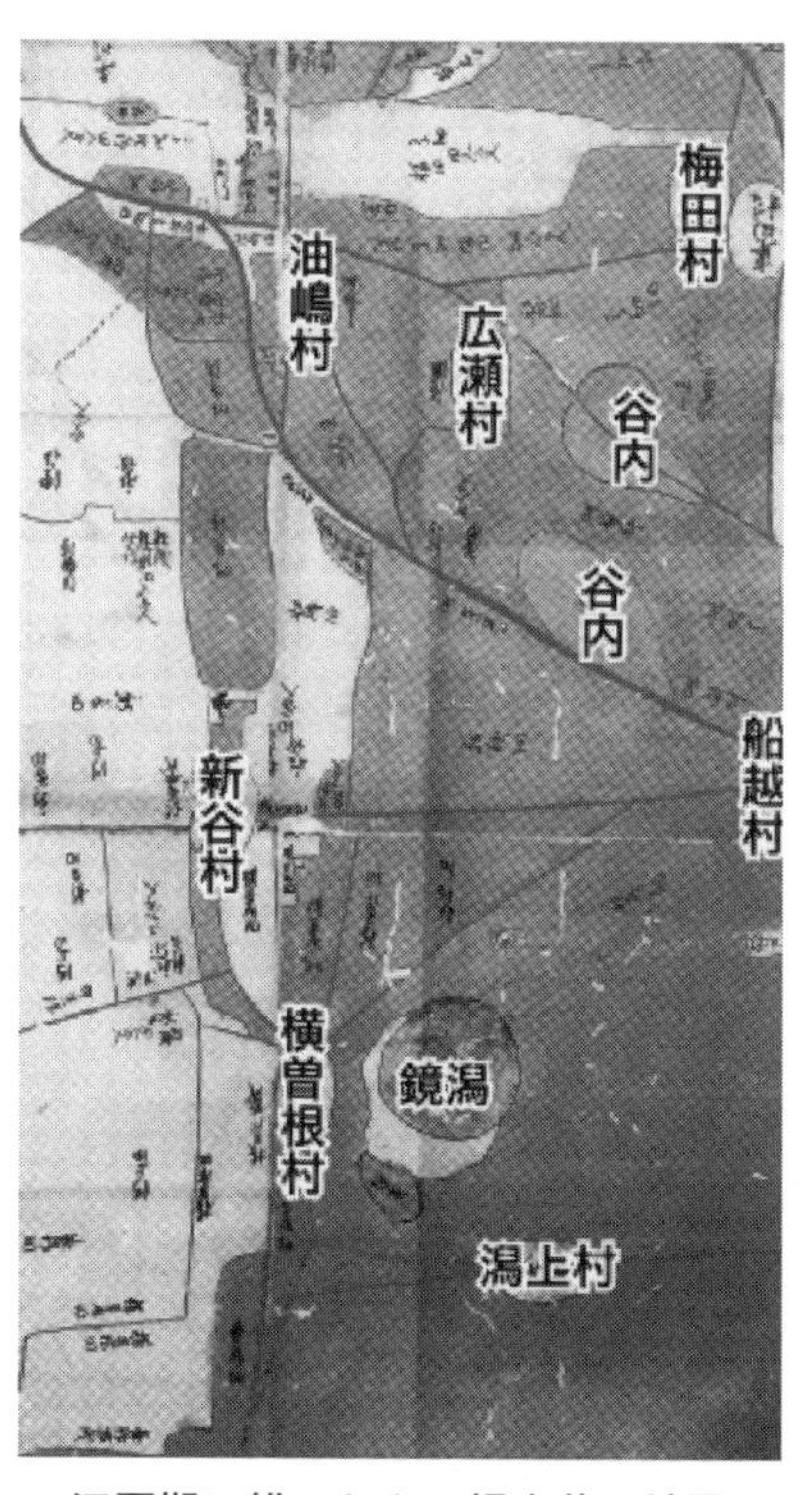

江戸期に描かれた三根山藩の地図

こう推測する大きな理由は「船越」の地名の存在にある。『県内地名新考』（小林存著）は、船越を「船を越すところ」（陸上で船を担いで移動するところ）とするが、かねて確証を得たいものと考えていた。

10年ほど前、四国に赴く機会があり、そ

の折に愛媛県の西南端の「西海町」（現在は愛南町）を訪ねた。この辺りはいわゆるリアス式海岸で、四国本土から豊後水道に向かって4キロほど、手首を曲げた形の半島が突き出している。手のひらの部分が町の面積の大部分で、手首の細くなったところ、地峡部に「船越」があるのだ。地峡の幅は200メートル余り。ここに旧西海町役場があり、町の中心集落なのである。

（2008年11月28日）

13　船越（新潟市西蒲区）

西川鏡潟間、船を陸送か

「船越」をこの目で実際に見てみたいと、1997（平成9）年、筆者は愛媛県西南端の「西海町」（現・愛南町）の船越を訪ねたのだった。郷土史家の吉岡忠氏は、早速、船越のある「瀬の浜」と、丘を越えた向こう側の「西の浜」を案内してくれた。

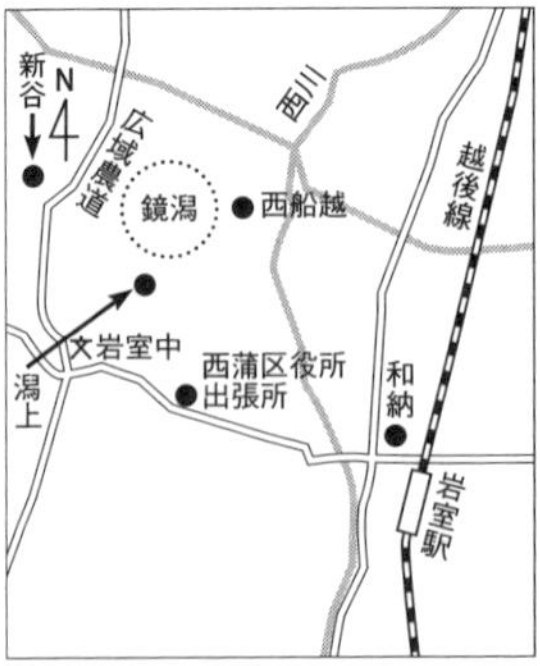

「此々に鏡潟あり」碑　鏡潟の跡に立つ碑。この潟は「潟上」と「船越」の歴史の証人でもある＝新潟市西蒲区

「ここを5、6人で船を担いで越えたんです」という。東西の浜の陸路はおよそ２００メートル。船をこぎ出して海を回ると50キロメートル近くあるという。これで船越という地名の由来とその存在理由が理解できた。

西海町のすぐ北に「由良半島」（宇和島市）が西へ13キロメートルほど長く延びている。その中ほどにも「船越」があり、帆船時代、船は岬の迂回を避けてここを陸送し、その謝礼は清酒１〜２升であったという話も残っている。

１９５０（昭和25）年、その地狭部の２００メートルほどを幅員25メートル、水深5メートルの掘削工事を始め、１９６６（昭和41）年に完成。今は運河となっている。

こうした伝承の残る船越の地名調査を踏まえ、旧岩室村の「西船越」もかつては船を陸送した所と考えた。とすれば、集落の東側に西川が近接しているのだから、西側にも船を移すべき水辺がなければならない。それを「鏡潟」とこれに連続する水辺と推考してみたのである。

位置的には「西船越」と「油島」「新谷」に囲まれた部分、その流末は「鷲ノ木」辺りで「矢川」に注いでいたのでは、と考えた。ここには現在も水路が確認される。

西船越は1879（明治12）年から「西」が付いたもので、もとは船越である。その初見は1184（元暦元）年、弥彦神社領として「船越之条」が見え、また1426（応永33）年の毛利安田氏文書には「弥彦庄内下条・船越両条」とも見える。

近世に入って、「正保国絵図」（1645年ごろ）で村高830石余なのが、「元禄郷帳」（1700年ごろ）では90石余と激減する。これについて『新潟県の地名』（平凡社）は、「このころまでに枝郷の猿ケ瀬、南谷内、久保田、夏井、新谷、中（なか）、北野、横曽根、長島、潟上、高畑、油島、橋本、尻引（しりびき）、田子島（たごしま）を分村したためであろう」としている。

（2008年12月12日）

14 船越（五泉市）

足利一族移住の伝承も

新潟市西蒲区（旧中之口村）に「東船越」がある。「東」は1879（明治12）年からのもので、それ以前は船越村であった。元来、小吉村の一部であったが、1623（元和9）年に船越村久右衛門新田として分離し、後に船越村を称したものという（『新潟県の地名』平凡社）。東船越の場合、この船越が地名の由来であろう。

東船越の北隣に「門田」がある。これも小吉村から船越村市右衛門新田として分離した村で、「市右衛門新田」から2文字を選んで「門田」とした、と地元ではいう。

それとしても、久右衛門と市右衛門という二人に冠された「船越村」とはどこか。現在の西船越（旧岩室村）の船越村とするのが至当であろう。理由は西船越の村建ての古さ、開田能力の高さと、地理的位置関係である。また、久右衛門、市右衛門は同族であろうか。興味の湧くところだが、この詮索は後日に譲りたい。

五泉市にも「船越」がある。『新関村郷土史』によれば、開発は室町期からといわれ、開発者は

能代川河畔から五泉市船越方面を望む

地濃家という。同家の文書によれば、地濃家は源氏の末裔で、下野国（今の栃木県）足利の出という。さらに、同国阿蘇郡に足利一族である船越氏の居住する船越集落があり、その船越氏の来住により、地名が五泉市に移ったのでは、とする。

しかし、10年ほど前、かの地の教育委員会を通して船越氏の越後移住などを調査してみたが、手掛かりはつかめなかった。このたび、地濃宗家に地濃徳永氏（81）を訪ね、お話を伺う機会を得たが、下野船越の伝承は聞かれなかった。

五泉市船越は東に早出川、西に能代川が流れ、その地峡部に位置する。その幅およそ1・2キロ、合流点まで10キロ余、往復20キロ超である。ここを対岸の「猿橋」方向へ船を陸送することはなかったか。

1888（明治21）年、集落の「蓮田」から、おびただしい中国の古銭が発見された。かつての軍用金かという。それはともかく蓮田は沼地の存在を伺わせる。しかも徳永氏によれば船越の小字に「蓮潟」が現存するという。後日その蓮潟（潟跡）をご案内いただいたが、集落の南隣で早出川・能代川のほぼ中央、現在はすべてが美田化している。しかしながらかつての、この潟の存在は船陸送の可能性を著しく高め、船越地名存在の蓋然性を決定づけるようにさえ思えたのである。

（２００８年12月26日）

15 紫雲寺潟の開発

長者館、堀口…苦難の跡

越後平野には有名無名の潟や沼が多かった。１８１５（文化12）年の『越後野志』には１０２の潟が載るが、江戸時代以降の新田開発でそのほとんどは消え、現存するのは「鳥屋野潟」と「福島潟」のほか数えるほどしかない。

「紫雲寺潟」も消えた潟の一つであるが、この干拓は越後平野の新田開発史の中でも特筆されてよいと思う。以下、その概略を見てみよう。

潟の位置は、胎内市の「新村」辺りから現在の加治川べり近くまで。「正保国絵図」には長さ１里半（約6キロ）、幅1里（約4キロ）余り、と見える。当時、潟の周りには45カ村（集落）ほどがあっ

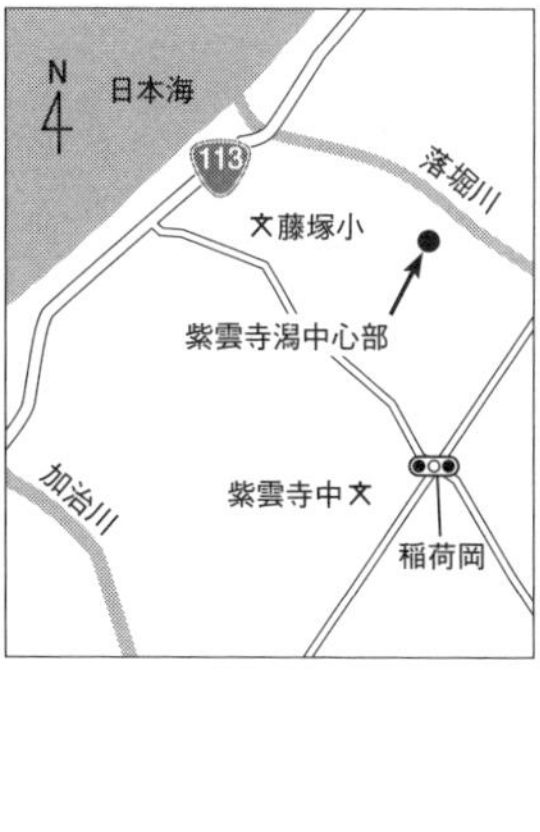

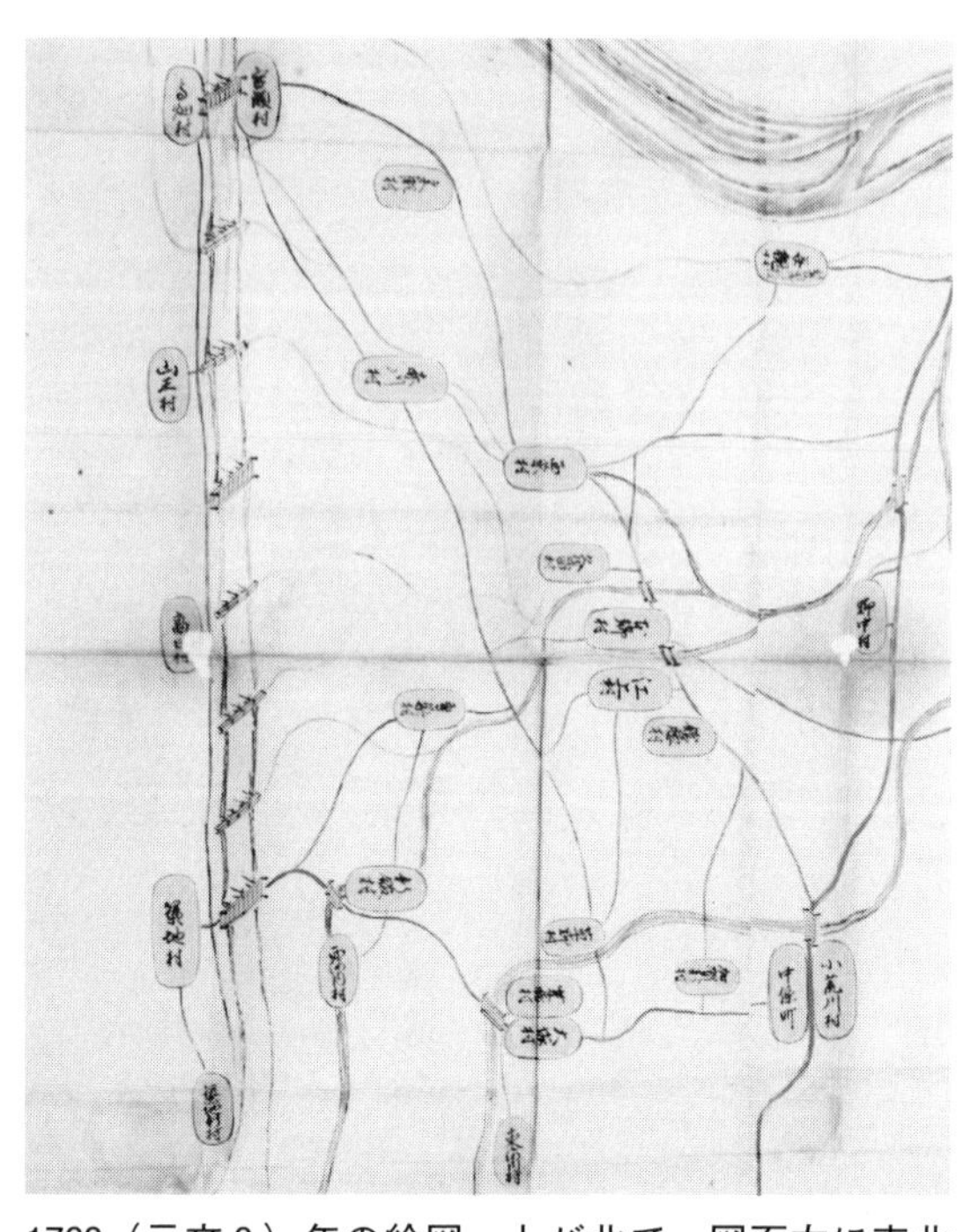

1738（元文3）年の絵図　上が北で、図面左に南北に描かれるのが堀川。三つの橋と五つの樋（とい）が架けられているのが確認できる。川はさらに南で紫雲寺潟につながる＝胎内市教育委員会提供

たらしい。この村々は大雨のたびに田が水浸しとなることに悩んでいた。何とか潟の水を抜くことはできないか。

いつのころか、「真野の長者」という人が潟の水を海に流し出そうと考えたらしく、砂丘に掘り跡が残っていた。人呼んで「長者堀」、その掘り口を「堀切」、長者の住んでいたのが「長者館」（新発田市）集落だという。潟から海岸までは3キロほどだが、この長者の力をもってしても、うまくいかなかったらしい。

江戸時代になって、元和年間（1615―24年）には関係藩が潟の北側から「高畑」（胎内市）へ向けて掘っていった。胎内川に流そうとしたのだ。試行錯誤を繰り返したが、潟の水はやはりうまく流れなかった。逆こう配だったらしい。地名に「堀口」（胎内市）と「堀川」（同）を残すのみで、これも沙汰やみとなった。

そんな中で1644（正保元）年、潟周縁はまたしても大洪水に見舞われる。ここで浮上してきたのが「長者堀」の再開削案である。しかし、これには「新潟湊」側が強く反対する。潟の水位が

下がれば新潟湊が浅くなるからというのだ。水深は川湊の生命線でもある。

紫雲寺潟とつながっていた加治川は当時、「真野原」(新発田市)辺りで西に向きを変え、海岸線と並行して流れて阿賀野川に注ぐ。その阿賀野川がまた「津島屋(つしまや)」(新潟市東区)付近で西へ折れて信濃川に注いでいたのだ。つまり、「紫雲寺潟」の水位は「新潟湊」の水位を左右していたのである。

(2009年1月23日)

16 落堀の開削

竹前兄弟が難工事実現

「新潟湊」との交渉も妥結し、1721(享保6)年3月、新発田藩の手で「長者堀」の再開削が始まった。延べ12万人を動員し、深さ7尺に掘り下げて5月には竣工(しゅんこう)を見た。しかし、これも成功しなかった。理由は堀岸の崩れや飛び砂の堆積(たいせき)、上流河川の流入などである。

この再開削の堀を、後に「オチボリ（落堀）」と呼ぶが、筆者はこの地名に疑問を抱いていた。ところで、『郷土史概論』（大木金平著）に載る「享保六年紫雲寺潟地図」には「落シ堀」とある。オトシボリが「落堀」と書かれ、後年読みがオチボリに移ったのではあるまいか。今は「落堀川（おちぼりがわ）」という。

享保６年の絵図に描かれた紫雲寺潟「落シ堀」周辺

さて、ここで登場するのが、竹前権兵衛、小八郎兄弟である。1724（享保9）年、弟の小八郎がまず潟を視察し、翌年には兄権兵衛も視察している。この兄弟は信州高井郡米子（よなこ）村（現在の長

現在の落堀川　紫雲寺潟の水を「落とす」役割を担っていたため、かつてはオトシボリと呼ばれていた＝新発田市藤塚浜

野県須坂市）の出身である。

兄は米子に硫黄鉱山を営み、弟は江戸に出て米子屋の名でたばこや硫黄を商っていた。１７１９（享保４）年には権兵衛が「鷹の目硫黄」（良質の硫黄）５０００貫を幕府に納め、１６６０両を得た記録も見える。その江戸で小八郎は「塩津潟」（この後の紫雲寺潟）の開発の情報を得たらしい。

１７２６（享保11）年、江戸町奉行へ小八郎の名で潟開発の願い書を出し、翌年には会津屋佐左衛門の助力を得て許可が下りた。同13年には宮川四郎兵衛の協力も得ることができ、7月から8月にかけて「落堀」を幅20間、深さ2・5間、幅も深さも前回の2倍に開削した。さらに10月には、加治川が流れ込む「境川」も締め切る。その結果、干潟３００町歩を得た。

ところがこの間、新発田藩の村々からは境川締め切りは不当とする藩への訴えがあり、三日市藩では既に打ってある境杭を地先へ打ち替える先約違反行為が起こっている。小八郎はこれらにそれぞれ懸命に対応した。

その苦しい胸の内を打ち明け、相談するためであろうか、１７２８（享保13）年、兄権兵衛のいる信州米子へ江戸周りで帰郷するのである。しかし長旅の疲れからか、体調をくずし、ついに翌年3月帰らぬ人となるのである。享年46歳か47歳かという。墓は旭曜山紫雲寺（新発田市米子）にある。

（２００９年2月13日）

17　2000町歩の干拓

洪水が幸い　潟開発促す

弟小八郎の死に接し、竹前権兵衛は自ら越後入りを決意する。1729（享保14）年のことである。そして前年、潟縁に開発された干上がり地の返還を求めたがついに受け入れられず、それは三日市藩のものとなった。

翌1730（享保15）年、境川締め切りによる加治川洪水の打開策として、懸案となっていた洪水時のみ放水するという阿賀野川の松ケ崎放水路が開削され、10月には完工したが、翌春の大洪水でこの放水路が本流と化した。

竹前家の潟の開発のための支出は、1730（享保15）年までに900両を超えたという。当初の予想を大きく上回る額である。幕府はここで権兵衛に500町歩を与え、残りの約1500町歩については、新発田藩の町人から開発者を再募集し、権兵衛を含めた18人で開発に当たらせることとした。

そうこうしているうち、1732（享保17）年3月に大洪水が潟を襲うのである。これを旧紫雲

〆切橋から見た〆切集落＝新発田市。手前を横切る国道290号は土手の上を通っている

寺町の干拓モニュメントはこう記している。

豪雨と雪解け水が重なり、思いもかけない激流が普請場を襲った。半鐘、ほら貝が狂ったように鳴り響く中、くいを打ち土俵を積む。しかし、必死の闘いもむなしく潟はあふれ出し人々は再び絶望のふちに立たされたかのようであった。

しかし、潟からあふれ出した激流は、落堀の両岸と底を深くえぐり、その結果、潟の3分の2は干上がってしまった。まさに災い転じて幸運となったのである。

そして9月には、現在の新発田市要害山の麓から潟に流入していた「今泉川」を「姫田川」へ瀬替えし、「加治川」に流下させる工事が始まり、翌1733（享保18）年3月に完工。ここに紫雲寺潟干拓は終了するのである。なお、今泉川締め切りの記念碑的地名は現在、「〆切」（新発田市）の名で残っている。

1736（元文元）年6月、検地が行われ、ここに42カ村、総石高1万6858石余、1930町歩が誕生するのである。

竹前権兵衛は、自分の村を故郷信州米子から「米子新田」と命名。「向中條（むかいなかじょう）」（旧加治川村）から「浄弦寺」を引寺し菩提（ぼだい）寺とした。後の「紫雲寺」である。

（2009年2月27日）

18 米子（新発田市）

竹前氏と共に信州から

「紫雲寺潟」の干拓を果たした竹前権兵衛が自身の村とした「米子新田」（新発田市）は1889（明治22）年までで、以後「米子」となる。読みは当初、「信州米子（よなこ）」を継承して「よなこ」であったというが、現在は「よねこ」となっている。

「紫雲寺潟新田村」42カ村の会所はこの米子集落の竹前家宅に置かれ、また米子は紫雲寺潟新田の総鎮守白山社を持っている。市場も1873（明治6）年に「稲荷岡新田」へ移されるまでは、この米子に開設され、「元町」とも俗称されていたという。

米子といえば鳥取県（伯耆国）「米子市（よなご）」が想起される。この米子市には、昔、ある長者が88歳の米寿で初めて子が授かったので米子としたとか、加茂神社の「よなご井」からとか、稲のよく実る「米生（よなおう）の里」からなど、語源は諸説あるが肯定し難い。そして、信州米子（よなこ）では竹前氏が伯耆国米子

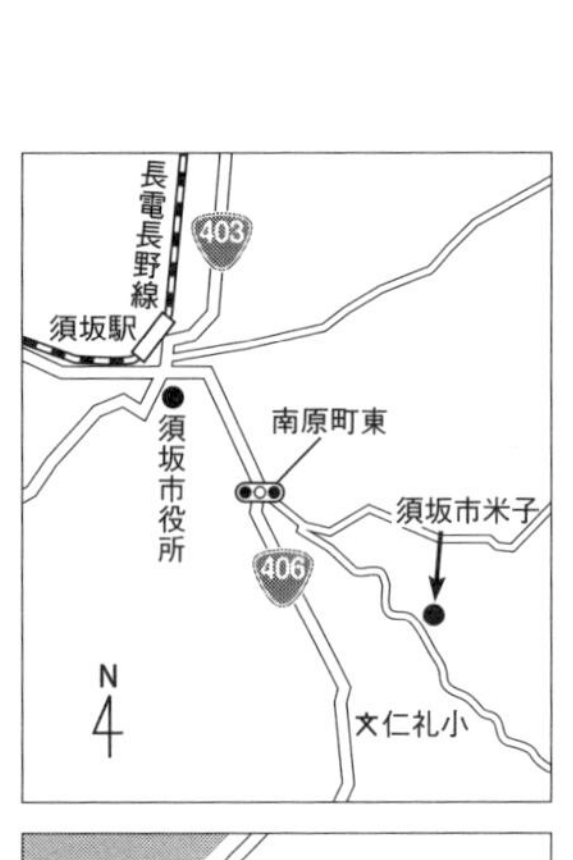

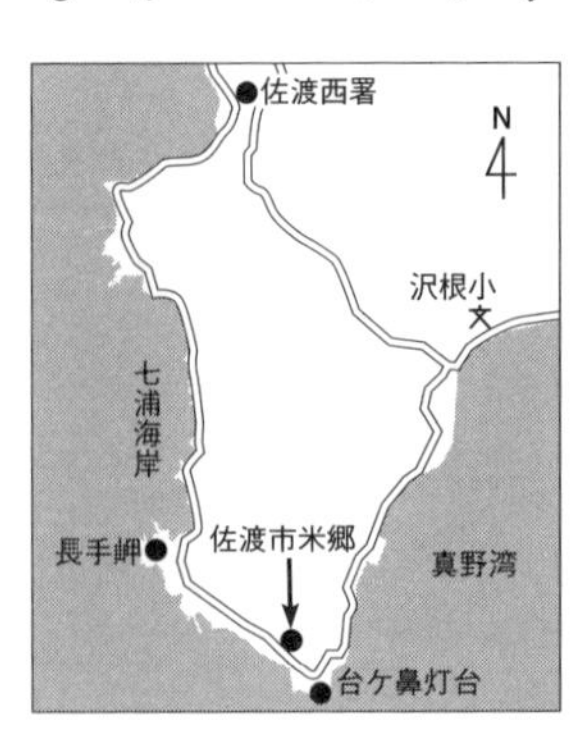

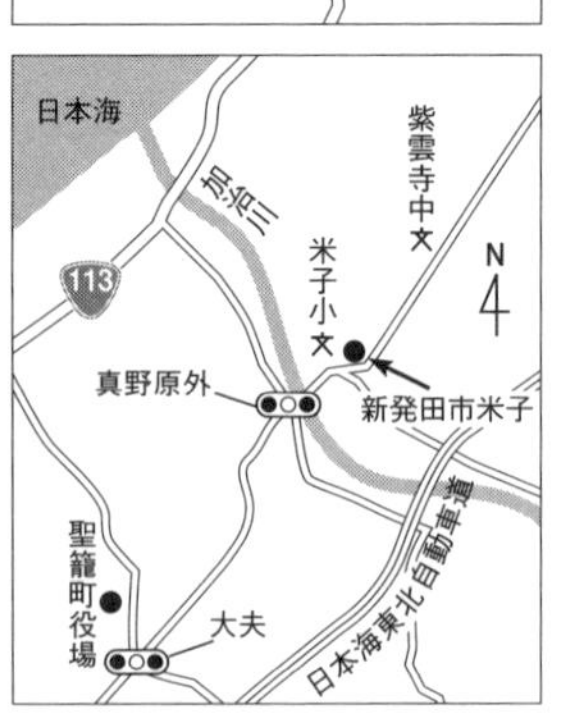

から移住したからと説くのみで、これという説を持たない。

信州米子は須坂市の東南約6キロ、「米子川」の流域にあり、「四阿火山」の噴出岩礫を敷いたような集落である。現在の田地はその岩礫に粘土を張って水漏れを防ぎ、作土を盛ったものという。

また、伯耆米子の米子城址も岩根の山塊（標高90メートル）で、ヨナゴ井も岩根からの伏流水の湧出とみられていることなどから、ヨネ（ヨナ）はイワネ（岩根）で、コは場所を示す接尾語と筆者は考える。同種の地名には大佐渡

米子不動尊の里宮の前に立つ竹前権兵衛の碑＝長野県須坂市

佐渡市米郷で見られる岩場　浜も岩礫が広がっている

須坂市米子

南端に「米郷（よねごう）」があり岩礁の上の集落で、季節にはその岩崖にトビシマカンゾウが咲き誇る。

ちなみに竹前家の姓の「竹前」は信州米子の小字にある。「竹ノ前」と読み、地元では竹林の前と言うが、ここは米子山系の山麓であり、「岳（たけ）の前」ではなかろうか。

なお、竹前家が硫黄鉱山を営んだ米子川上流の段丘上には「お花畑」の地名があり、ここからは雄大な不動、権現、二つの瀑布（ばくふ）が望まれる。瀑下には不動堂が建立され、竹前家は深く不動尊に帰依したという。この「米子不動」は、千葉県成田市の不動、菅谷（新発田市）の不動と併せて、日本三大不動と信州米子では言う。

（2009年3月13日）

《補注》　10年ほど前になろうか。須坂市米子に竹前権兵衛のご親族竹前一栄氏の案内で権兵衛ゆかりの生家・集落を訪れ、のち、車で山路を不動滝・権現滝を遠望しながら「お花畑」を訪ねたことがある。そこは無人の小平地であったが車から降りて一瞬、ど胆を抜かれた。それは「只今、山上より馳せ参じ仕り候」といった風情の、濃い硫黄臭を漂わせた巨大な硫黄原石（径1.2メートルほど）が、われわれを出迎えてくれたからである。なぜこうした奇跡が演出されたのかは今も謎である。だが、これが権兵衛の「鷹の目硫黄」のルーツか、塩津潟干拓への飛躍の原動力かと、ただただ目を見張るばかりであった。

19 紫雲寺潟の新田集落

集まった人々の名記す

竹前権兵衛は自分の得た「紫雲寺潟新田」（新発田市北部から胎内市北部にかけた一帯）５００町歩のうち、１５０町歩を協力者であった柏崎の宮川四郎兵衛に分け与えた。こうして成立したのが現在の「宮川（みやがわ）」であり、「宮吉（みやよし）」は宮川と四郎兵衛の息子儀右衛門の諱（いみな）吉明から1字ずつ取った名である。また、同じ協力者であった会津屋佐左衛門には50町歩を分け与えた。これが「成田」で、成田は会津屋の姓である。宝暦年間（１７５１―６４年）に至って、これが南と北に分かれ、現在は「北成田」と「南成田」となっている。

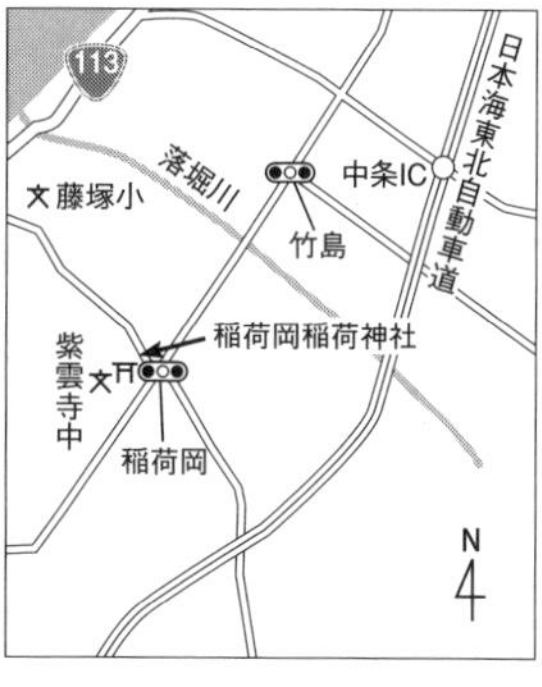

紫雲寺潟の新田集落　写真下部を横切るのは加治川、中ほどは落堀川＝大木金平著『郷土史概論』より

このほか開発者の名字によるものは、加茂町（現・加茂市）中沢太郎左衛門からの「中沢」（現・下中沢）、新発田組庄屋だった島潟村小川五兵衛からの「小川」、新発田町（現・新発田市）岡島通伯からの「岡島」、早道場村（現・新発田市）相馬金左衛門からの「相馬」、現在は湖南に含まれたが、「奥村」は新発田町（現・新発田市）奥村茂作の名字からという。「関井」は当地の大半の所有者であった三日市町（現・新発田市）の藤屋関甚兵衛の姓にちなむといい、「藤井」（現・新発田市金塚）はこの甚兵衛の屋号藤屋からという。同様に屋号を背負う地名は

稲荷岡の地名の由来となった稲荷神社＝新発田市稲荷岡

「金子」（現・新発田市金塚）で、新発田町（現・新発田市）太平次の屋号金子屋からという。また、「竹島」は竹前権兵衛の姓にちなむと、『竹島村誌』は記している。「片桐」は片桐村（現・見附市）出身の神田利兵衛の請地（うけち）した集落で、開発者の出身地を名としたことは米子と同じである。

後に紫雲寺町役場の所在地となる「稲荷岡」は、ここの大地主大面（おおも）村（現・三条市）団次が稲荷神社を勧請（かんじょう）したことにちなむという。「住吉」は宮川四郎兵衛がここに住吉神社を勧請したことによるといい、「弥彦岡」も弥彦神社を鎮守として祭ったことによるという。

なお、弥彦村の史料に「宝暦４（１７５４）年、弥彦岡甚助楊枝（ようじ）潟開発を願い出る」と見える。「楊枝潟」は、当時弥彦近くにあった潟であり、甚助は弥彦周辺の出身で、それ故の弥彦神社勧請ではなかったかとも推測される。

以上のように、紫雲寺潟新田には信濃をはじめ越後各地から、人々が集住したことが地名からも知ることができるのである。

（２００９年3月27日）

20　塩津潟から紫雲寺潟へ

方言に「好い字」当てる

「紫雲寺潟」の新田地名には開発者の名字や屋号、出身地などが集落名となるものが多かった。しかし、これは近世の新田という特殊な事情によるもので、多くの地名の由来は地形や植生など一筋縄ではゆかないのが常である。

例えば、新田集落の一つに「苔実（こけのみ）」（胎内市）がある。これをどう考えるか。筆者は1721（享保6）年の「紫雲寺潟絵図」の「こけのま」の遺称かとみる。

「のま」は「ぬま（沼）」が転じた語で、聖籠町の山倉山ノ口の北側には小字名だが「苔沼」が現実に存在する。加治川の旧河道である。「コケ」は植物の苔（こけ）も考えられるが、崩落する意の「コケる」の語幹ととらえることもできよう。

潟名の紫雲寺は、よく知られている1089（寛治3）年の「越後絵図」いわゆる「越後古図」には見えるが、江戸期の偽図とされるから採らない。確かな文献としては1277（建治3）年の高井道円の譲状案に「かな山、ますかは、なかはし、せきさわ、おほつか、しうつ」と見える。この「しうつ」を『中条町史』は「塩津」と解しているが、筆者も納得する。

そして１６４５（正保２）年ごろの「越後国絵図」、１７００（元禄13）年の「岩船蒲原郡絵図」が共に「塩津潟」であり、すでに触れた、１７２１（享保６）年の「紫雲寺潟絵図」で「紫雲寺潟」となり、これが紫雲寺の初見である。この間わずか21年。「塩津」は「紫雲寺」に転生するのである。そのからくりは次のように推考できる。

新発田市、聖籠町などの阿賀北方言で、「しうづ」や「しおづ」を発音すると、「づ」の前には必

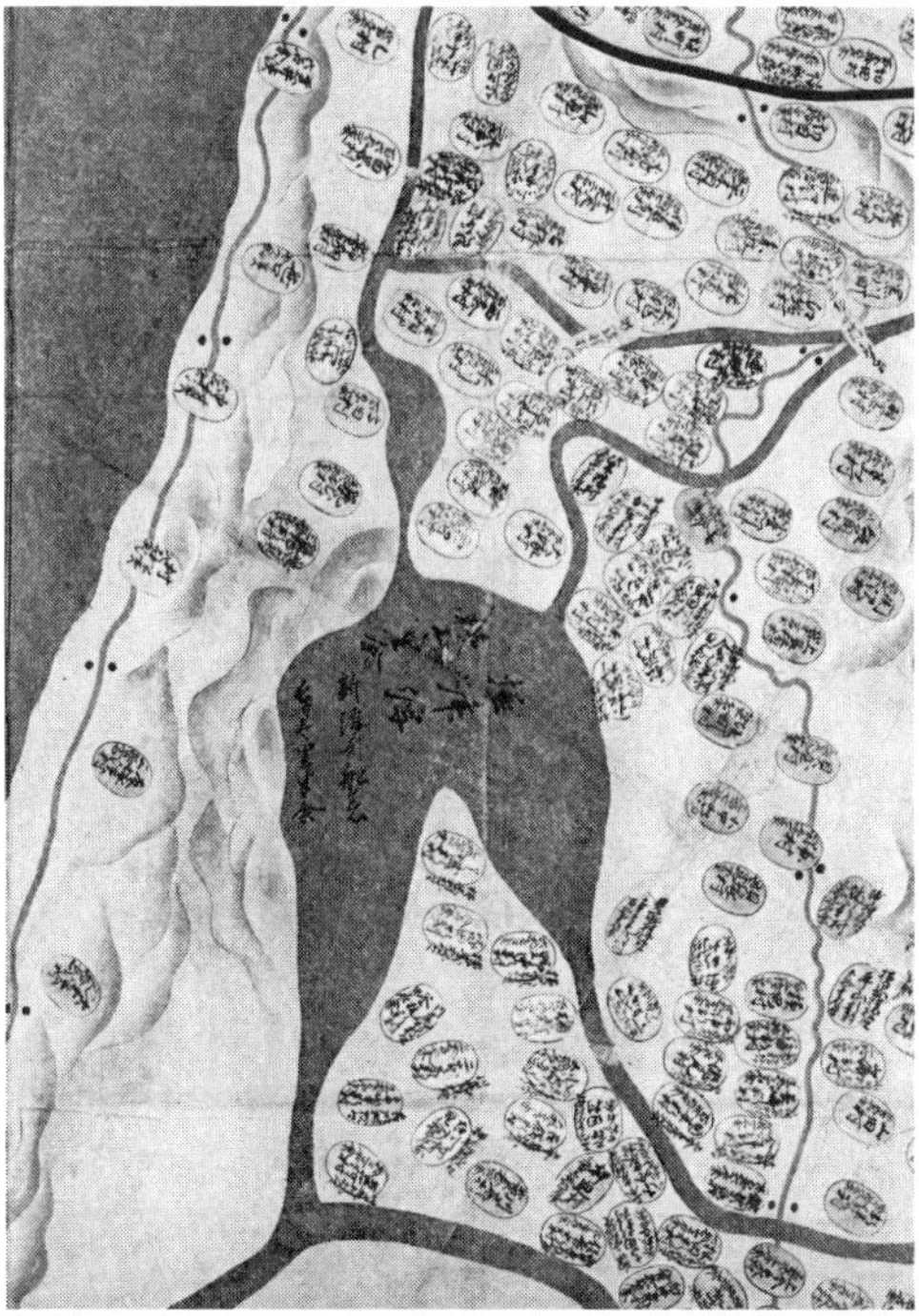

1700（元禄13）年絵図に描かれた塩津潟

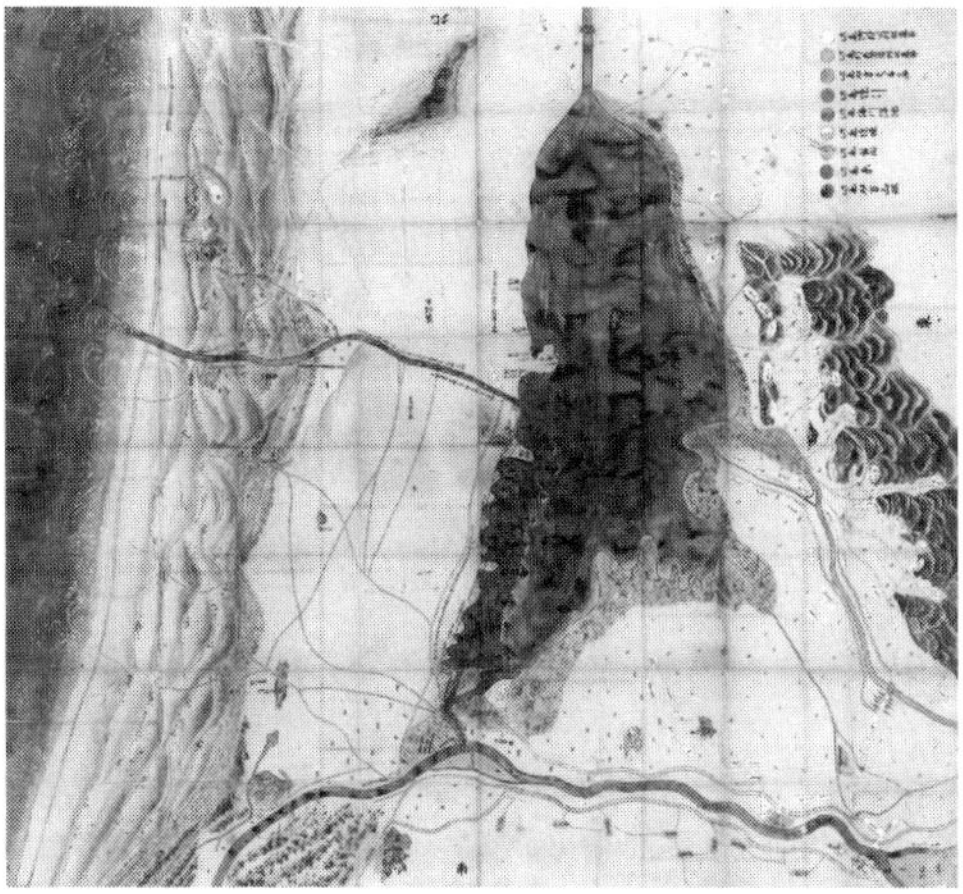

1721（享保６）年の絵図では、塩津潟だった場所が紫雲寺潟と記されている＝竹前茂樹氏蔵・部分

ず鼻音が入り、「しうんづ」「しおんづ」となる。これを漢字表記するのに佳字を選べば「紫雲寺」となるのはむしろ当然であろう。紫雲は仏教で仏が来迎（らいごう）するときの瑞雲（ずいうん）である。

地元には古紫雲寺の存在を願望する心情があり、寛治年間の「越後古図」を肯定する『郷土史概論』もその存在を主張するが、それが偽図である以上、認めるわけにはいかない。「紫雲寺伝説」も4話ほど存在するが、いずれも享保年間以後、つまり紫雲寺潟成立以降のものである。

（2009年4月10日）

21 加納と神納

方言的発音表記に反映

紫雲寺潟の「紫雲寺」は「塩津」の地方的発音「しうんづ」や「しおんづ」が佳字化される中で生まれた地名であろうとした。方言が地名になるなんてそんな馬鹿（ばか）な、と思われた方もあったに違

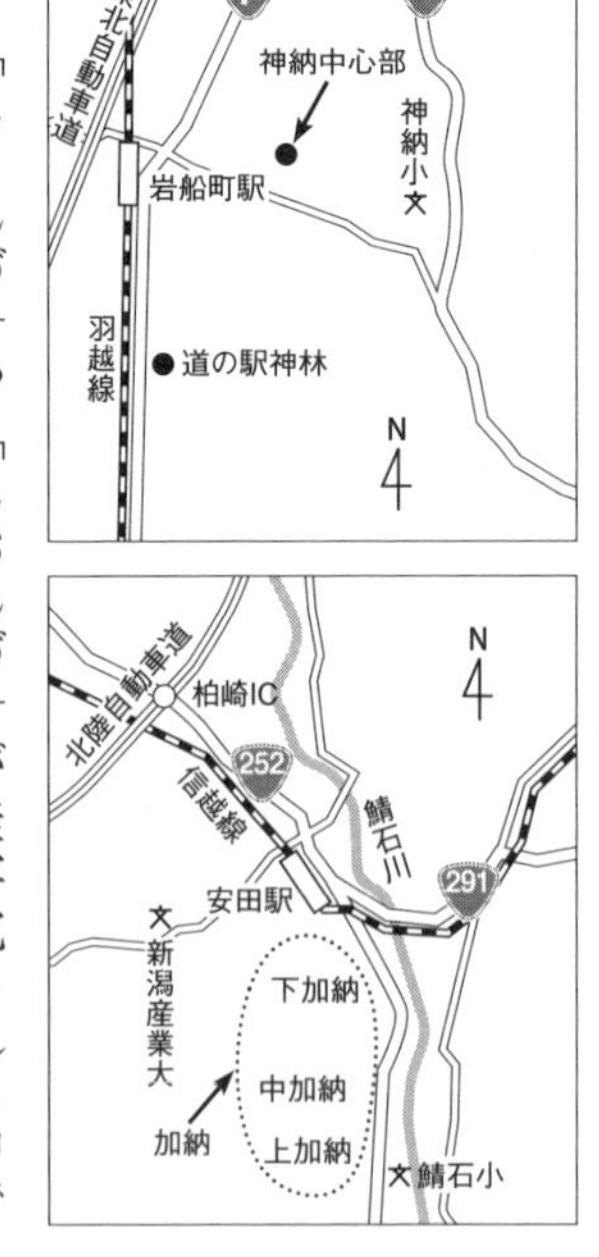

いない。

現代の常識からすれば、それも当然かもしれないが、方言的発音が公称地名になったと思われる例が周辺にいくつか見いだされるので、事のついでに述べてみたい。

旧神林村（現・村上市）は1955（昭和30）年、神納村、平林村、西神納村が合併して成立した自治体である。この「神納（かんのう）」の地名は、鎌倉時代から戦国時代にかけてこの地を治めていた色部氏の「色部文書」に見える、1227（嘉禄3）年の「小泉庄加納内色部」や、1255（建長7）年の「小泉庄加納内色部牛屋」の「加納」に由来すると考えられる。

旧神林村（現・村上市）神納地区の水田地帯

八石山から西の方角を見た柏崎市　中央に鯖石川が流れ、対岸には加納の3集落が望まれる

ちなみに、同文書では1427（応永34）年、領主の色部朝長が嫡子千代童丸に「加納庄惣領職」を譲っているが、ここに「加納庄」も見える。加納は荘園の追加開墾

地ほどの意であるが、初め小泉庄の加納であった地が、後に荘園として独立していったらしいことが、この文言から読み取ることができる。

加納は全国に広い地名であるが、県内では柏崎市の鯖石川中流左岸に、川上から「上加納」「中加納」「下加納」の3集落が並ぶ。

文献をたどると、1376（永和2）年、当時周辺を支配していた毛利元春直筆の文書に「庄屋、カンナウ二ケ条は親父宝乗分也」、つまり「庄屋条」（現・南条付近）と「カンナウ条」は父の宝乗（毛利親衡）の分である、というのである。

カンナウは現在の加納に比定され、文面からカンナウは「佐橋荘（さばし）」の加納であったらしい。なお『角川地名大辞典』によれば、地元では加納を今も「かんのう」と通称するとある。

加納は中世で「カンナウ」、現代で「かんのう」であっても、本来は「かのう」なのだという認識が残存すれば、表記は「加納」に復元される。一方、カンノウの発音に忠実に従えば表記は「神納」ともなるのである。

（2009年4月24日）

22 新発田（上）

アイヌ語「シビタ」説？も

「紫雲寺」や「神納」は「しうづ」や「かのう」の方言的発音、「シウンヅ」「カンノウ」を取り入れて表記したことから生まれた地名であろうと考えた。もう一つ類例を挙げてみたい。

現在、新発田市は人口10万2000人余、市域も今度の合併で格段に広くなった。しかし、そもその地名発祥の地は、中世の新発田氏の居城跡などから現在の新発田城の近傍ではあるまいか。それはともかく、この地名は難読で、1961（昭和36）年、新発田農業高校が野球で甲子園大会に初出場した際、正しく校名を読んだ人はまれだったという話が残っている。

ちなみに、2万5000分の1地形図（国土地理院）に「しばた」を拾ってみると、北は青森から南は大分まで、9県に10カ所を数える。表記は柴田が7、芝田が2。新発田は本県のみである。

ここで新発田の由来について、従来の説を検討してみよう。

アイヌ語説として鮭（さけ）の捕れるところの意の「シビタ」であろうとする説がある。なるほど、鎌倉幕府の歴史書『吾妻鏡』には、越後加治庄の地頭佐々木盛綱が1190（建久元）年10月、鮭肉を

現在の新発田城　新発田の名称の発祥地はこの辺か

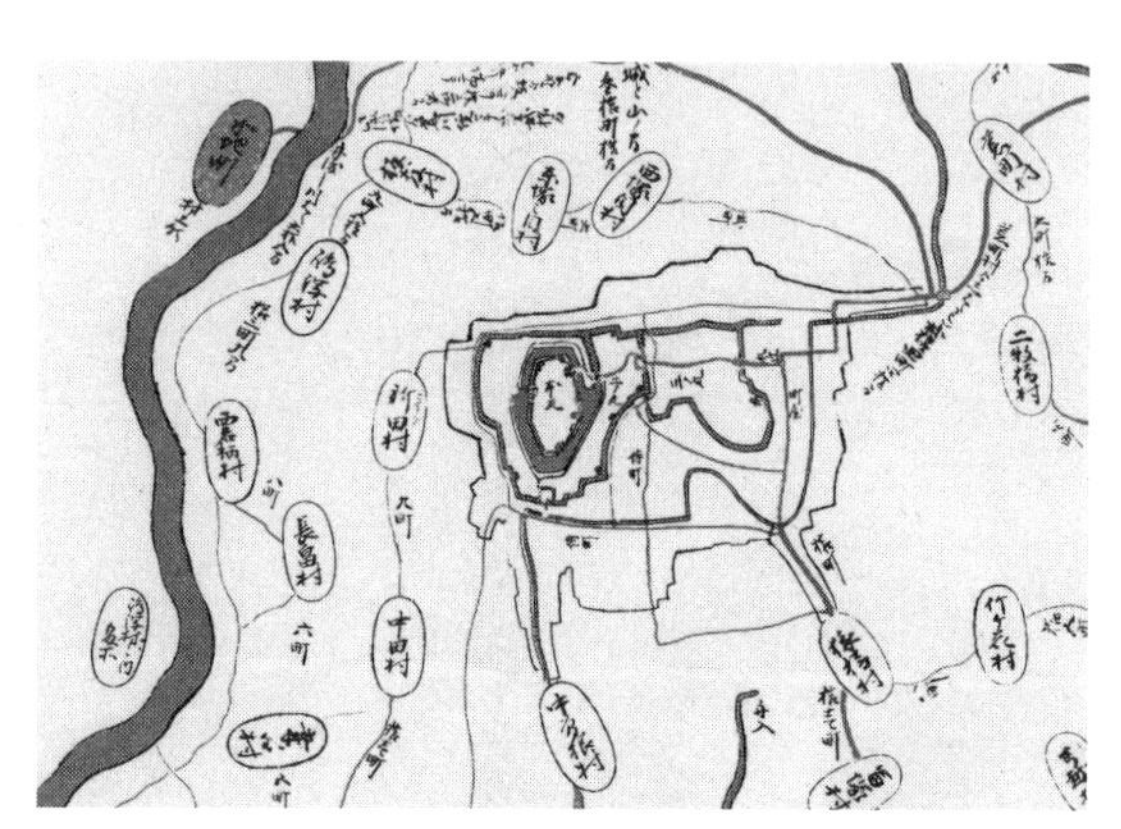
1647（正保４）年の新発田領絵図に描かれた新発田城本丸周辺

細く切って干した楚割鮭を源頼朝に献じるくだりが見える。

ただ、このアイヌ語シビタは正しくは「シペタ」であろう。シペ（ｓｉ—ｐｅ＝鮭）、タ（ｔａ＝打つ、断つ、切る、採る）と解せる（『知里真志保著作集』三ほか）からである。シペタは和人が発音すれば多くはシベタともなるが、シペタ、シベタとも、アイヌ語地名圏である東北、北海道にその実例は見当たらない。とすれば、アイヌ語地名圏外のわが県にシペタ・シベタの存在する可能性はまず考えられない。

次に、シバタは本来は「すばた＝州端」で、加治川の沖積層の末端の州端に発達した集落であろうとする説である。なるほど、シとスを取り違える土地柄でもあるし、中州や砂州のできやすい地理的環境は備わっている。

しかし、「端」のつく地名を考えるとき、川端、江端、潟端など、水際のハタはなじみ深いが、州端はあまり聞かない。全国的にも前記の2万5000分の1地形図で、表記は違うが徳島県に小松島市洲端（海上自衛隊航空基地）が1カ所見られるだけである。

（2009年5月8日）

23 新発田（中）

新田開発は恣意的な説

スバタ（州端）が新発田の由来であろうとする説は、一定の支持があるようだが、全国的にみてシバタに比べ地名になりにくいためか少数派だ。何よりも「すばた」と書かれた古文献が、文字はどうであれ、当地には存在が知られていない。このことがこの説を弱くしている。

もう一つ、「新しく開発された田」なので、「新発田」としたとする説がある。だが、これは字面からの恣意的な理解で採るに足らない。中世に成立した地名「しばた」に新開発の田の意は存在し

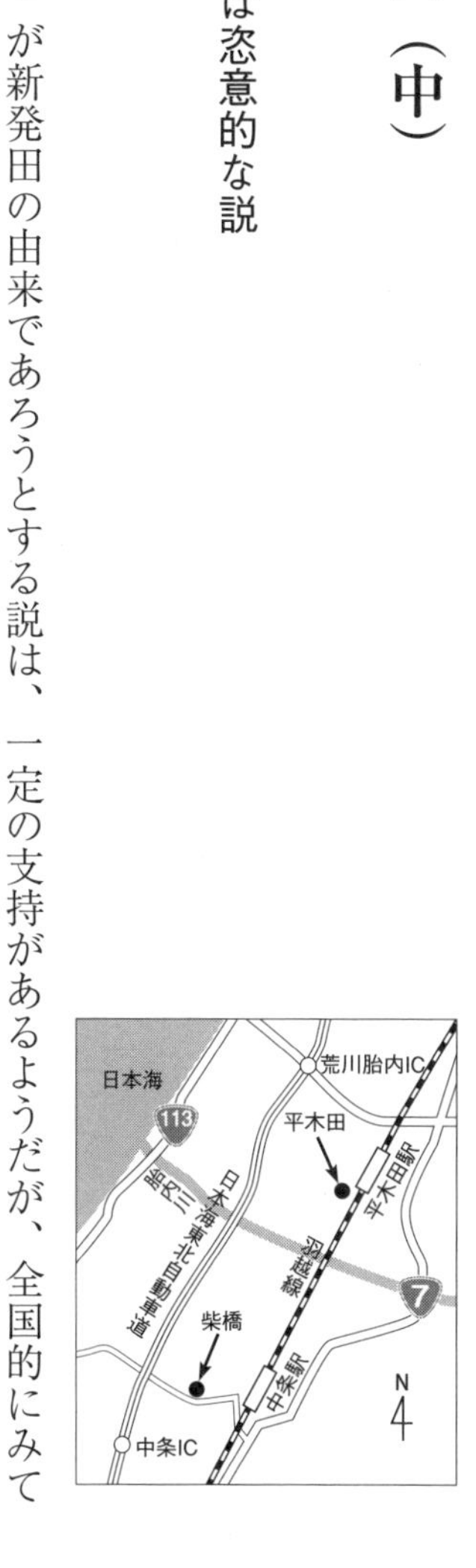

田植えを終えた胎内市の平木田集落　開田は貞永年間（1232－1233年）と伝えられる

胎内市柴橋集落　道路右手には柴橋小学校があり、集落には柴橋川が流れている

ない。

もし、中世以前に新しく開発された田を言うならば、ニイハリ（新墾）、ハリタ（墾田）、ニイダ（新田）、ヒラキダ（開田）など、開田を示す当時の地名語があったはずである。

それならば、「しばた」は何を意味するか。「た」は田と考えてよかろう。「しば」は「柴」とも「芝」とも書かれるが、次の理由から「柴」であろうと考える。

平安中期の漢和辞書『和名抄』に、伊勢国三重郡に柴田郷、陸奥国に柴田郡が見えるが、芝田は見えない。柴田郡の初見は『続日本紀』養老5（721）年10月の条にまでさかのぼる。また、現代の全国10カ所のシバタも柴田が7を数え、芝田はまた柴田と書かれる場合もある。

さらに、柴と人との関わりは古来、柴垣（古事記）、柴の庵（源氏物語）、柴の屋（浄瑠璃）、柴の編戸（平家物語）、柴橋（太平記）など諸文献にみられ、民話の「柴刈り爺さん」は、それが庶民のかつての生活と密に関わっていたことを端的に物語っている。

ちなみに、県内の地名で柴は、佐渡市相川に「柴町」がある。これは慶長年間（1596—1615年）、ここで柴木が陸揚げされたことによるといい、1277（建治3）年の高井道円の文書に見える「柴橋」（現・胎内市）は、柴木を集めて架けた橋に関わる地名と考えられる。

（2009年5月22日）

24 新発田（下）

現地発音に漢字当てる

前回、県内の柴の付く地名の一つとして胎内市「柴橋」を挙げ、柴木を集めて架けた橋に関わる地名と考えられると記した。

現在の加治川　川岸には今も「柴」が生い茂っている＝新発田市西名柄付近から上流を望む

柴木で橋を架けたとしても、そんな橋が渡れるか、といぶかる人がおられたかもしれないが、村上市「菅沼」に実在した「しばはし」を筆者の世代は見ている。川幅は2〜3メートルで、昭和の初め、半ば地名化していた。胎内市柴橋でも、地内にかつては大小の河川が流れていたというから、そこに柴木の橋があったに違いない。

さて、本題の新発田であるが、「柴田」を柴の生えた田と解したら地名としては意味をなさない。これも筆者の実見している地名だが、「梨ノ木田」がある。ここは三面川上流にある村上市小谷（おだに）集落の近くにある山の田だ。そのすぐ傍らの台地に幹の直径が30センチほどもあろうかというヤマナシの古木が高々とそびえていた。田の中に木が生えてなくとも、「梨ノ木田」である。「梨田」と呼んでも同じであろう。

地名には、松田、杉田、柳田、槻田（つきた）など、木に田を付けるものが少なくない。これらの木と田との関わりは、上記の「梨ノ木田」と似た関係にあったと思われる。新発田という地名もまた同様なのではないか。

新発田氏を名乗る在地領主は、1423（応永30）年の大乱の時に「黒河・加地・新発田・白川之面々」と見える、1454（享徳3）年4月28日付の中条秀叟（房資）記録が史料上の初見である。

また、御館の乱の後、1581（天正9）年から1587（天正15）年にかけて、上杉景勝と抗争する新発田重家の名はことのほか名高い。

中世の在地領主は領有する地名を名乗るから、「しばた」の地名は15世紀以前には存在し、その表記が「新発田」であったことを知るのである。

それならば、シバタがなぜ新発田と書かれたか。それは当時の現地発音が「シンバッタ」、またはそれに近く発音されていて、この発音に沿って漢字が当てられたことによると考える。ただこの場合、「新しく開発された田」の意を漢字に込める巧みな文字の選択が、表記する側にあったことは考えられよう。

この「ン」や「ッ」は発音時に派生して現れる音で、本来の語音ではない。これが後年、発音がシバタと本然の語音に落着し、表記「新発田」は難読地名となったのである。

（2009年6月12日）

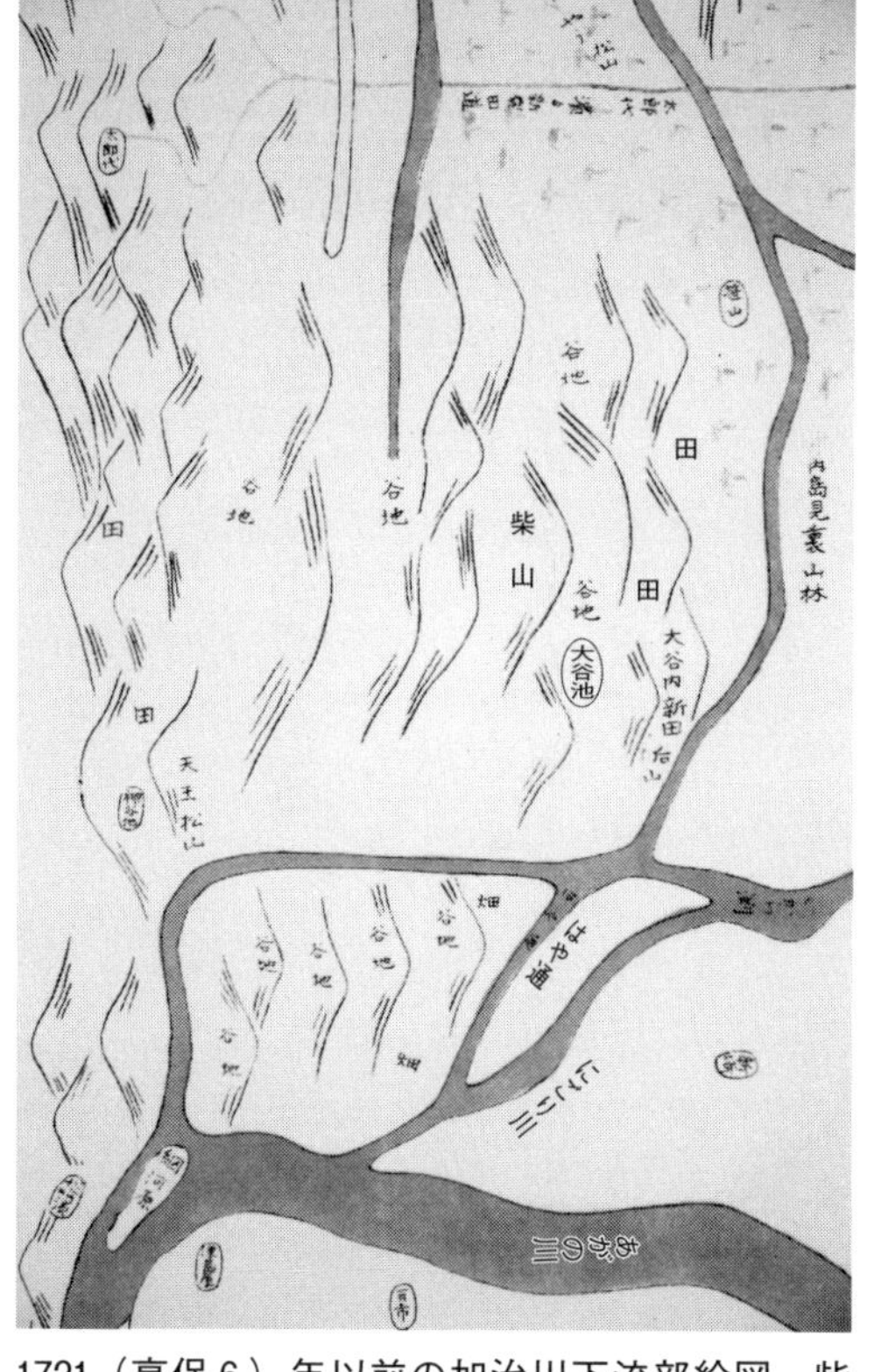

1721（享保6）年以前の加治川下流部絵図　柴山を挟んで田や谷地が点在しているのが分かる＝『郷土史概論』より

25 大瀁郷

潟沼含む「泥深い土地」

潟や沼の多い越後では、戦国の世を経て平和を取り戻した江戸時代に入ると、にわかにこれを干拓して田地に開発しようとする動きが活発になってくる。その一つが現在の上越市頸城区から大潟区にまたがる大瀁郷（おおぶけ）の新田開発である。

この「大瀁郷」とは、『大潟町史』によれば、現在の頸城区「森本」から「保倉川（ほくら）」に沿って西方約7キロに同区「西福島」があり、また森本から北方同じく約7キロに大潟区「内雁子（うちがんご）」がある。この森本、西福島、内雁子を結ぶ三角形に含まれる地域が、およそそれに当たるという。

この地域には古く「保倉川」が流れ込んでいた。一方、地域の北部を潟町砂丘がその流路をふさぎ、大きな湛水（たんすい）地帯をつくった。開発前の1597（慶長2）年の「頸城郡絵図」には「大潟」をはじめ大小の池や沼が描かれていて、かつては「大瀁野谷内（おおぶけのやち）」「大瀁沼（おおぶけぬま）」などと呼ばれていたという。

この大瀁の「瀁」は、諸橋轍次の『大漢和辞典』によれば、字音はヤウ（ヨウ）で、語義は「水のあふれはびこるさま」である。しかし、和訓（わくん）はない。つまり、和語としてはほとんど用いられることがなかった文字であろう。
地名語としての「ふけ」は「ふか（深）」などと同源で、泥深い土地、湿地をいうとするが、この地域はフケに潟沼を含んでいる。そこで「瀁」の語義を踏まえ、これをフケと読ませて「大瀁」の表記を生み出した。この先人の造語の業は心憎いばかりである。

大瀁野谷内に流れ込んでいたという保倉川は、上越市安塚区の菱ケ岳（1129メートル）を水源とし、一つは大島区、一つは安塚区を流れ、浦川原区で合流し、諸川を集めて現在は「直江津港」付近で関川と合流し、日本海に注いでいる。

平地に出てからは、標高差のわずかな低湿地を流れることから蛇行が著しく、川沿いにいわゆる三日月湖が顕著に見られる川として有名である。しかし、学術上貴重なこの河跡湖も近年次々に埋め立てられて、その姿を消している。

（2009年6月26日）

今も残る保倉川の三日月湖＝上越市頸城区鵜ノ木付近

朝日池
鵜ノ池
内雁子
日本海
新堀川
天ケ池
潟川
蜘ケ池
潟町砂丘
旧大潟
5m
10m
潟川
船津
古保倉川流路跡
松橋
直江津港
旧浮島潟
五十嵐
百間町
西福島
上越市
鵜ノ木
森本
保倉川

大瀁郷の概略図

26 古保倉川

地元の呼称アイヌ語？

「保倉川」は現在、「森本」（上越市頸城区）辺りから西へ流れ、直江津付近で関川に注いでいる。しかし、古くは森本から北西に流れていたといい、今も川跡が残っている。その幅は50メートル前後だが、「百間町（ひゃっけんまち）」から「松橋」まで直線距離で2600メートルなのに対し、蛇行の延長は7000メートル。これを「古保倉川（こほくら）」と称し、現在は水田である。

古保倉川を地元では「サンベ」ともいい、「百間町サンベ」「舟津サンベ」「松橋サンベ」などの集落名を冠しても用いている。また、支流域の「片津」にも、上流の「青野」にも、かつてはサンベと呼ばれる古川跡があった。

この聞き慣れないサンベという地名語はいったい何か。この疑問に一石を投じたのは『大潅（おおぶけ）郷新田開発史』（1975年刊）の著者、故・渡辺慶一氏であった。

渡辺氏は和語としては理解困難なサンベを、もしやアイヌ語ではと、当時のアイヌ語学の第一人者金田一京助博士に書簡をもって問うたのであった。やがて返信があり、アイヌ語でサンは「出る」

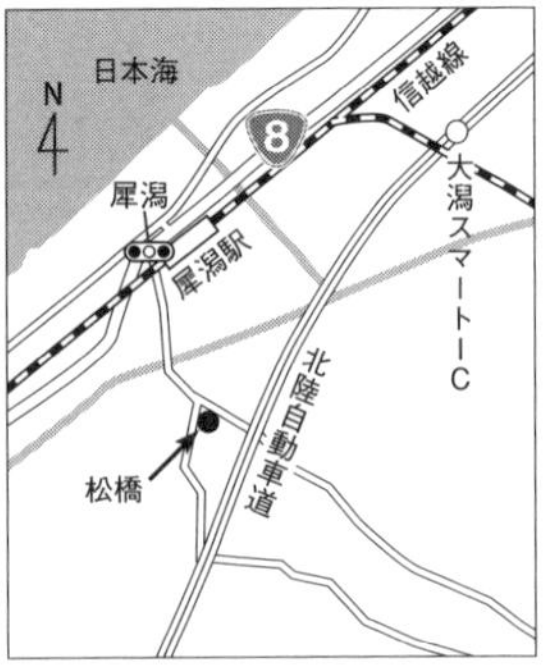

「下る」、べは「水」。従ってサンベは、山手から里方へ出てくる川ということ、とあったという。

返信は1939（昭和14）年2月のこととあり、『頸城村史』（1988年刊）には、この書簡の写真も返信の内容ともども掲載されている。

話は変わるが、1991（平成3）年、筆者は胎内市の小野まつえ氏の著書『幻の都岐沙羅（つきさら）』を手にした。『日本書紀』の幻の柵を探索する面白さに誘われて読み進む中、語義不明の「サンベ」という語に再三出合う。これを著者に問うと「サンベは浜手にあって、農村部でいえばヤチ（湿地）のような所。ただ近年の開発で大方は失われました」とのことであった。これが筆者とサンベとの初の出合いである。

それから砂丘上の集落を駆け巡った。その結果分かったことは、北は胎内市中村浜から南は信濃川河口付近まで、

古保倉川蛇行跡の航空写真＝『頸城村史』より

松橋サンベ　写真左手から手前へ、手前から右奥に蛇行しているのが分かる＝上越市頸城区

サンベは海岸の砂丘地帯に転々と分布するのであった。しかも、それは砂丘凹部の池沼状の水辺の呼び名だったのである。

（２００９年７月10日）

27 サンベ

表記さまざま深まる謎

新潟市以北のサンベをいま少し詳しく見てみると、砂丘の間を縫って３本ほどの川と田地があるが、どちらも現地ではサンベと呼んでいる。新潟市北区の旧新渡（しんわたり）には砂丘沼が見られ、人名を冠して「七之助サンベ」「増太郎サンベ」などと呼んでいる。

聖籠町網代浜にも「権八サンベ」「勘兵衛サンベ」があり、新発田市藤塚浜には「大サンベ」「小サンベ」と、その形状を名としているが、集落名を冠したものはここにはない。

サンベは不毛の地ともいうが、実際には「サンベさつき」の語も遺るように、水辺の周縁に田植えがなされ、幾ばくかの収穫もされていたのである。苗は農家の植え残りを譲り受けたというが、用排水のない田だけに収穫もその年によったらしい。

藤塚浜の二つのサンベは、筆者が訪ねた1993（平成5）年当時、地下水位の低下で双方とも干上がって水草がまばらに生えていた。古老の話では、かつての大サンベは1メートルほどの水深があったという。同じころだが、胎内市山王の「音次郎サンベ」では水浅くヤチ草が立っていた。

阿賀野市（旧水原町）にあるサンベ稲荷
（1996年撮影）

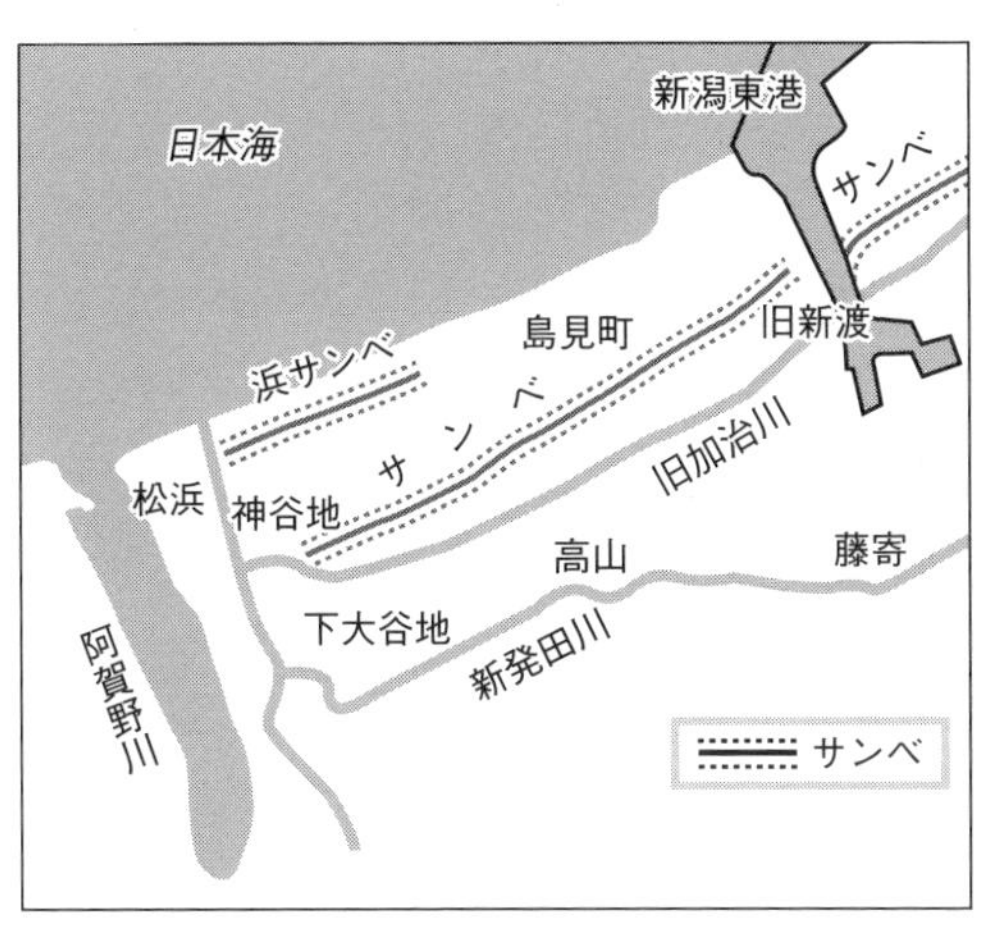

新潟市・聖籠町の流れと田地のサンベ

新発田市藤塚浜でサンベを開発して球場を造ったことがあったが、これを俗称で「サンベ球場」といったと聞いた記憶がある。阿賀野市のＪＲ水原駅の南約1キロ、安野川右岸の田の中に「サンベ稲荷」がある。これは、同市下条の字三辺に関わるものと思われる。

ここでサンベの表記を見てみよう。上越市頸城区の天和年間（１６８１～８４年）の検地帳には「山川」と見え、長岡市青島町と片田町の信濃川に関わるサンベは「三辺」と書く。五泉市上郷屋、中郷屋の間に、１９５０（昭和25）年に開発消失した「天正池」があったが、これに注いでいた川が「三兵川」、架かる橋を「三兵橋」と呼んで今も残る。

阿賀野市野田には阿賀野川の旧河道に関わる「サンベ林」があり、同市箸木免には「三遍」と書くサンベがある。新潟市以北の砂丘沼のサンベは総じて「山辺」である。「山辺」は村上市にまで広がるが、表記の多様さは、この語の由来の謎を深めている。

（２００９年７月31日）

28 サンベとサワンベ

聖籠で解明の糸口発見

新潟市から胎内市にかけての砂丘沼は、１９６４（昭和39）年からの県営農地開発事業によって多くは失われた。「大サンベ」のように、平成に入って温泉地（紫雲の郷）に生まれ変わったものもある。しかし、どこかに生き残りはないかと尋ねる中、胎内市村松浜に尋ね当てることができた。『村松浜郷土史』によれば、この集落には太郎兵衛、次郎兵衛、九太郎、三六、長山、お山、下などのサンベがあった。その中で残っているのは「長山」と「下」の二つ、共に中条ゴルフ倶楽部のコースの中に存在する。

かつてのサンベにはひどい藪もあり、大蛇のすみかと怖がられたものもあったと聞くが、ゴルフ場の池によみがえったサンベは芝生をしつらえて夏の陽に明るく輝いていた。

ここで「26 古保倉川」の、サンベ＝アイヌ語説を検討してみよう。アイヌ語でサンは「出る」「下る」、ベは「水」。従って、サンベは山手から里方へ出てくる川、というのは、どの川にもいえるという疑問が残り、加えて、新潟市から胎内市までに見られる「出る」「下る」のない砂丘沼がサン

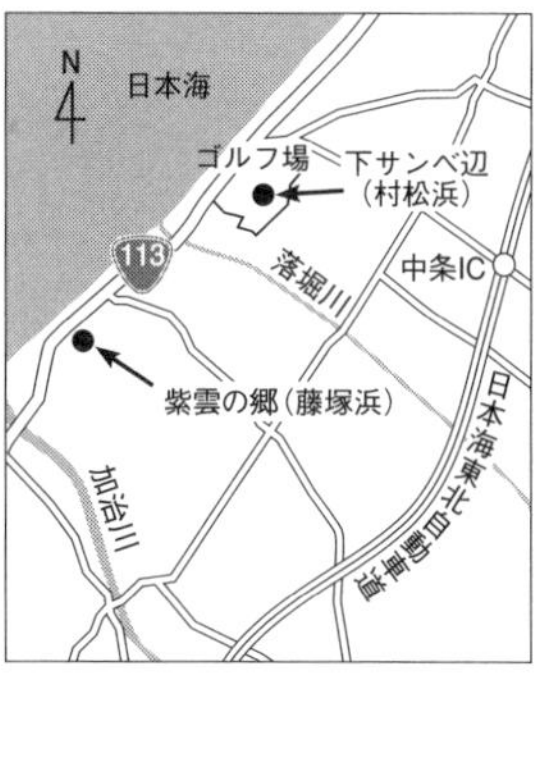

「紫雲の郷」の駐車場に“変身”した大サンベ＝新発田市藤塚浜

ゴルフ場によみがえった「下サンベ」＝胎内市村松浜

べと呼ばれていた事実がある。この2点で先のサンベ＝アイヌ語説は採れないと考えた。それならサンベの真義は何か。

砂丘沼地帯で「夏、水枯れするのがサンベ、水枯れしないのが池」だと再三、耳にした。上越市頸城区のサンベも古保倉川の水枯れの結果である。そこで双方を矛盾なく説明できるアイヌ語として、「乾く」を意味する「サッ（sat）」が浮上した。「サッペ」は「乾く水（川）」となり、サッペがサンベに転訛するのもさして困難ではない。

しかし、このサンベ探求の迷走の旅もある日、忽然と解明の糸口を見いだすのである。それは1996（平成8）年春のことであった。筆者は聖籠町公民館でサンベの字切り図を前に肥田野繁晴館長と対座していた。やがて館長は筆者の質問に答えるべく本庁（役場）へ電話を入れる。「それでこのサワンべはさぁ」と、館長の電話は「サワンべ」を連発する。サンべを聖籠町ではサワンべとも言うのであった。

（2009年8月14日）

29 澤辺

川跡に残った沼の呼称

聖籠町の字切り図には「山辺」として、「長山辺」「中山辺」「鷺山辺」「井戸山辺」「小山辺」が載る。一方、「澤辺」というのもあって、「長澤辺」「尾澤辺」が載っている。

「この澤辺はサワベでしょう」という筆者に、聖籠町公民館長の肥田野繁晴氏は山辺も澤辺も同じくサンべだと譲らない。だが、本庁への問い合わせ電話のサンべの発音は明らかに「サワンべ」なのだ。掲載の字切り図は「山諏訪山」、「山倉山ノ口」の海側だが、ここには「長山辺」と「長澤辺」が近接して存在する。山＝沢ではないか。

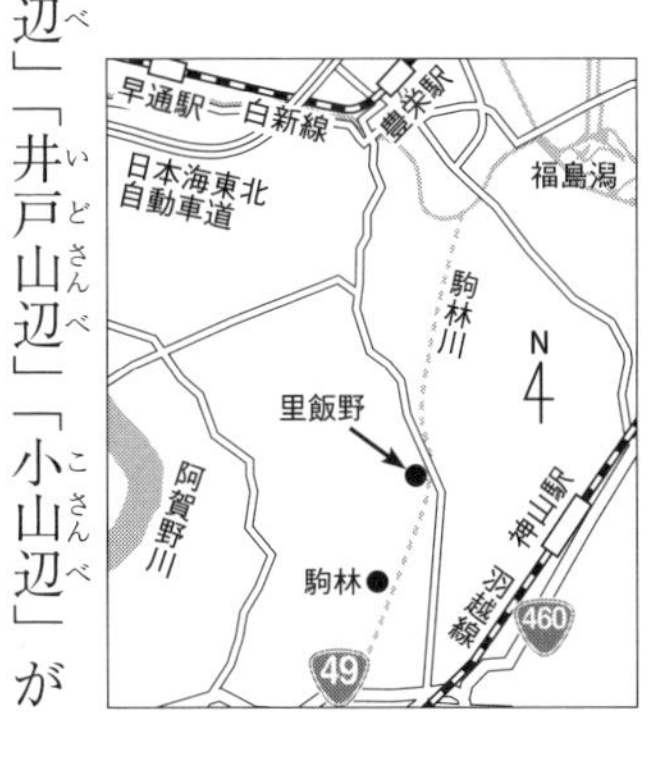

現在は稲田となった「長澤辺」。正面奥は聖籠町民会館

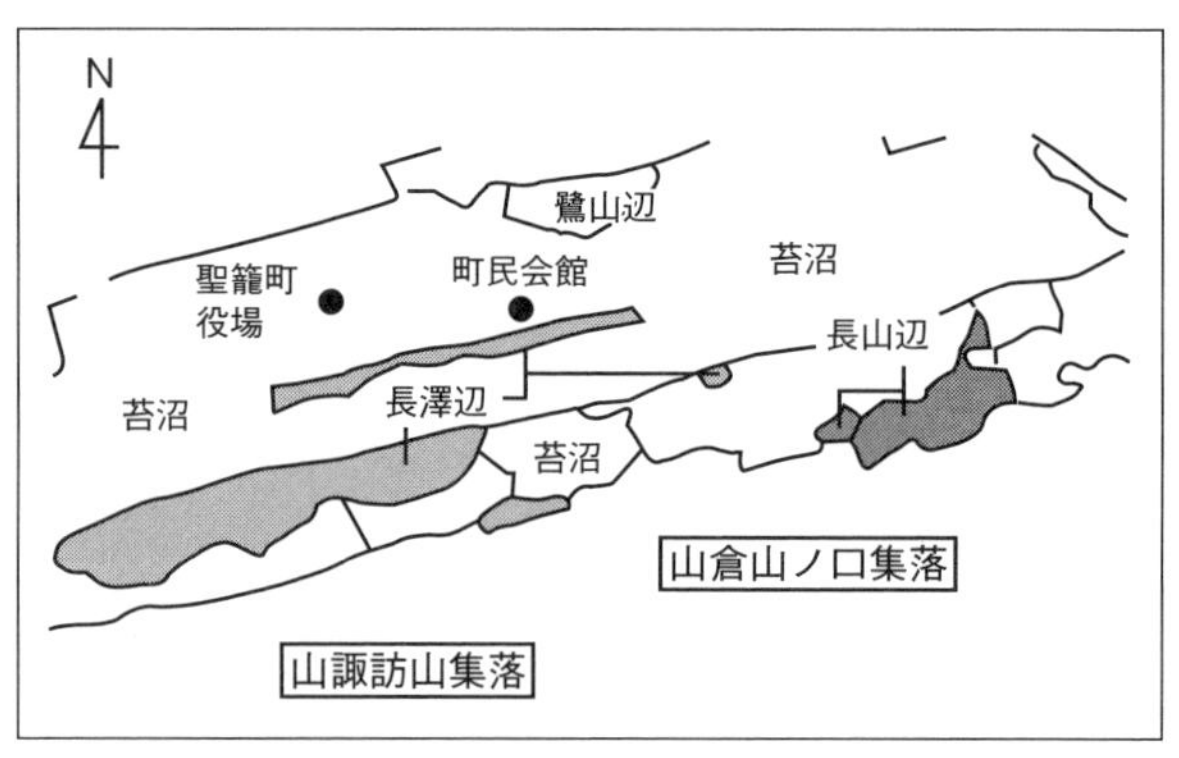

字切り図の「山辺」と「澤辺」＝聖籠町

以上から、サンべは古くはサワべであったのだろう。それが、サワンべと方言的に発音されるうち、縮まってサンべとなったものであろうと考えた。

その後、旧豊栄市里飯野（さといいの）で決定的な証言を得たのである。

里飯野の小字にも「山辺」と「澤辺」があるが、病後でつえを引く老翁はわざわざ筆者をかつての自分の「サンべ田（だ）」まで案内し、今は美田の田面を指しながら「日常はサンべだが、改まればサワべです」と諭すように言うのであった。サンべのルーツは「澤辺（さわべ）」である。

澤辺の「澤（沢）」は国語辞典には、（1）浅く水がたまり、水草の交じり生えた湿地。（2）山間の比較的小さな渓谷。—とある。一般に（1）は関西で、（2）は関東と理解されているが、実際はさほど単純ではない。聖籠町の字切り図によれば、山あいでもない砂丘地帯にも「別行澤（べつぎょうざわ）」「替地（かえち）

澤(ざわ)」のような澤地名が存在するのだ。

こうした平場の浅い水たまりのほとりが「澤辺」の原意であろうが、後には、既に見たように水たまり（沼）そのものをも澤辺＝サンベと呼ぶようになったものと考えられる。古保倉川、信濃川、阿賀野川などの川跡と思えるサンベは、そもそもは旧河道に残された沼沢の呼称であったに違いない。古保倉川も、干上がる段階で各所にこうした沼沢が生まれ、そのために川跡自体が「さんべ」と呼ばれるようになる。さらにそれが田地に開発されてもサンベの呼称を継承したものと考えるのである。

（２００９年８月28日）

30 保倉川の流路変動

地盤隆起、年代には諸説

前回まではサンベの由来を尋ねて県北を中心にみてきたが、上越市の大瀁(おおぶけ)郷に話を戻そう。

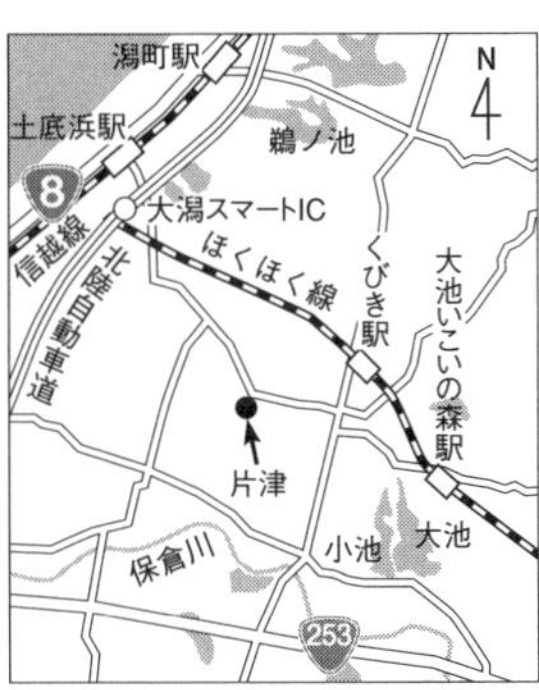

片津集落にある白山神社＝上越市頸城区

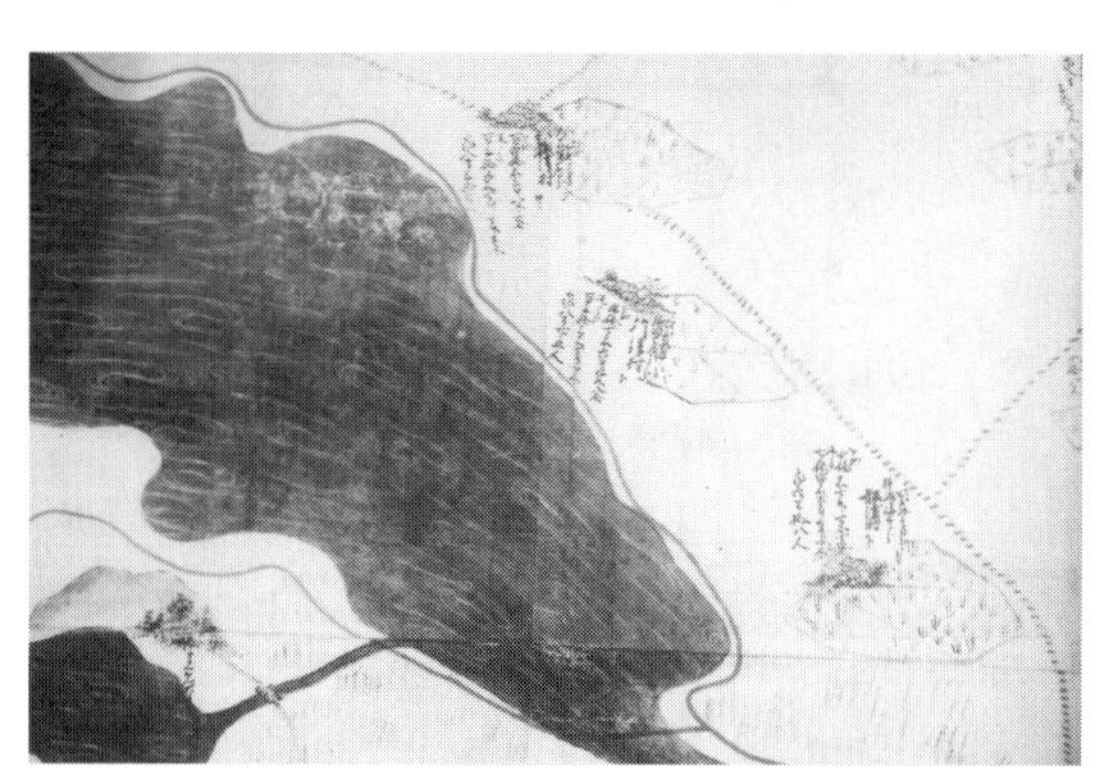

慶長の「越後国絵図」（米沢市蔵）に描かれた中世末の潟端集落。潟の左上から「ひね津村」「片津村」「船津村」。画面右方向が現在の上越市街。上の大きな潟は大潟か

まず、古保倉川（こほくらがわ）（第25稿略図参照）のサンベ成立の要因となった河道が西に向くという変動がいつ起こったかをみてみたい。『大瀁郷新田開発史』（１９７５年刊）は、地理学者は地盤の隆起とは言うが、それがいつ起こったかを明言しない、と遺憾の意を示した上で、８６３（貞観５）年の越後大地震と、１０９２（寛治６）年の大津波を挙げたい、としている。もちろん推論であろう。

一方、『頸城村史』（１９８８年刊）は、１９８４（昭和59）年と翌年の放射性炭素による年代測定の結果を載せ、古保倉川の最も古い値は地下４メートルで得られた今から６１３０年前であり、最も新しいそれは２９８０年前とする。また、今の保倉川に流れを変えた年代は４４００年前ごろとし、流路の変化は短期間に行われ、地震などの地殻変動に伴うものであったかもしれない、として

いる。

両者の流路変動の時期は大きくずれるが、『頸城村史』も古保倉川の埋め立てられた最終年代は不明である、としている。推考するに、埋め立てられる以前、川跡は無数の沼沢を残し、それが住みついた人たちによって「さわべ（澤辺）」と呼ばれ、やがて「さんべ」に転じて江戸期を迎えたものであろう。

それならば、ここに人が住み始めたのはいつか。1597（慶長2）年の「越後国絵図」などを基に、大瀁郷新田開発以前の地域の姿を一応みておきたい。

絵図には、後の大潟とおぼしき大きな湖水が描かれ、その岸辺には潟尻から順に「船津村」「片津村」「ひね津村」と、「津」の付く村が並ぶ。津は船着き場（港）の意であるから、これらの津には犀浜からの塩や海産物が運ばれ陸揚げされたのだろうか。

集落は陸路（道）でも結ばれ、周辺には小規模ながら田地も開かれている様子が描かれている。また、片津は「潟津」の意であり、船津は現在の上越市頸城区舟津、ひ根津は現在の同区日根津であろう。

（2009年9月11日）

31　中世末の頸城の村々

「江縫」「江の居」が榎井に

中世末期の1597（慶長2）年の「越後国絵図」では、大潟と思われる潟からは「くろ江川」（現在の保倉川）に合流する流れが描かれている。後の「潟川」に相当するが、地元史は潟川の開削は1646（正保3）年で慶長年間のころではなかったはずという。

この川を挟んで、前稿で述べた「船津村」の右下方（北）に「松橋村」が描かれ、川には板橋が架かっていて「黒江ヨリ松橋迄七里」とある。この板橋が松橋村の由来かどうかは何ともいえない。

この村の対岸、右上方（南）には「江縫村」がある。現在の上越市頸城区榎井だが、ヌ→ノ、つまり「u」→「o」の転訛（てんか）だけで漢字表記は全く変わる好例で、字面だけの地名解の危うさを教えてくれている。

榎井には中世の館跡などもあって村建ては古い。地内の「寺屋敷」「市場」などからは、奈良・平安期にかかわる土師（はじ）器や須恵器が出土する。文書の上では1422（応永29）年当時から「榎井保」で、公領であったことが分かる。

その由来は榎（えのき）の井戸とも解せるが、現在の集落に榎はない。井戸も名水にはほど遠く、沸かして飲んでいたという。地名研究誌『越佐の地名』第3号に上越市の宮島清氏は、その由来を「江の居」であろうとしている。

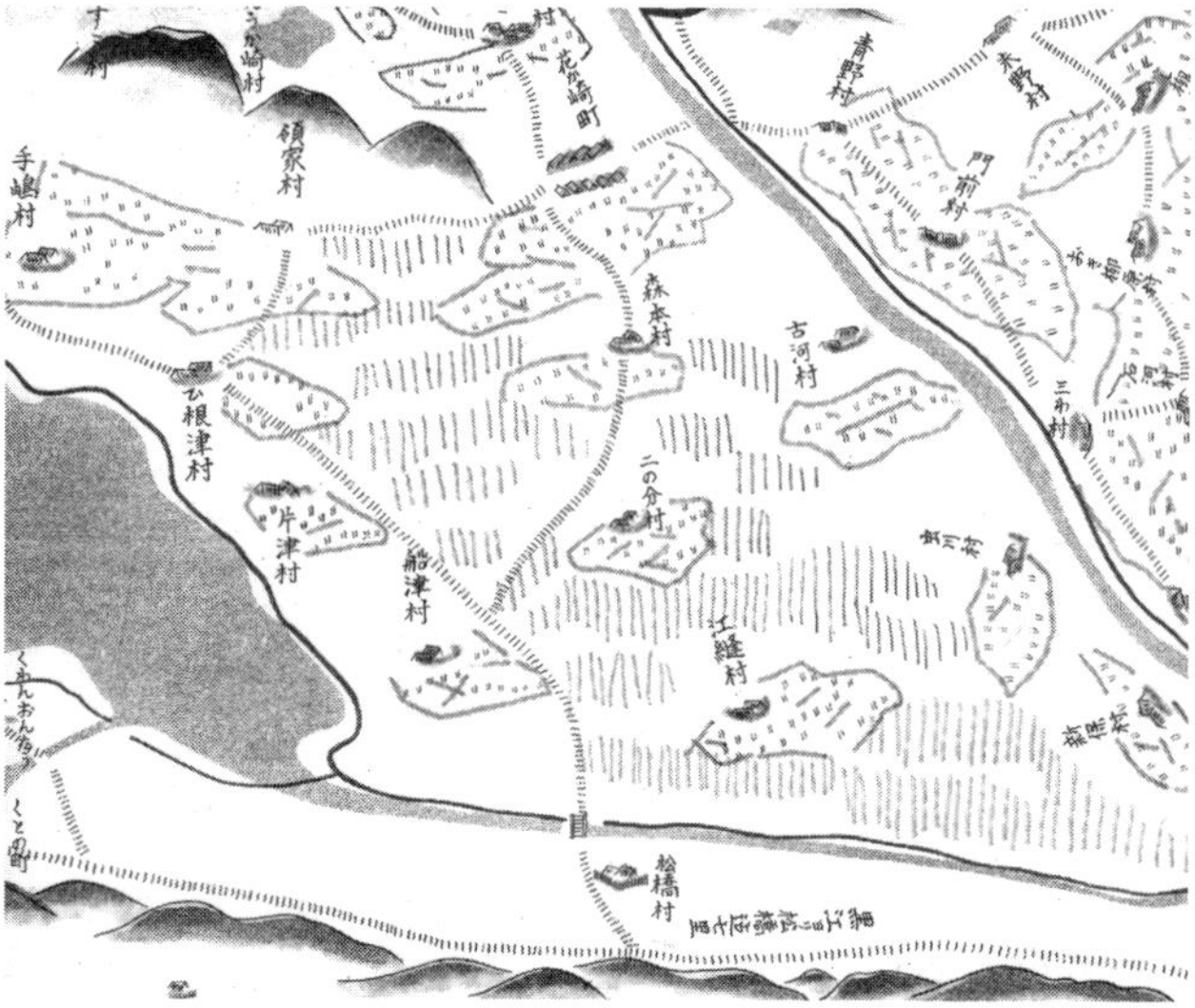

「越後国絵図」（1597年）に描かれた中世末の頸城の村々

江縫村の右方（西）、くろ江川沿いに「三分一村」（絵図には見えない）「新保村」「虫川村」「古河村」が上流へ向かって並ぶ。三分一村は現在の頸城区上三分一（かみさんぶいち）（下三分一はその枝村という）だが、他の3村は現存しない。

地元史は、新保村を「同区市村新田の一部、古河村は同区石神に残る」とする。虫川は浦川原区や旧上越市内にもあって地名には魅力を感じるが、ここの虫川村は消失している。後日の考察を約したい。「二（に）の分（ぶ）村」は現在の県道新井―柿崎線の傍らに位置する集落だが、江縫村と森本村の間に描かれている。

不思議の多い絵図だが、ここではそのすべてを見る紙幅を持たない。この絵図には既に述べた集落も含めて頸城区だけで20の村々が描かれている。次稿はこれらの地域がどう開発されていったのかを見てみたい。

《補注》　本稿が掲載されて間もなく、上越市の渡邉昭二氏から、本稿の「古河村は同区石神に残るとする」などについて、ご教示を頂いた。その後、筆者も調べ直し詳しくは、新潟県地名研究会会誌『越佐の地名』第13号（78〜86ページ）に述べているのでご参照いただきたいが、結論的には「古河村」は「上神原（かみかなはら）」（現・上越市頸城区）に、「虫川村」は「下神原（しもかなはら）」（現・同市同区）に、地名が改変されたものと考えられる。

その時期は、上州（現・群馬県）出身の浪人であった神戸（かんべ）三郎左衛門・茂田（しげた）七右衛門両名が大潟郷の開発を高田藩へ願い出たのが1637（寛永14）年、認可を得たのが同15年である。以来6年をかけて開発を完成するのであるが、この時、神戸が開発の拠点としたのは虫川村であったから、改変の時期はこのころ。また神戸は出身地が群馬県甘楽郡神農原（かのはら）村であることから、虫川村を「神原新田（かなはら）」に改変したと考えられる。当初は古河村を含めたのが神原新田であって、その後、天和（1681〜84）の検地の折、上・下両新田に分けたのだという。

（2009年9月25日）

32　大瀁新田（上）

開発者ゆかりの集落も

中世の大瀁野谷内（おおぶけのやち）の村々は、既に見たように用排水も整わない集落周辺の田地をわずかばかり耕作していた。近世に入って、ここに用水を引き広大な沼沢湿地を開田しようとする動きが現れた。

動機は松平光長が1624（寛永元）年、高田城主として入封したことによるという。城主は徳川将軍家とつながる家柄で、26万石という財力、加えて幕府が武力から富国へ向けて舵を切ろうとしている時代であった。

開発は3期に分けられ、その第1期は1637（寛永14）年から1644（正保元）年まで。指揮を執ったのは高田藩家老の小栗五郎左衛門で、開発者は高田町町人の宮嶋作右衛門、上州（現・群馬県）の浪人神戸三郎左衛門と茂田七右衛門の3人であった。用水は保倉川を横川（旧・浦川原村）で取り入れ、工事事務所は上越市頸城区神原に置いたという。

こうして開発された集落は、「千原新田」「百間町新田」「坂井新田」など40カ村に上った。これを大瀁新田と呼ぶ。

このうち出自の分かる集落を挙げてみよう。まず神戸三郎左衛門が居住していた神原（新田）は、諸書に神戸の出身地の上州神原村からとある。しかし、現在、群馬県内に神原という集落は尋ね得ない。

類似する地名を探したところ、ようやく同県富岡市一ノ宮の西南に「神農原」という集落があり、これが江戸期には「神原」であったことが判明した。神戸の出身地は群馬県富岡市神農原（神原）である。頸城区の神原はカナハラと読むが、これはカノハラの転訛であろう。

茂田七右衛門は上州一ノ宮（現・富岡市）の出身といい、神戸とは同郷だとされる。越後での居

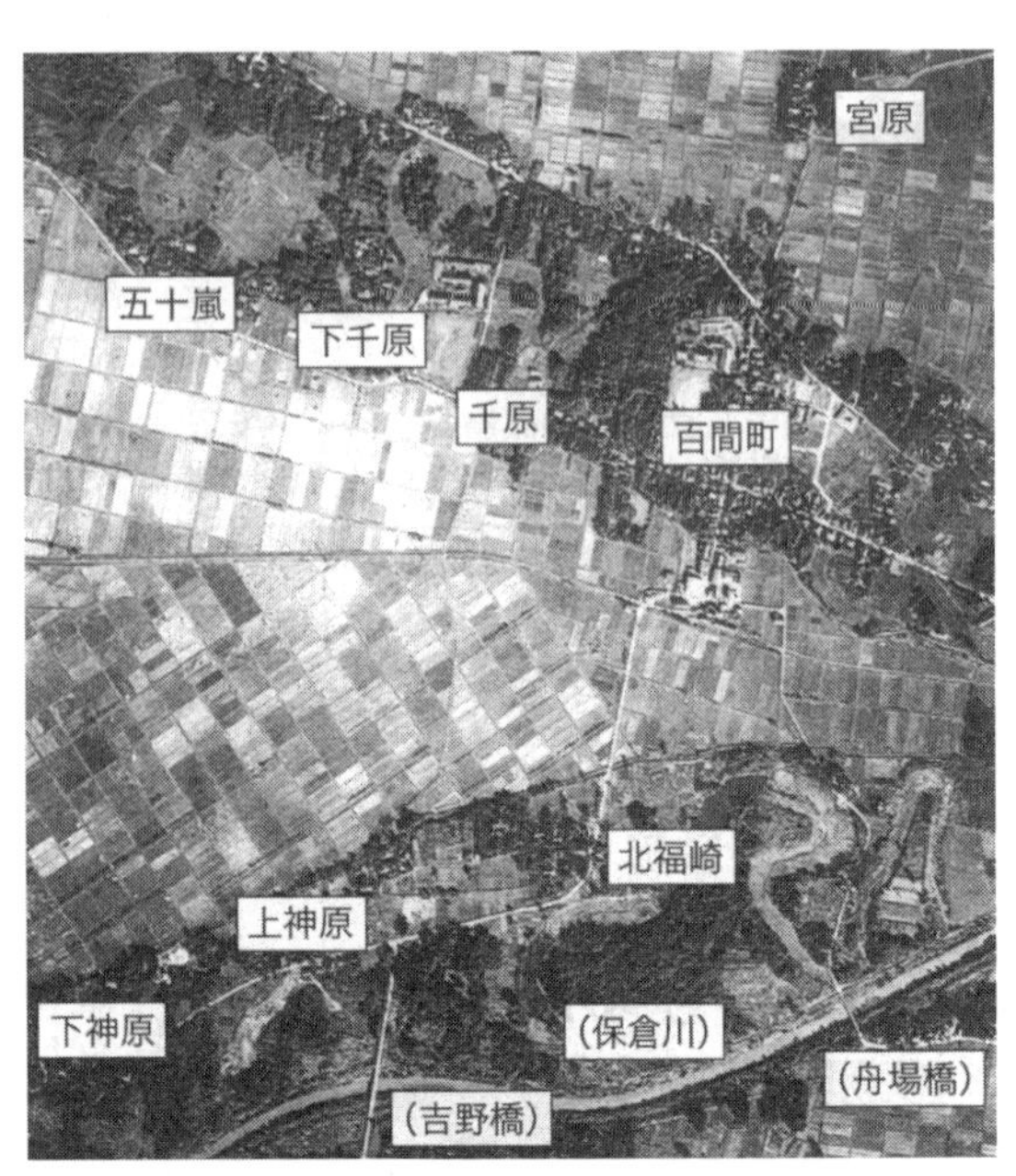

上空から見た上越市頸城区神原と千原＝『頸城村史』（1988年刊）を基に作成

住地は上越市頸城区千原（新田）で、小さい地形図では探しにくい集落だが、百間町と五十嵐の間にある。この地名の成立を地元では旧直江津市上千原（江戸期は千原）からとするが、疑問である。

先般、群馬県富岡市を訪ねたが富岡市に千原はない。ただ同市の西南10キロの南牧村に「千原」集落がある。南牧村の郷土史家の直話によれば、千原には重田姓もあり茂田の生家も実在するという。さらに彼は年老いてここに帰郷し、ここで没しその墓も残るという。茂田が生地の地名「千原」を頸城区に誘引したことは、まず間違いないと思われる。

（2009年10月9日）

33　大瀁新田（中）

信濃の武士　浄厳寺開く

大瀁新田40カ村のうち、神原、千原のほかに出自の分かる集落を挙げてみよう。まず、古保倉川上流に「柿野（新田）」がある。旧浦川原村上柿野は元禄郷帳に「古、柿野村」とあり、この柿野村からの移住という。

また、1693（元禄6）年の宗門帳によれば、「東俣（新田）」の六左衛門は、「保倉谷東又（俣）村、長左衛門他家守」とある。東又（俣）村は旧浦川原村東俣、他家は田家で、六左衛門は東又村長左衛門の田小屋を守っていたととれる。東俣は旧浦川原村東俣と関わりがあろう。

「飯田（新田）」も、宗門帳は住人の清左衛門と七郎左衛門を高津郷飯田村（旧・上越市）生まれとする。七郎左衛門の持ち高49石余は、記載された6人中最大である。両者は関連があろう。

「西湊（新田）」は、片津村の西隣の新田が由来であろう。「米岡（新田）」は現在の下米岡だが、旧上越市米岡からとみられ、1696（元禄9）年の宗門帳に片津村生まれの儀左衛門の名がある。

「立崎（新田）」は旧頸城村花ケ崎から、「島田（新田）」は旧上越市島田からの、それぞれの移住に

創建後325年を経て修復された浄厳寺本堂＝上越市頸城区大坂井

浄厳寺の開祖が船で着岸したという上越市頸城区天ケ崎の宇曾橋川から同区上池田方面を望む

よるものとみられている。

越後以外からの移住の例として、『大瀁郷新田開発史』は明暦～寛文年間（1655～73年）の信濃更科郡、越中新川郡からを挙げるが、「来たり者と言われるのが嫌」という住民の意向をくんで、一切載せていない。

そんな中、「坂井（新田）」の浄厳寺の場合を紹介してみたい。

浄厳寺の創建は1683（天和3）年、開基は順慶とする。第14代坂井龍輔住職によれば、開祖は元下級武士で、信濃水内郡から越後に入り、船で大潟の南岸の旧頸城村天ケ崎付近に着岸し、大肝煎の田中伴七家に草鞋を脱いだという。ちなみに寺の山号は大瀁山である。

寺には山門を入ると小坂があり、樹齢400年という巨松がそびえ、その元には井戸があった。湿地には珍しい名水で近隣から水もらいが絶えなかったという。坂井の地名と名字はここからの命名ではあるまいか。

（2009年10月23日）

34 大潅新田（下）

溢水を物語る「五十嵐」

大潅（おおぶけ）新田（上越市頸城区）の集落の名付けには、入植者の出身地による由来も多いが、坂井（新田）のように現地に由来するとみられる集落もある。

旧頸城村役場の所在地だった百間町（新田）も、おそらく現地発祥の地名であろう。「まち（町）」は原初的には区画された土地をいい、「けん（間）」は長さや間割の場合と、家をいう「軒」の場合がある。

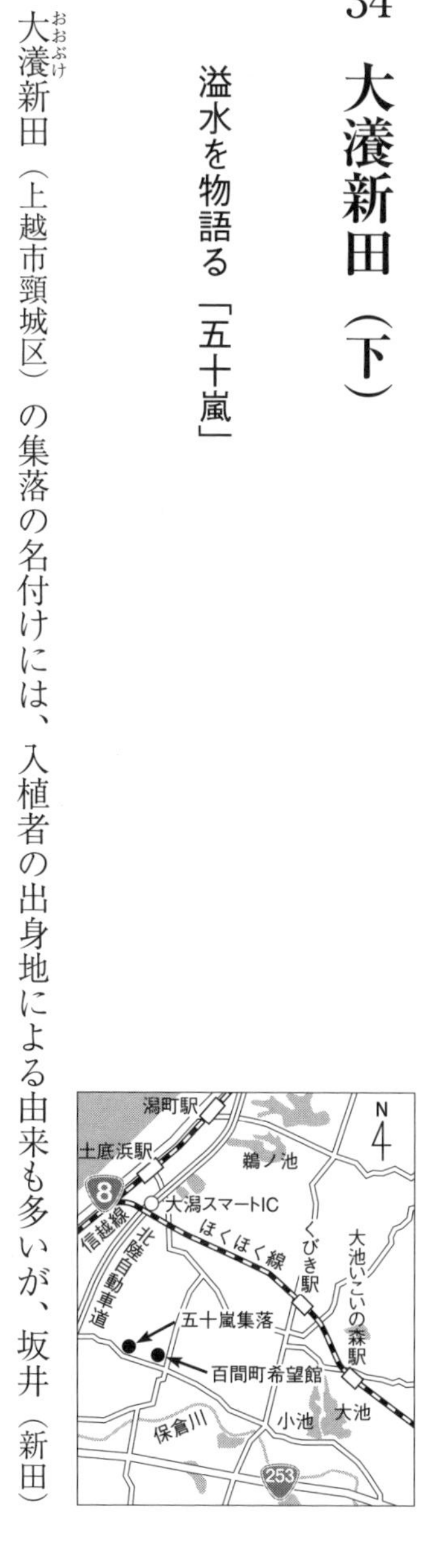

この集落は1698（元禄11）年の宗門帳に家数37とあるから、成立当時に100軒は考えにく

百間町の大瀁小学校旧校舎跡地に立つ希望館。頸城地区の文化施設として活用されている＝上越市頸城区

現在の五十嵐集落＝上越市頸城区五十嵐

い。また、「百間」は音読みで、自然発生的ではなく人為的である。この点では開発40カ村の中でも特異で、何らかの人為的区画からの地名であろう。

県の「埋蔵文化財包蔵地カード」によれば、百間町字中通からは中世の焼き物である珠洲焼が出土し、下ノ宮十二神社には鎌倉時代初期の「いけ込み石仏」がある。中世の人跡が明らかなのに「新田」で、しかも1597（慶長2）年の「越後国絵図」には見えない。不思議な集落である。

五十嵐（新田）も字宮ノ島に平安期の土器が出土しており、不思議な新田集落である。同じ地名は三条市などにも見られるが、他から入植した事実をここでは聞かない。

方言で「イカる」は水があふれることである。川がイカれば洪水で、三条市の五十嵐川の洪水は記憶に新しい。細かくは後日に譲るが、阿賀町では水があふれることを「イカがる」といい、魚沼市から糸魚川市ではこれを「イカえる」という。

頸城平野で方言は尋ね当たらないが、このたび、1663（寛文3）年の日根津村（現・上越市頸城区）の年貢文書に「前々より水いかえ捨り高」（傍点筆者）と「イカえ（る）」を確認することができた（『頸城村史』）。「イカ」は溢水（いっすい）を意味する古語である。

柏崎市に「五十刈（いかり）」集落があり、秋の稲田は舟で刈ったと古老は語る。糸魚川市の「五十原（いかはら）」は江戸期の洪水のため早川の対岸から現在地に移転した集落である。そして「あらし」は一般に荒廃耕地をいう。そうとすれば、五十嵐は新田以前に耕地が溢水で荒廃したことを物語る地名である。

（2009年11月13日）

《補注》　第26稿の「古保倉川蛇行跡の航空写真」で、中央手前の左側への蛇行跡に接する集落が「五十嵐」である。その強引ともいえる屈曲は、洪水時の溢水を推測させるに十分である。

35 中谷内新田の開発

難渋の末、排水路を開削

大潟郷開発の第2期は、大潟新田の北と潟町砂丘との間の低湿地である中谷内新田の開発で、1646（正保3）年から1655（明暦元）年まで。開発責任者は平石彦左衛門、上原八郎右衛門で、2人はそれぞれ第1期の開発で指揮を執った神戸三郎左衛門の義弟と甥に当たり、やはり上州浪人という身分であった。

ここで開発された新田は4036石余、36カ村であったが、「浜雁子」「土底」「小船戸」「渋柿」など現・上越市大潟区の集落名を持つ新田も含んでいた。しかし、これらのおよそ半数は人の住んでいない無民戸の新田であったという。また、既に開発されている「百間町」「坂井」「柿野」「島田」などの新田もみえるが、それらは前の残地の開発によるものと考えられる。

大潟新田が用水の導入による開発であったのに対し、今度の中谷内新田では湛水の排除によらねばならなかった。このため頸城区大潟から幅8間（約14・5メートル）、全長7000間（約1万2700メートル）の排水路を掘り、黒井で保倉川に落とした。

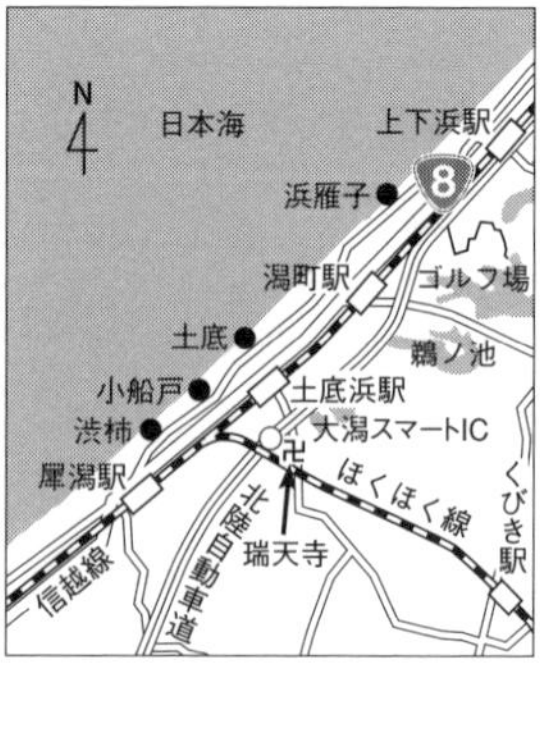

この排水路を「潟川」と呼ぶ。1597（慶長2）年の「越後国絵図」には、無名だが既にこれに相当する川が描かれている。

『頸城村史』は「川は正保3（1646）年に開削されたもので絵図は誤っている」とする。一方、上越市の渡邉昭二氏は『頸城文化』（52号）の中で、地形的に川があってしかるべきだ、と反論している。潟川開削の前年（1645年）ごろの「越後国絵図」にもこの川は描かれており、筆者も慶長の「越後国絵図」に誤りはない、と考える。

潟川の開削は難渋したらしい。そのためか大潟区蜘ケ池の瑞天寺に観音を祭り、開発成って30石を寄進したという（『頸城村史』）。

ところで、瑞天寺には本堂の聖観音と観音堂の千手観音がある。慶長の「越後国絵図」には二つの潟沼にはさまれて「くわんほん（観音）堂」が描かれており、この堂の仏を一説には聖観音とし、

瑞天寺境内にある観音堂　1823（文政6）年の建立という＝上越市大潟区蜘ケ池

観音堂に祭られた千手観音＝瑞天寺

一時期吉川区西野島に祭られていた。そして、西野島に「観音堂」の地名を残し、のち瑞天寺に移し祭られたとする。

（２００９年11月27日）

36 大潟新田の開発

大きな湖水 広い耕地に

中谷内新田（現・上越市）を開発した平石彦左衛門と上原八郎右衛門に１６６１（寛文元）年、高田藩は引き続いて中谷内新田の奥（北東）にある大潟新田の開発を命じた。

この開発も、つまるところ潟の水抜きである。そこで潟川をさらに掘り下げ、水の引いたところへ土を運んで整地していった。

その工事の最中の１６６５（寛文５）年12月27日、頸城地方を大地震が襲う。潟川の岸は決壊し

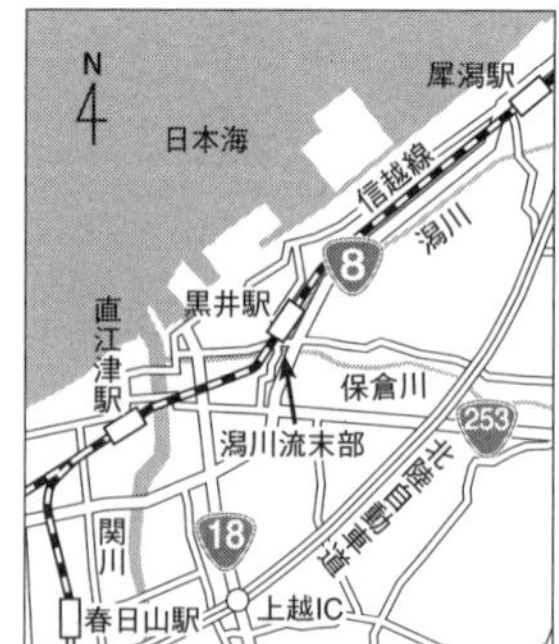

川の大半は埋もれた。加えて、この開発の総元締めである高田藩家老の小栗五郎左衛門が城の石垣の下敷きになって圧死し、長男の美作（みまさか）が跡を継がねばならない事態となるのである。

潟の水抜きはまたしても困難を極めた。細部は略すが、1674（延宝2）年、藩は幕府から川村瑞賢を招き、翌年、それまで「福島」・「左内辺」で北に折れて流れていた「保倉川」を真っすぐ関川へ合流させる工事を起こすのである。その結果、ようやく

現在の潟川流末部　正面中央は潟川橋＝上越市頸城区西福島・同市黒井付近

慶長の「越後国絵図」（米沢市蔵）に描かれた無名の湖水（中央）。本名は「鵜の池」という

1678（延宝6）年、24カ村、4844石余の新田開発は成るのである。
1661（寛文元）年から17年、大潅郷（おおぶけ）全体としては1638（寛永15）年の着工から40年、総石高1万6456石余、計100カ村の新田を誕生させてこの開発は完了した。

大潅郷新田開発の対象は湿地と湖沼群である。ところで1597（慶長2）年の「越後国絵図」に描かれた大潟とおぼしき湖水は無名で、1645（正保2）年ころの国絵図に「大潟」とその名が見える。また、『大潅郷新田開発史』に載る岡田家文書には「大潟の本名は鵜（う）の池にて、其に続きたる潅原漫々たるを越後太守（松平光長）寛永年中切り開き給い…（中略）今大潟は全く鵜の池の底にて…」とある。

これは岡田金四郎鉄斎により、天保のころ（1830～44）に書かれたとある。これが正しいとすれば、大潟の本名は「鵜の池」である。「鵜＝う」は文字通りも解せるが、古語「大人＝うし」などから、「大」と解せなくもない。とすれば「ウの池」は「大（う）の池」であり、広大な湖水を意味し、大潟と呼ばれる以前のこの池にふさわしい名ともいえるのである。

（2009年12月11日）

37　大潟周辺の湖沼

形や地形思わす名付け

慶長の「越後国絵図」（１５９７年）には、後の大潟とおぼしき潟の周縁に四つの湖沼が描かれている。しかし、いずれも無名である。この湖沼が半世紀後の正保の「越後国絵図」には、「大潟」「蜘(くも)ケ池」「鏡池」「袴(はかま)潟」「朝日池」「さいが池」と名をもって描かれる。

名付けとしては「鏡池」が面白い。古鏡は円形であるところから、地名の「鏡」は一般に円形の水面を指す。江戸末期まで今の新潟市西蒲区潟上にあった「鏡潟」は円形の潟であったし、「松山鏡」の伝説で名高い十日町市松之山中尾の「鏡ケ池」も、かなり狭まったと伝えるが、今も円い。絵図の鏡池が円くないのは描き方によるものか。この潟は現在の「中谷内池」に当たる位置だが、中谷内池はおよそ円形である。「蜘ケ池」は蜘蛛(くも)よりも地形的には「窪ケ池」か。この池が開発後、水位下降で「蜘ケ池」と「天(あま)ケ池」に分かれたものと、渡邉昭二氏（上越市）は説く。蜘蛛（雲）の上（流）は「天ケ池」としゃれたか、これは筆者のたわごと。

「袴潟」の名は珍しい。現在の「鵜(う)の池」に当たると思われる。由来はハ・カマなどの分解も可

「正保越後国絵図」に描かれた湖沼群（新発田市立図書館所蔵、県立文書館提供）

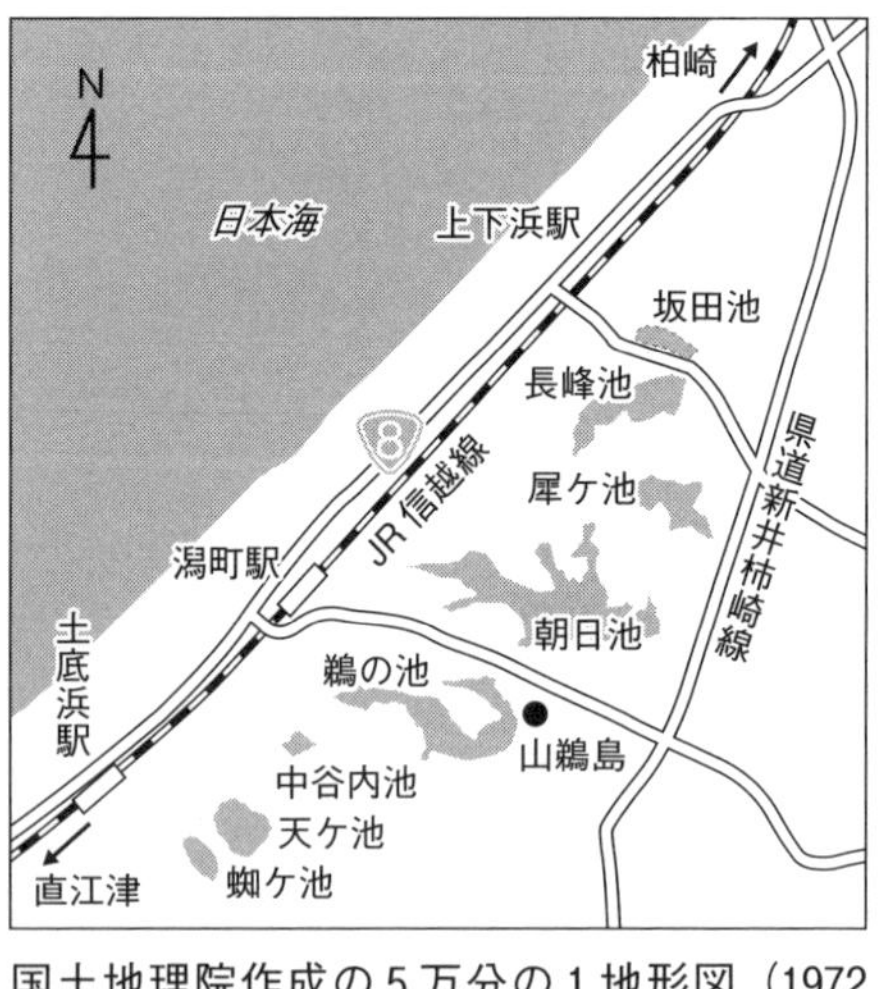

国土地理院作成の5万分の1地形図（1972年修正）に見る大潟周辺の湖沼群

能だが、素直に「袴」ととりたい。池中に西方から半島が延び、4世紀末という著名な古墳をその先端に持つ池で、上越市大潟区山鵜島新田を袴の腰に、古墳をまたいだ袴（タッツケ）を思わせる湖沼である。

それがなぜ今、「鵜の池」かをたどるすべは持たないが、大潟の元の名を鵜の池（岡田家文書＝36稿）とすれば、その遺称ともとれよう。さらに想像をたくましくすれば、水位の上昇期、鵜の池は大潟と一体の潟であったことはなかったか。双方は至近（数百メートル）であり、潟岸の標高約3メートルは、頸城区上・中・下増田付近の潟岸5～6メートルに比較して低い。絵図の「さいが池」は海岸線に並行に描かれるが、現在ここには長峰、坂田の両池が並び、昭和の「犀ケ池」はなぜか、長峰、朝日の両池に挟まれて存在し、やがて消滅している。

（2009年12月25日）

《補注》　大槻文彦著『大言海』などは、「う」を接頭語として、見出し語に1項を設け、「う〈大〉おほの約レル語」として、おほけ、うけ（食）。おほみ、うみ（海）。おほし、うし（大人）。おほば、うば（祖母）。おほま、うま（馬）。おほしし、うし（牛）。おほかり、うかり（鴻）。などの語例を挙げている。海・馬・牛のウは「大」の意を持つとする。これが地名に現れないはずはない。それが「鵜の池」ではないのか。柏崎市の「鵜川」、村上市の「鵜渡路」など、その類例と見ることができる地名も少なくない。村上市布部には「ウぞう（大沢）」「コぞう（小沢）」の山の沢があり、同山北地区で高齢者は「大谷沢」集落を「ウたざわ」、「上大鳥」集落を「ウどり（大鳥）」と呼んでいる。参考となろう。

38
応化橋（上）
古いのになぜ音読み？

「越後の春日を経て今津へ出る道を、珍しい旅人の一群れが歩いている」。森鷗外の名作『山椒大夫』はこんな書き出しで始まっている。舞台は現在の上越市。秋の陽(ひ)の傾きかけた道を行くのは、姉弟とその母、姥(うば)の4人、姉の名は安寿(あんじゅ)、弟の名は厨子王(ずしおう)である。

母は今夜の宿を探しているのだが、高札に「人買いが立ち回るゆえ宿を貸してはならぬ」と、国守(くにのかみ)の掟(おきて)が書かれてあって、途方に暮れる。たまたま通りかかった潮汲(く)み女に勧められたのが、荒川（関川）に架け渡した応化橋(おうげのはし)の下での野宿だったのである。

年少のころ、この小説を読んだ記憶があるが、「応化橋」は物語の舞台にふさわしい雰囲気で、何も不思議に思うところはなかった。しかし今、地名を見直す中で、「応化」はかなり疑問のある地名であると思う。

まず一点は「応化」が音読み地名であるということである。今日、われわれは、例えば、政治、議員、選挙、国会をはじめ、家族、食事、入浴、睡眠等々、漢語の中での生活が当たり前のように

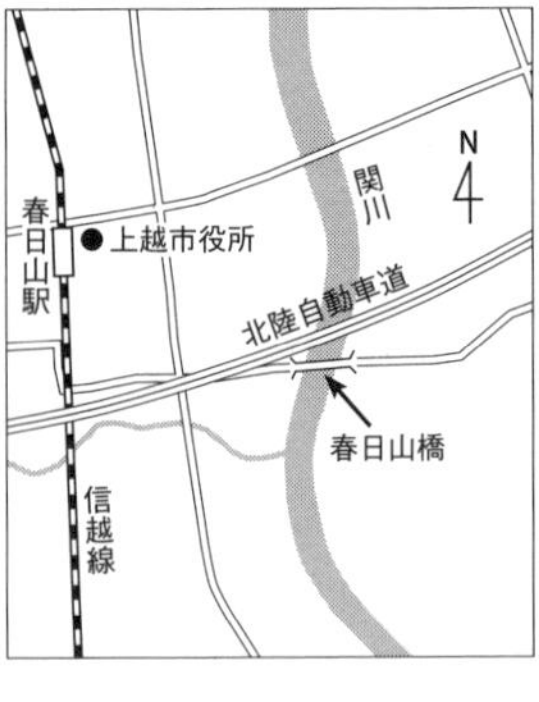

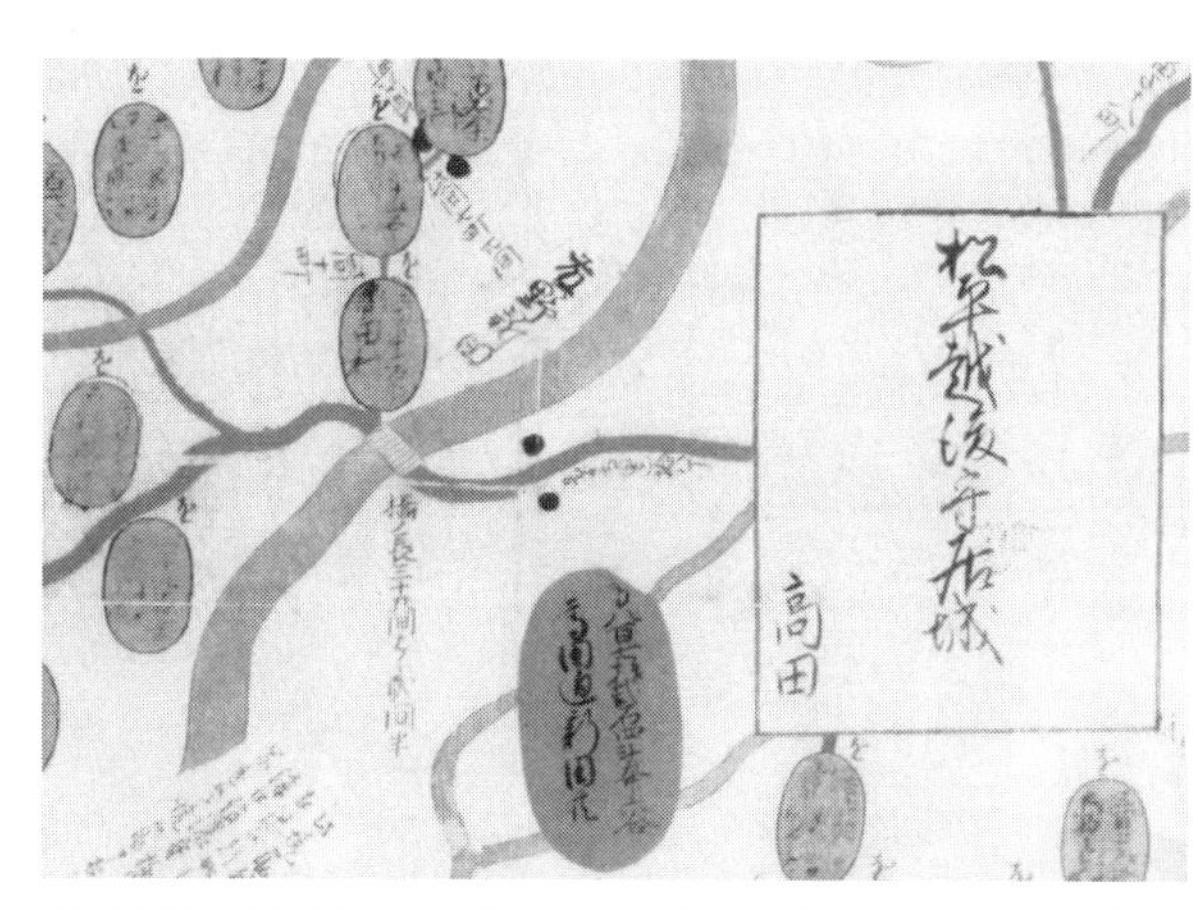

「正保越後国絵図」に描かれた関川に架かる橋　応化橋はこの下流にあったが、高田城ができた時点で撤去され、大道は高田回りに変わったものという（新発田市立図書館所蔵、県立文書館提供）

なっている。しかし、これは明治以降の現象で、多くの地名の歴史に比べたら新しい。

「日本も東京も和語（日本固有の語）ではありません」と言うと、狐につままれたような顔をする人が多い。和語と漢語を区別する意識を持たない現実、これは地名研究を進める上ではかなり憂慮すべき問題である。というのは、原則として「古い地名は和語で付いている」からである。これ以外に漢語その他があるが、数は少ない。それの見極めが重要なのだ。

ところで「おうげ」は和語か漢語か。辞書に「応化」を引くと「仏が世の人を救うために姿を変えて現れること。応源」と見える。漢語だ。近くに越後の国府があり、古寺も多かった土地柄からすれば、漢語（仏語）地名もうなずけるように思う。

ところがこの橋は「往下」などとも書かれる。こんな語は辞書にはない。ここで「おうげ」が果たして仏語であったのかという疑問がわく。

（2010年1月22日）

39 応化橋（中）

和語に漢字当て多様化

森鷗外の『山椒大夫』に話を戻すと、応化橋（おうげ）（現・上越市）の下には、たいそうな材木が石垣に立て掛けてあった。安寿（あんじゅ）と厨子王（ずしおう）たち4人がここを一夜の宿と決めたところへ、山岡大夫と名乗る男が現れる。「わしが家は街道を離れているので、人を泊めても、誰に遠慮もいらぬ」と、おのが家への泊まりを誘うのであった。

彼の家は街道を南に入った松林の中とあるから、翌朝、直江の浦へ出るには、4人はいま一度、応化橋のたもとを通ったに違いない。

それはともかく、この橋の名について、『直江津町史』は「『オウゲ』は元来『往還』で、還は呉音『ゲン』である。往還は『オウゲン』で、音便して『オウゲ』と呼んだ」と述べている。

しかし、往還がオウゲンやオウゲと発音された例はあまり聞かない。また表記は、往下のほか応解、逢岐、逢妓、大笥、王源、扇などとも書かれ、目まぐるしいほど多様である。これでも「応化」は「往還」と解すべきであろうか。他の文献に当たってみよう。

永保年間（1081〜84年）という安寿と厨子王の伝説は史実ではないが、ちなみに『越佐の伝説』（小山直嗣著）には応化橋とあり、『直江津町史』は逢岐橋である。

歴史書では『管窺武鑑』の1584（天正12）年の条に「喜多川（荒川）に懸りたる応解橋」と「応解橋」が見え、『歴代古案』には1579（天正7）年、山崎某の書簡として「早々あふけのかみ（上）まで差し越さるべく候」が載る。「あふけ」はこの橋を指していよう。

また、『景勝一代略記』には1578（天正6）年、御館の乱の項で「館方兵共あふけの橋まで退

頸城郡絵図に載る「わうけ（王うけ）川」（現・関川）。橋は「応化橋」と思われる。下部は日本海

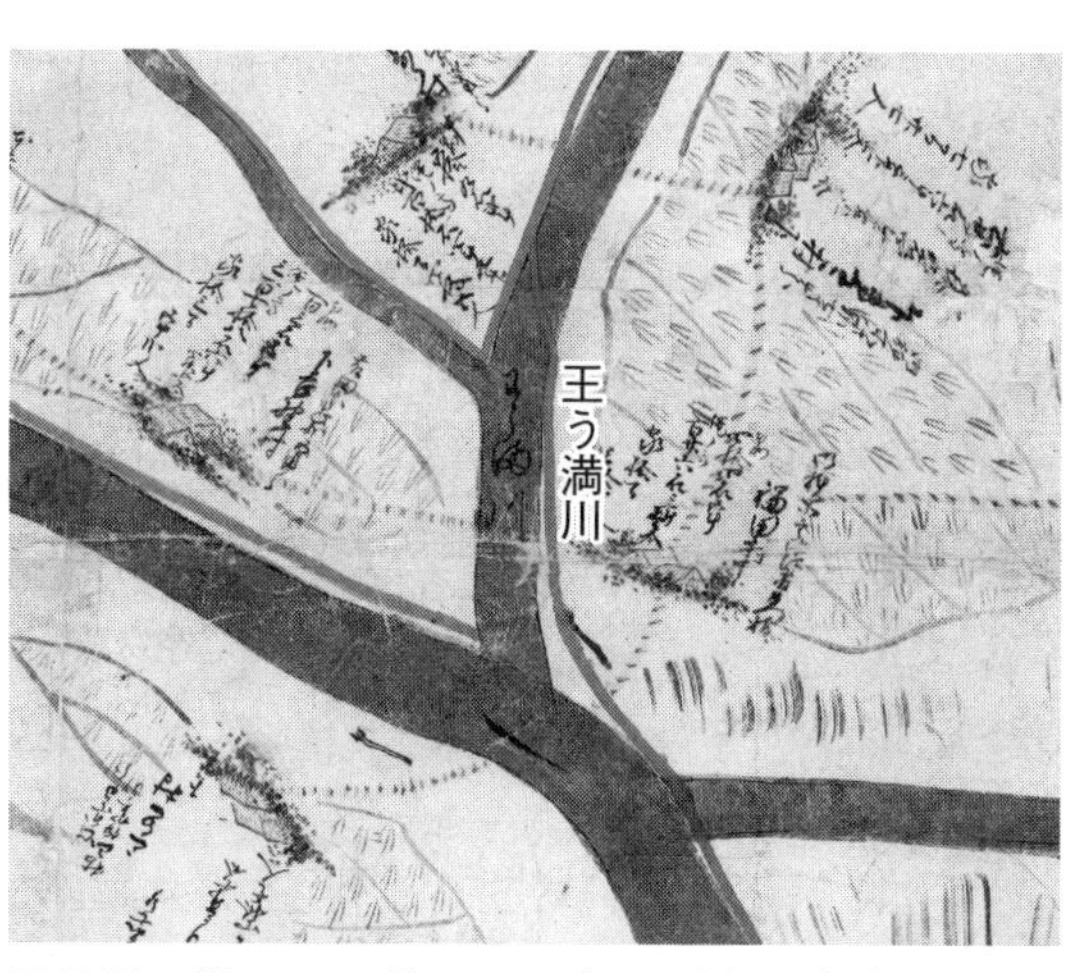

同絵図に描かれた「わうま（王う満）川」（現・飯田川）　川は絵図の下方向へ流れ、日本海の手前で「わうけ川」と合流する

く也」と「あふけの橋」を載せている。

ところで、1597（慶長2）年の「越後国絵図」は、現代の関川を「わうけ川」としている。とすれば「あふけの橋」は、この「わうけ川」に架け渡した橋であろう。「あふけ」「わうけ」は字面こそ違え、耳に聞く音は同じだったのではあるまいか。そして共に和語であろう。それに漢字を当てたために、誤解と多様化が生まれたものと考える。

ちなみに、東隣の飯田川を同絵図は「わうま川」とする。この「わうま」も注目すべきであろう。

（2010年2月19日）

40 応化橋（下）

湿地を流れる川語源か

慶長の「越後国絵図」で飯田川は「わうま川」、関川は「わうけ川」である。この中世の二つの川名が共有する「わう」は同じ語で、天正年間（1573〜92年）の文書に見える。「あふけ（の橋）」の「あふ」も同義であろう。

「わう」「あふ」は、同じ音を表記しているのではあるまいか。後世、これが「おう」となるのである。そして、これらをさかのぼれば「あを（青）」に行き着くと考える。2、3類例を挙げてみよう。

マラソン大会で著名な東京都の青梅は「おうめ（ｏｍｅ）」と発音する。県内にも糸魚川市に「青海」、柏崎市に「青海川」があるが、いずれも青海の発音は「おうみ（ｏｍｉ）」である。加茂市の「青海（神社）」も「おうみ」とも発音する。

以上から、「おうけ」の元は「あふけ」であり、さらに「あをけ」にさかのぼると考えるのである。「あを（ａｗｏ）」は「青」の古音で、「け」は様子を示す接尾語「気」ではなかろうか。

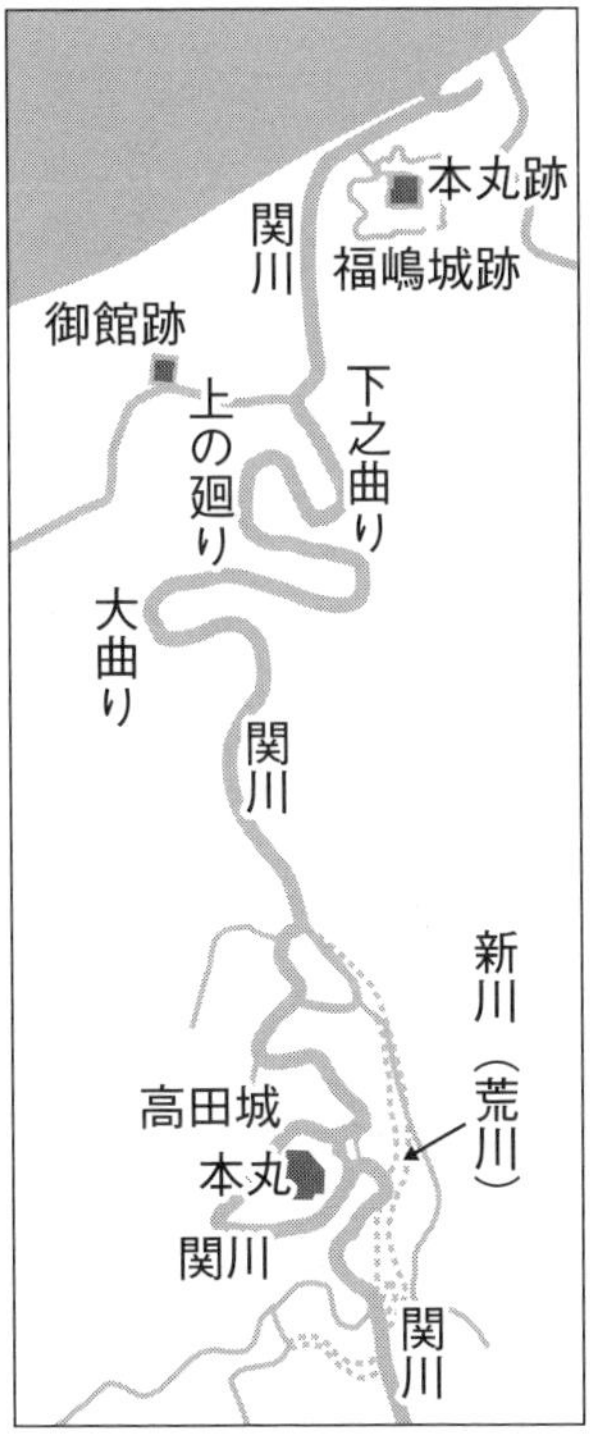

大きくうねり、湿原を形成していた高田城時代の関川（荒川）の流路。「応化橋」は河口に近い直線部分にあったと思われる（渡邉昭二氏の原図に基づき作成）

ならば、「あを（青）」とは何か。『時代別国語大辞典』上代編（三省堂）には「黒から白にいたるまでの漠然たる色をさす」とあり、ブルー（青）とは限らない。また、アヲ（ａｗｏ）、アワ（ａｗａ）の音は近く、間々交代する。かつて岩船地方では「粟島」を「青島」と呼んでいた。アワは「アワ（淡）し」の語幹で、「うすい」「はかない」などの意を持つ。このアワ、アヲが地名に付く場合、その土地は、軟弱で、頼りない場合であったろう。言い換えれば湿地である。『板倉町史』によれば、5000年前、高田平野一帯は潟湖（古高田湖）であった。また、上越市の渡邉昭二氏は古図、航空写真、更正図、地名などから高田城時代の関川の流路を推定した。

この驚くべき流路は、この平野が古くは一大湿原であったことを物語っていよう。それを「あをけ（気）」や、広がりを示す接尾語「間」を付けた「あをま」と呼び分けて、そこを流れる川の名ともした。そして応化橋はアヲケの川に架け渡した橋の意だったと考えるのである。

平安の昔、安寿や厨子王は、この川辺をどうたどって応化橋に至ったものであろうか。いま荒川の川尻の一角に姉弟を供養する塔が立っている。

（2010年2月26日）

安寿と厨子王供養塔＝上越市中央3

41　青島と近江

「淡」と同根　湿地を示す

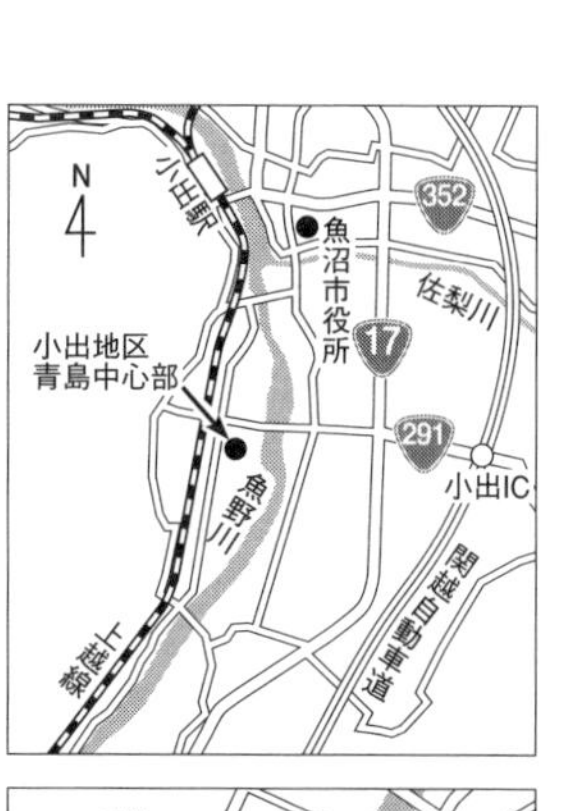

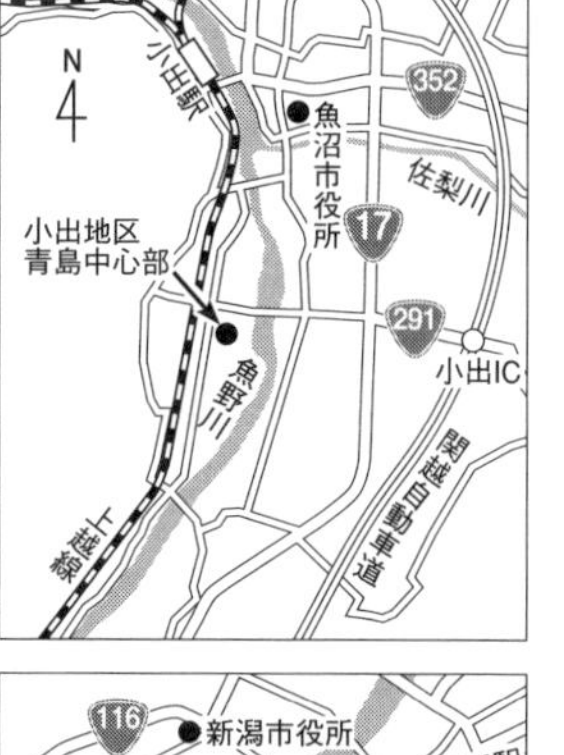

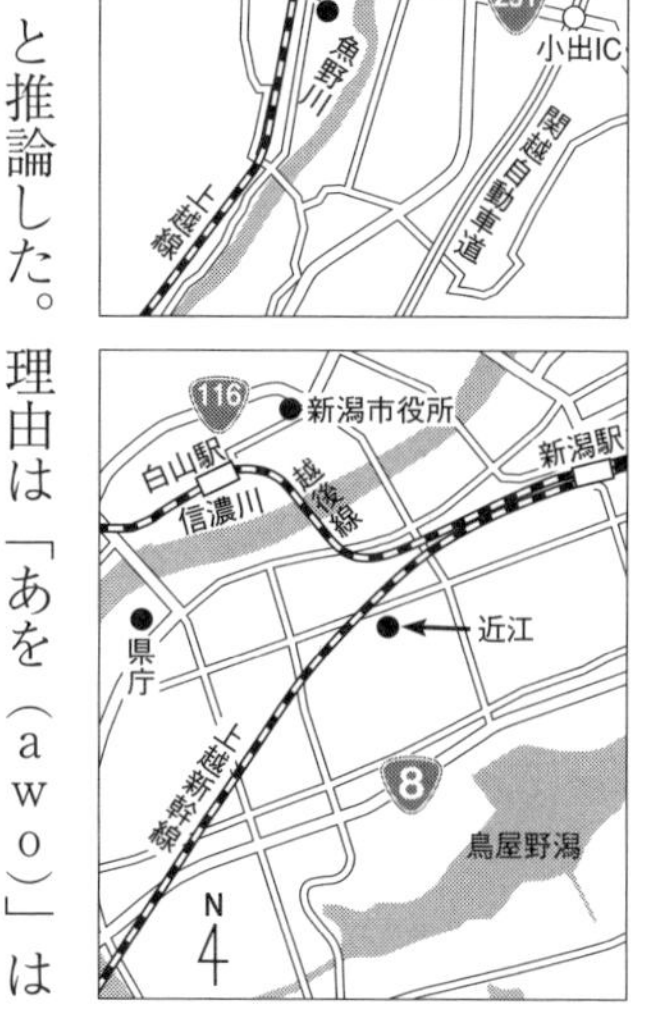

応化橋の「おうげ」は古くは「あをけ」であったろう、と推論した。理由は「あを（awo）」は「青」の古音で、「わう」や「あふ」は「あを」が「おう」に転訛（てんか）するときの途中の形を示していると考えられるからである。

そして、古語「あを（青）」は何を指すかといえば、「あわ（淡）」と同根で、地名としては軟弱な土地、すなわち「湿地」であるとした。

魚沼市旧小出町に「青島」があるが、「魚野川下流左岸。古くは魚野川沿いの広大な湿地や中島で、青島と呼ばれたという」と『角川日本地名大辞典』にも載っている。長岡市にも「青島町」があるが、信濃川と浄土川に挟まれた低地に位置し、「青島サンベ（沼湖）」の所在地であるから、湿地の見本のような土地柄である。

新発田市旧加治川村の「青田」も、一般には青々とした田のように説かれるが、先年、縄文晩期（約2500年前）の川跡や丸木舟が出土した青田遺跡からも推測できるように、昔からの水辺であ

魚沼市青島　左右を横切るのは魚野川で、昔は湿原だった。手前は伊勢島新田

新潟市中央区近江　繁華な通りに昔の水辺の面影は感じられない

り、「あをた」は「淡処」で湿地と解するのが至当であろう。「た」は田ではなく、場所をいう地名語と解される。

新潟市中央区に「近江」がある。信濃川と鳥屋野潟の水のはざまのような低平地で、本来、湖水をいう「あわうみ（淡海）」か、湿地をいう「あうみ（淡み）」がルーツであろう。

近江国（滋賀県）の近江は、琵琶湖を古くは「あわうみ（淡海）」、または「ちかつあわうみ（近淡海）」と呼んで、「とおつあわうみ（遠淡海）」の浜名湖と呼び分けたことからの名であった。

これが713（和銅6）年の詔（みことのり）や927（延長5）年の『延喜式（えんぎしき）』で「地名は漢字二文字の好字」の方向が定着し、近淡海を近江と書いて「おうみ」と呼んだことによるのである。

新潟市中央区近江の東には、近接して「鐙」がある。「あぶみ」は、「あふみ（淡み）」で、近江とは同語源であり、沼湖ないし湿地に付けられた地名と考えられる。かつて、一帯は水辺で、アシやヤチ草の生え茂る湿地であったことを示す地名と考える。

（2010年3月12日）

《補注》村上市「山屋」集落（旧・神林村）にも小字「鐙谷地」が見え、「あぶみやち」と呼ばれている。ここは往古、門前川が「坪根」集落の上流で南流し、山あいを旧岩船潟に流入していた時代の川跡盆地である。現在は美田化しているが、かつては川跡が谷地（湿地）として残ったところに生まれた地名と考えられる。ちなみに現在の門前川は真っすぐ西に流れ、旧村上町の北側で三面川と合流する。

42 青野と粟生津

湿地帯に付く古音アヲ

「あを」は地名になる場合、湿地帯に付く。前回に記した例のほか、上越市には「青野」があり、白銀賢瑞氏（故人）が「サンベは当字青野の池のほとりに候」と述べているように、かつてはサンベ（沼沢）が存在した湿地である。なお、同市頸城区にも「青野新田」があるが、同様にかつては低湿地であった。

平安時代の越後蒲原郡には五つの郷があったが、その一つに「青海郷」がある。『大日本地名辞書』（吉田東伍著）は、これを新潟市中央区の「鐙」周辺とするが、その後、１３５５年の「青海庄賀茂口陣峰に於て散々合戦致し」などの文書が発見され、現在は加茂市付近とされている。

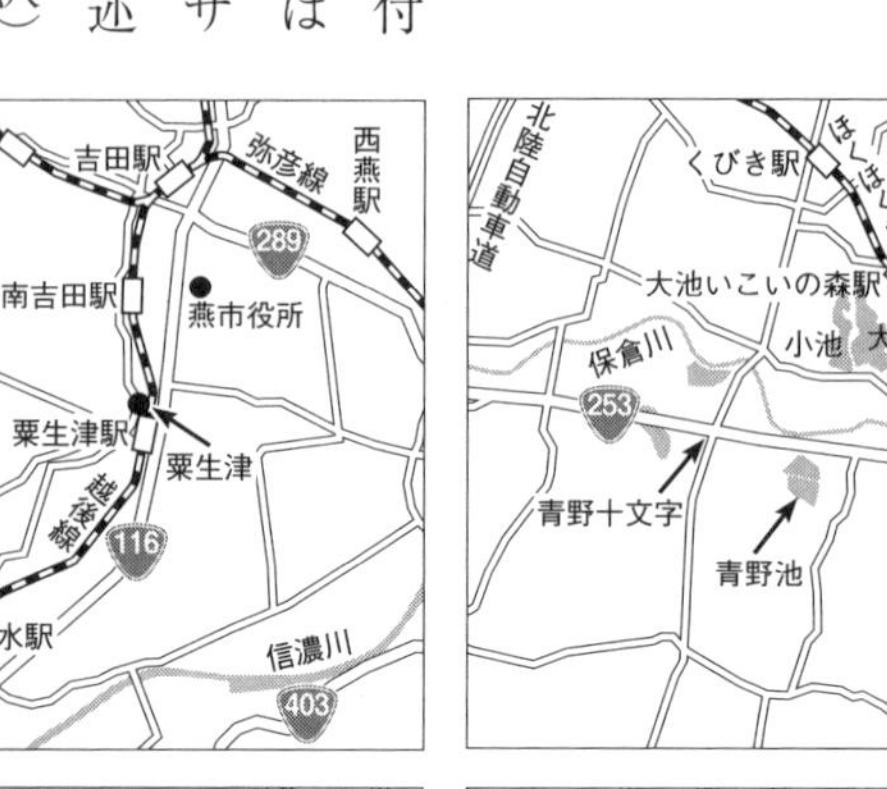

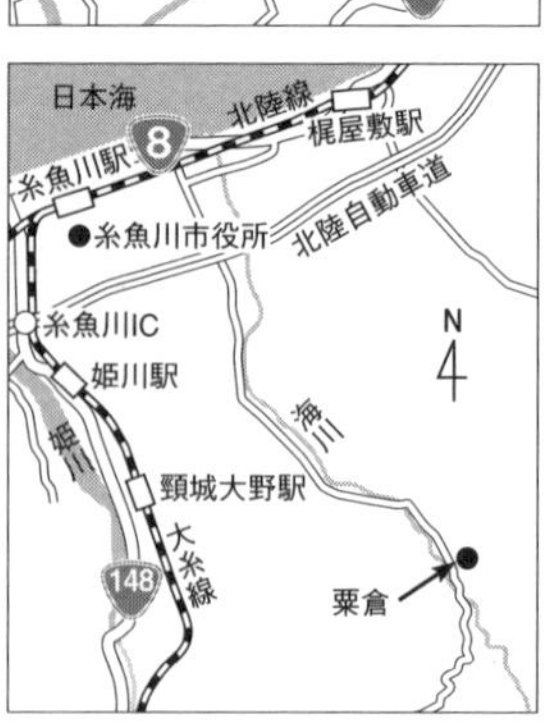

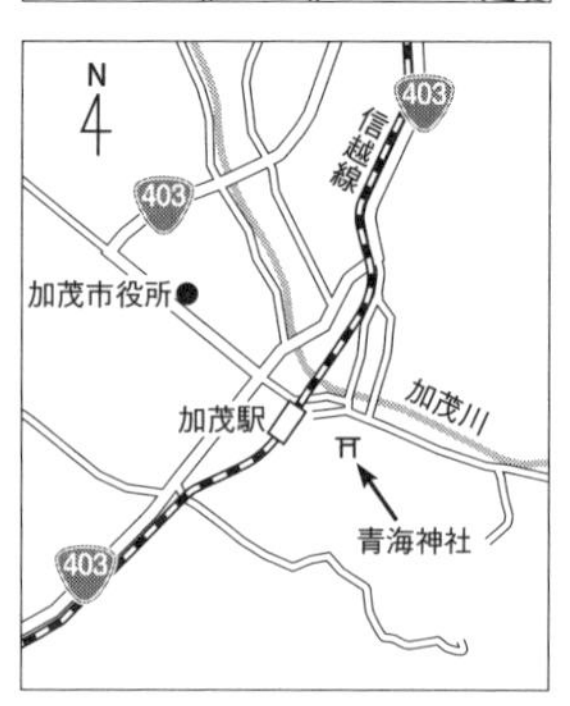

なお、927（延長5）年の延喜式に「青海神社」が載るが、同市に青海神社が現存する。青海は低湿の蒲原郡に似つかわしい地名といえよう。
湿地をいうアヲは間々アワと交代するが、その例としては、燕市の「粟生津」が挙げられよう。ある地名辞典には「粟の生えた船着場」とあるが、文字に引かれたものではないか。

アハ地名の一例である糸魚川市粟倉（写真中央）　集落の背後には岩崖があり、不動滝などの岩場もある。手前の家並みは来海沢集落

粟生津は1594（文禄3）年に荒蕪地を開墾した所といい、西川右岸の湾曲部にあって、川の氾濫をまともに受ける土地柄である。「湿地の粟（植物）は融ける」というほど湿りを嫌う植物の粟が、粟生津のルーツとは考えにくい。

岩船郡の粟島はかつて「粟生島」とも書かれたが、青島と呼ばれていた青の古音アヲ（awo・アウォ）を漢字でどう書いたらよいか、窮余の表記が「粟生」であったかと考えられる。粟生津の「粟生」も同様ではなかろうか。現地発音は青津とも表記できる「あおづ」で、また粟津と書かれる可能性も持っていたのである。

粟津で有名なのは近江の粟津だが、『平家物語』は木曽義仲の最後の場面を「深田ありとも知らずして、馬をざと打ち入れたれば、馬の頭も見えざりけり」と深い湿地の様を述べている。

地名のアヲにはもちろん「青山四周れり」(『日本書紀』)など色彩の青もあり、アバクなどの語幹アハ(暴・露岩)などのあることも、当然考慮されなければならない。

(2010年3月30日)

43 青山と粟島

露岩推考させる「あは」

新潟市に青山がある。『角川日本地名大辞典』は「当地内の水田は胸まで達するほどの深田で、竹竿を横たえ、その上にあがり、胸までつかって田植えをし、秋には舟で稲刈りをしたと伝えられ、隣の平島村とは、この深田を舟で往来した」と、かつての湿地の青山を述べている。

一方、「青」には奈良の枕詞「あをによし(青土よし)」などもあって、色彩としての地名も当然あるのだが、この青は、青・緑・藍などのほか黒と白との中間的性質を持つ、範囲の広い色名とも

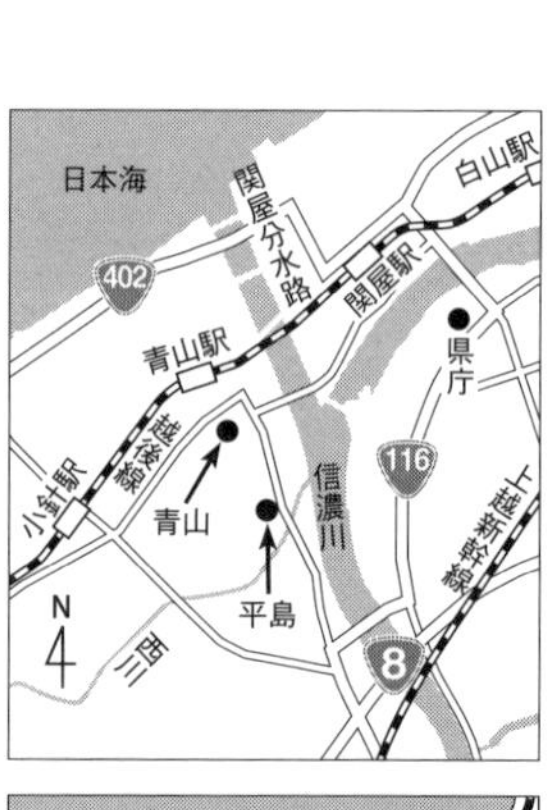

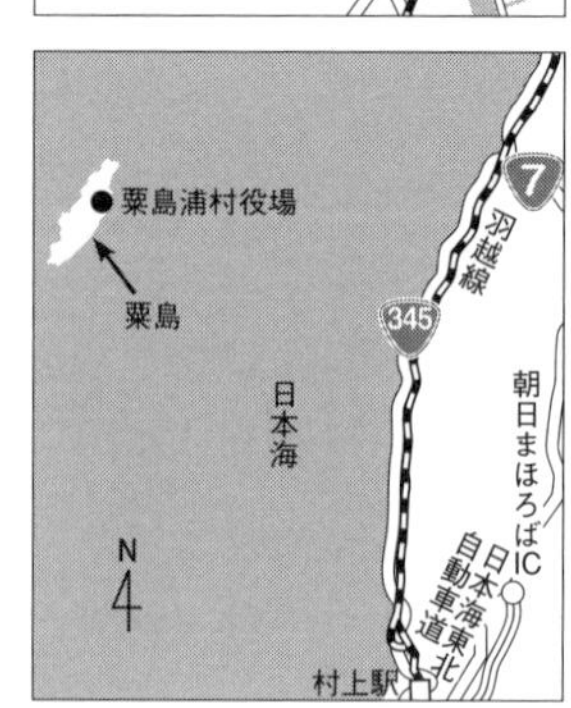

いい、漠然としている。
そんな中で粟島浦村の「粟島」はどう考えたらよいか。子どものころ、筆者は粟島を「あおしま」と呼び青くかすんで見えるから「青島」と考えていた。地名は「海に浮かぶ粟粒のような島」などとも見えるが、粟粒とは何を見ているのか、失礼な話である。

粟島の立島と西海岸　島の周囲は見事な岩石海岸が取り巻く＝粟島浦村役場提供

青について、もう一つ筆者が考えているのは「あばく（暴く）」などの語幹「あは（ａｗａ）」である。アヲとアワ（アハ）はよく交代するからで、類語に「あばける」などもある。アバクは隠れていたものをあらわにすることで、地名の場合、一つの例が露岩である。粟島は四囲ほとんど玄武岩系の火成岩で取り囲まれたような島である。

徳島県は古くから阿波（粟）国といい、粟がよくできたからとも、そうではないともいう。注目するのは、この国に阿波郡阿波町があり、ここに国の天然記念物「阿波土柱」がある。見事な露岩だ。千葉県の南部は阿波国から忌部氏が移り住んで安房国というが、古代の淡水門ともいわれる館山湾は磯岸で、周縁には多くの縄文時代の洞窟遺跡があり、この洞窟は安房国一宮安房神社境内にも及んでいる。

宮崎県の青島は古く、「淡島」とも呼ばれた周囲2キロほどの小島だが、「鬼の洗濯板」と呼ばれる露岩（国の天然記念物）に取り巻かれている。

『出雲風土記』に「粟島」が見える。「周り280歩」という小島は、現在の松江市の青島だという。その東6キロにさらに小さい「青島」（同市）がある。2島とも岩だけの裸島である。

これをもって、わが粟島を結論付けるつもりはないが、筆者の推考の一端を述べた。

（2010年4月13日）

《補注》　粟島の島名について、「越後粟生島の地理的概報」（村山方治・1934—昭和9年）は次のように述べている。

この島は反覆的不連続的上昇によって、島は段丘化し、全く段丘の島と云ひ得る。（中略）吉田東伍博士の大日本地名辞書によれば「粟或は粟生に作るもアハフとは訓ぜず、アヲに近し」とある如く、アハフ或はアハと云っても通用しない事は、筆者（村山氏）が現実に経験した處である。

ここで、村山氏は『大日本地名辞書』が『大同類聚方（だいどうるいじゅうほう）』（808—大同3年の和方薬集成書）の「粟島薬、粟生蝦夷等の家伝と曰（い）へり」を挙げ、また縄文土器（破片）の出土などから、島の先住民が蝦夷であったことは、ほぼ確実であるとし、「粟島はアイヌ語のアウシ、シュマ」である。アウシは「横はる、坐する」、シュマは岩のこと、つまり「海中に横はる岩」の意とする。また、この島は、康平（こうへい）・寛治（かんじ）の越後古図では「粟穂」、宝暦年間の越後国地図には「青島」、1645（正保2）年の新発田藩領図には「粟島」、また近世の地誌、『越後野志』『越後摘誌』などには「粟生島」とあることを述べ、次のように結論している。

これらを比較し、更に山城、加賀に存在する粟生という地名が共にアヲと訓ずる事から考えれば、時代によってその字は異にすれども、一様にアヲと訓じたのであろう。（中略）現在刊行の地図に粟島と書いてあるが、これは決してアハ島ではなくアヲ島とよむべきである。

なお、筆者（長谷川）はアイヌ語「アウシ」の存在に疑義を持つ。また、すでに本稿で述べた徳島県の阿波、宮崎県の青（淡）島など、アイヌ語とは無縁と思える地の「アワ・アヲ」の存在からもアイヌ語説は納得し難い。

44 佐渡（上）

表記は変化　発音「サド」

村上市大栗田はアマメハギ（歳神）行事で著名だが、同じ正月に鳥追いもする。「…ほんだわらに追い込んで佐渡島へホーイホイ」

雪深い山里の子どもたちにも、佐渡は身近な存在であった。県内で佐渡へ鳥を追う所は少なくな

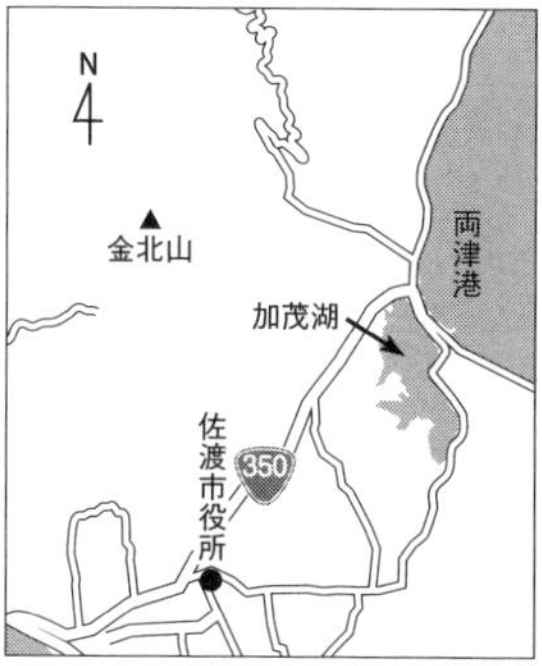

春の加茂湖と金北山（佐渡市提供）

い。追われてか、トキは佐渡で悲しい運命をたどったが、昨今は中国の好意でよみがえり、佐渡の自然に羽ばたいている。

歴史的には、順徳上皇や日蓮、世阿弥など配流流刑の島としての暗い一面も持つが、近世には金銀山の輝かしい隆盛があり、そして今、これを世界遺産に、という動きも活発化してきている。この島、佐渡の由来はどの辺にあるのだろうか、しばし考察してみたい。

佐渡が最初に文献に登場するのは、イザナギ・イザナミの国生み神話の中である。７１２年成立の『古事記』は、２神が淡路（淡道之穂之狭別島）、四国（伊豫之二名島）、隠岐（隠伎之三子島）、九州（筑紫島）、壱岐（伊伎島）、対馬（津島）と生んで、７番目に佐渡（佐度島）、次に本州（大倭豊秋津島）を生み「此の八島を先に生めるに因りて大八島国と謂う」と述べている。

また７２０年成立の『日本書紀』では、本州（大日本豊秋津洲）、淡路（淡路洲）、四国（伊豫二名洲）、九州（筑紫洲）、隠岐（億岐三子洲）、佐渡（佐度洲）、越（越洲）、吉備（吉備子洲）と生んで、「是に由りて、始めて大八洲国の號起れり」となっている。壱岐、対馬が落ちているにもかかわらず、佐渡は大八洲の一つとして位置付けられているのである。

なお、『日本書紀』の国生み神話には10種の異伝が存在するが、ここに挙げた「大八洲」はその第一書に述べられているものである。

注目したいのは、この両神話での佐渡の表記は「佐度」だということである。次に佐渡が見えるのは『日本書紀』の633年、粛慎人（みしはせ）がやってきたところでは「佐渡嶋の北の御名部（みなべ）」と記されている。続いて『日本書紀』、700年の磐舟柵の修営のところには「越後佐渡二国」と見え、762年の正倉院文書には「佐土」、以下、927年の『延喜式』には「佐渡（国）」、同じころの『和名抄』でも「佐渡（国）」である。

これら佐度・佐渡・佐土がどう発音されていたかであるが、万葉仮名で「佐」は「サ」、「度」「渡」「土」は、いずれも「ド」であり、島は「サド」と呼ばれていたと考えられる。

（2010年4月27日）

45 佐渡（中）

決め手欠ける諸説多数

この島は、古くは「佐度」とも「佐渡」とも「佐土」などとも書かれたが、この稿では断らない限り「佐渡」を用いたいと思う。

佐渡の由来については諸説あるが、有名なのは本居宣長の説であろう。宣長はその『古事記伝』（1764～1798年）の中で「狭門か、此の島へ舟入る、水門の狭き故にや」。つまり、島へ舟が入る港の入り口が狭いからではないか、と述べている。しかしこの説は、あまり由来説の中で重きをなしているとは思わない。理由は島の港がどこを指しているのかなど論拠があいまいだからであろう。

似た説に『書紀通証』のいう「迫戸」説がある。「迫門」と書いてもよいが、これは佐渡と越後との間の海路が狭いところからの名だという。これがサドに転訛したというのだが、転訛にも無理があるし、地理を知る者からすれば〝佐渡おけさ〟の「佐渡は四十九里」ではないが、最短でも30キロ余（約8里）もあり、この説は納得しがたい。

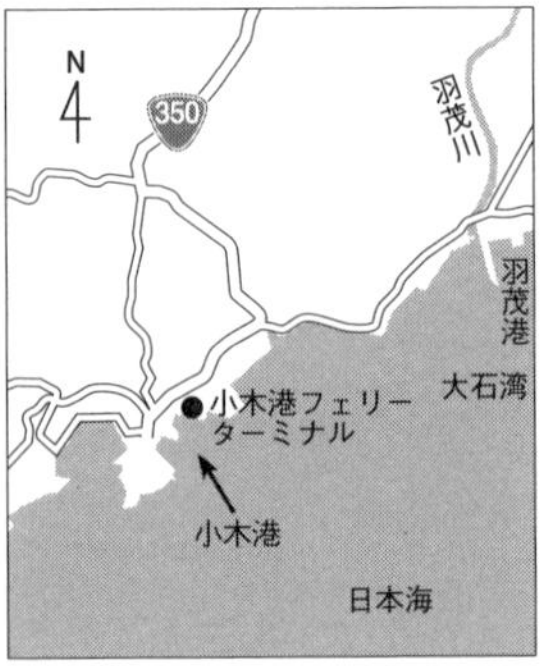

上空からの小木港＝佐渡市提供

『諸国名義考』には、佐渡は越後から離れているから「離所（さかど）」と言ったのが起こりではないかと見える。隠岐島は、沖へ離れた島の意からの名であろうから、サカドも可能性がないわけではない。しかし、「カ」が消えてサドに転訛するのは、いささか困難であろう。

また、越路からはるかに望むと人家村落がある島なので「里之島（さと）」と呼んだのが起こりか、のように推理した説も見える（『大日本地名辞書』）。さらに、佐渡は漁業に適しており、幸多き島の意から「幸の島（さち）」と呼ばれていたが、それが訛（なま）ってサドになった、という説などもある（『日本神代史』）。

以上の諸説のほかには「雑太（さわた）郡の雑太の転語か」とする『佐渡事略』の説がある。佐渡は721（養老5）年に加茂・羽茂2郡を置いて3郡とするが、それ以前は全島雑太1郡であった。この「サワタ」が「サド」になったというのである。かつては筆者もこの雑太説が最も有力とみていた。

（2010年5月11日）

46 佐渡（下）

「サワド」の転訛有力視

「サワタ」を「サド」の有力な由来かとみた根拠は、「サワタ」から「サド」への転訛（てんか）が可能だからである。だがその逆の転訛は、まずあり得ない。それなのにサドは神話の時代から、サワタはその後で、出方が逆になっている。

また『大日本地名辞書』は「国名を郡名に転ずるは其（そ）の例多し、然（しか）れどもこのサドとサワダは語言自ら判別す。雑太は沢田の義たること瞭然（りょうぜん）たれど、サドは未だ決め得ず」と述べている。つまり、サドとサワダは言葉で判別でき、サワタは明白に「沢田」だが、サドの由来は分からない、というのである。

2万5000分の1地形図に「沢田」を求めると、全国に85ほどある。沢には山の沢と平地の沢が考えられるが、いずれかにできた田であろう。

佐渡にも佐和田町があったし、旧真野町に「中沢田」がある。似た地名に「沢渡（さわど）」があって、2万5000分の1地形図に、こちらは全国に5、「沢戸（さわと）」を含めて10。これは沢の処（ところ）（沼沢地（しょうたくち））の

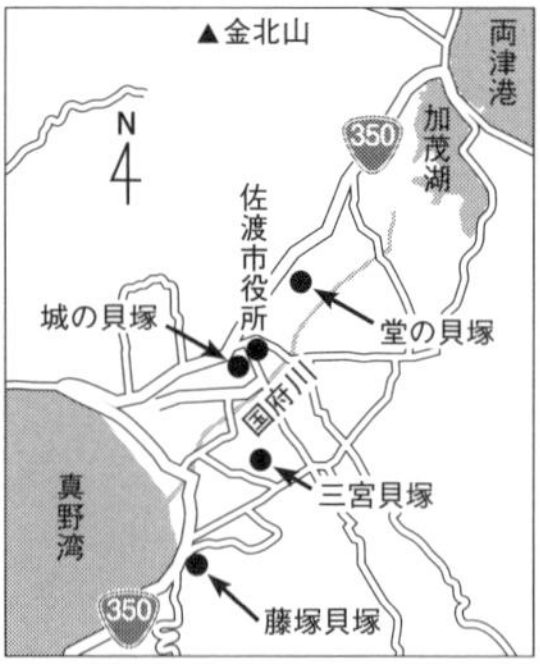

意である。筆者はこのサワドに注目する。

それなら「佐渡」はあるか？　ある。山形県鮭川村、秋田県潟上市と秋田市にある。山形県の佐渡には、竜神が主という沼跡が残り、その沼べりを巻くように沼前川が流れる。潟上市佐渡は、昭和8丁目の中の集落で、東側を流れる馬踏川は、改修前は暴れてよく集落を水に浸した。秋田市の

佐渡国中の四つの貝塚＝佐渡市教育委員会提供

1617年の日本図より佐渡＝Sando。越後はYechingoと見える
『西洋人の描いた日本地図―ジパングからシーボルトまで』
「ブランクス　日本図　1617年」部分

谷内佐渡(やないさど)は広面(ひろおもて)の小字集落だが、小字名の中に、沼、沢、谷地(やち)が数多く見られる低湿地である。

　これらのサドはサワド（沢渡）が語源で、サワドがサワンドを経てサンドと転訛したもの（表記は佐渡）と考える。ちなみに、長野県伊那市西春近(にしはるちか)の「沢渡」の現地発音は「さわんど」であり、道路（国道153号）標識も、JR飯田線沢渡駅の平仮名表記も「さわんど」である。また秋田県潟上市の「佐渡」も現地発音は今も「さんど」であるという。これはちょうど、既述のサワベ（沢辺）がサワンベを経てサンベに転訛したのと、うり二つの音韻転訛なのである。（第28稿「サンベとサワンベ」参照）

　佐渡市には国中平野を挟んで南北に2カ所ずつ、計4カ所の貝塚遺跡がある。貝の大部分はサドシジミで、これは縄文期の真野湾が国中平野に深く湾入していたことを物語る。そして弥生期、国中平野はサワド（沢処・沼沢）を成していた。これが開発されてサワダ（沢田）となり、郡名「雑太」を誕生させたものと推断する。

（2010年5月25日）

《補注》　論旨が舌足らずで錯綜(さくそう)しているので、ここで整理をしてみよう。佐渡の国中平野の中ほどに「貝塚」集落があり、「堂の貝塚」遺跡がある。これは縄文人が遺(のこ)した貝塚である。貝塚の主体は汽水に棲(す)むサドシジミで、このことから当時の真野湾が今の国中平野に深く湾入していたことを知るのである。この海水が後退し、やがて国中平野が出現する。その過程で、あちこちに沼沢(しょうたく)の残ったことは想像に難くない。

堂の貝塚標柱

この沼沢を当時は「さわど＝沢処」と呼んだが、東国では方言的に「さわんど」と発音された。これが詰まって「さんど」となる。――これは「さわべ＝沢辺」が「さわんべ」を経て「さんべ」に詰まるのと同様の転訛である――この「ん」は方言的発音の所産であるから無視すれば「さど」、これを『古事記』『日本書紀』などでは万葉仮名で「佐度・佐渡・佐土」と表記した。文字に意味はない。「さわた＝雑太」は「さわど＝沢処」が弥生期に至り開田されて「さわた＝沢田」となったものを、当時の表記で「雑太」としたものであろう。佐度・佐渡・佐土がサンドと発音されていたことは、1595（文禄4）年の宣教師テイセラによる日本図の佐渡島に「Sando」と記されていることからも知ることができる。

本稿の掲載図はその後の1617（元和3）年のものであるが、これも「Sando」で、「越後」は「Yechingo」と載せている。参考となろう。この「Sando」が「Sado」となるのは18世紀を待たなければならない。佐渡は少なくとも江戸初期までは「佐渡」と書いて「さんど」と発音されていたのである。（詳しくは『越佐の地名』11号「佐渡という地名」参照）

47 佐渡山と佐渡小屋

山はなく自然堤防の上

佐渡の国中には、縄文時代の貝塚遺跡が四つもある。これは当時の国中平野が今よりも低かったことと、地球が暖かく海水面が今より高かったことによって、真野湾が国中平野に深く湾入していたことの証拠であろう。

両津から国道350号を西に走ると「貝塚」というバス停が目にとまる。降りて左の小路を入ると貝塚集落（旧・金井町）、それを抜けた辺りの台地上に「堂の貝塚」がある。つまり、この台地の足下、今の国府川の流れる低地には今から約5000年前、海水の混じる水辺があったことが考えられる。現在の海岸線から北東におよそ7キロ入り込んだ地点である。

日本の考古学の説くところによれば、今から約7000年前、海水面は現在より5~6メートル高かった。この海水が引いていく中で、現在の国中にはそこかしこに幾多の沼沢（しょうたく）ができたであろう。この沼沢を人々はサワド（沢渡）と呼んだ。このサとドとの間には小さく「ン」と入るのが和語の常で、それがサワンド、やがてサンドと転訛する。中世末から江戸期初頭にかけて来日したポ

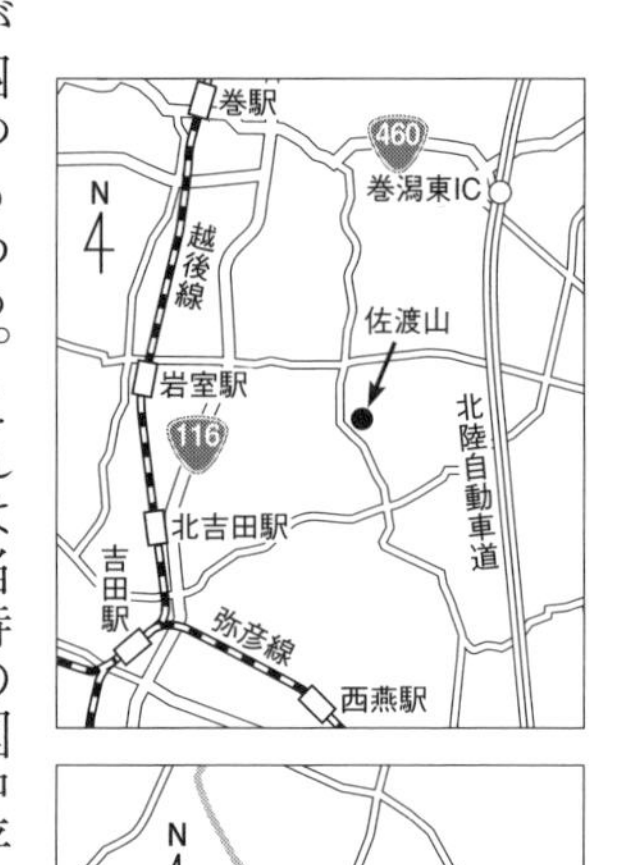

ルトガル宣教師などの記録を見ると、佐渡は「Ｓａｎｄｏ」と書かれている。しかしこれを漢字で書けば「佐渡」なのである。

前置きが長くなったが、県内には類似の地名に「佐渡山（さどやま）」「佐渡小屋（さどごや）」がある。佐渡山は新潟市西蒲区で、佐渡小屋は弥彦村矢作（やはぎ）の中の小集落で佐渡山の西方5キロメートルほどの所に位置する。

佐渡山集落。元大庄屋付近から角田山を望む

佐渡小屋集落遠望 西南方山地より

ところで佐渡山は、江戸の初期には「里山村」を称したという。しかし天正13（1585）年、上杉景勝が忠誠を尽くした蓼沼氏に「佐渡山之地」を与えた文書があるところから、里山はサドヤマと読まれていたかもしれない。それはともかく現在も佐渡山である。

この地も「土地条件図」（国土地理院）などによると西川、中ノ口川の流入が集落に沿って

流れるサワドの地で、集落は流れの自然堤防上に立地する。ヤマはこの地方の方言でいう耕地か、山はない。

また、佐渡小屋は、古い西川、御新田川の落ち合いのような立地で超低湿地。そのサワドにできた田小屋を呼んだ地名かと考える。

（2010年6月8日）

48 強清水

水質と冷たさが関係か

佐渡市旧小木町に「強清水」がある。また旧両津市には「東強清水」があり、いずれも集落である。訪ねてみると、東強清水には2本の清水川があり、小木の強清水は凹地に流出していて水量も多く、小池をなしている。

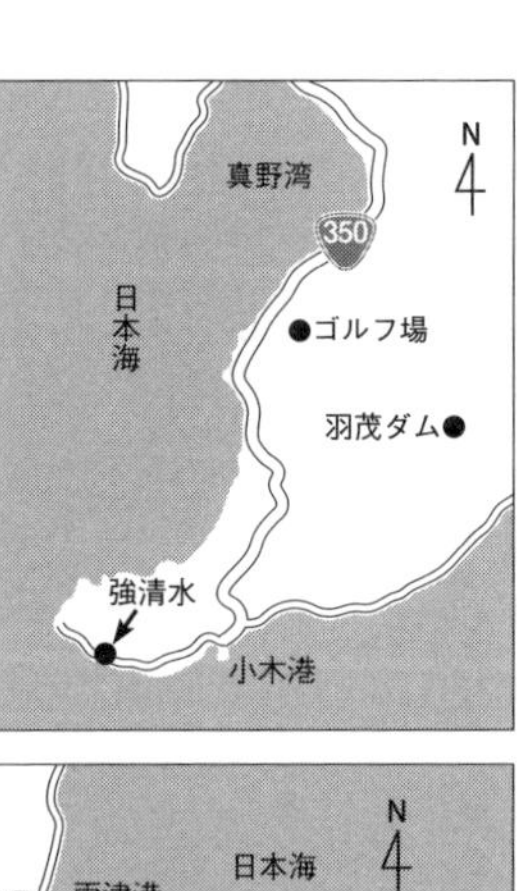

小木強清水　適度の硬さと冷たさから強清水と呼ばれたのであろう＝2004年５月

なお、県内には集落ではない強清水が上越市棚広、長岡市萱峠、弥彦村麓、村上市大毎などにある。全国的には、山形、宮城、福島、茨城、千葉、福井の諸県で東日本に多い。この地名の由来を『越後の伝説』（小山直嗣著）はおよそ次のように載せている。

栖吉（長岡市）から半蔵金（同）へ越える萱峠に清水が湧いている。昔、正直者で貧しい男が「この水が酒だったら」と手ですくって飲んだ。するとそれは芳醇な酒であった。親が喜んでいるのを見て、半信半疑の息子は自分も飲んでみたが、やっぱりいつもの清水であった。そこで人は、この清水を親が飲むと酒、子が飲むと清水ということから、「子は清水」と呼ぶようになった。

この類話は全国にあり、柳田國男は「孝子泉の伝説」の中で、この由来説は「単純なる一個の口合わせにすぎぬ」と述べている。しかし語義については触れていない。『大日本地名辞書』も強清水については語義不詳としている。

これに対し『両津市誌』は東強清水について、「強は強い、こわい、かたいの意で、強清水は石灰分に富んだ硬水」と述べている。少し加筆すれば、硬水とはカルシウム、マグネシウムを多く含んだ水のことで、飲用時に水の刺激感（存在感）を口や喉に感じる水である。
筆者が２００４（平成16）年、佐渡の両強清水の水を採取し、燕市の県環境衛生研究所に硬度の測定を依頼した。結果は東強清水が71、小木の強清水が１００であった。ちなみに世界保健機関（ＷＨＯ）のガイドラインでは60以下を軟水、１２０以上を硬水としているから、二つの強清水は硬軟の中ほどに位置する清水である。しかし、硬度10～50前後の水の多いわが国では両強清水は硬い（強い）清水ともいえよう。

一方、東強清水で耳にした村人の「コワ清水とは冷たい清水のことですよ」という冷水説もある。朝日新聞の「折々のうた」に大岡信氏の挙げた句「冬兆すうがいの水の硬さにも」の硬さ（強さ）は、口に含んだ水の冷たさの刺激感であろう。

山口県に住む伊藤彰氏によれば、山口市近傍では風呂の湯加減について、あら湯を「こわい（強い）」といい、何人かの入浴を経た湯を「やわらかい」と表現するという。これは皮膚に対する刺激感であるが、参考となろう。

強清水に話を戻せば、硬度20～50の軟水が一般のわが国の地下水においては、硬度70～１００ほどのやや「硬い清水」、また暑い季節に冷ややかに感じられる、いわゆる「冷たい清水」の、口や喉への適度の刺激感が「強清水」の呼び名の起こり、とするのが理にかなっているかと考える。

（２０１０年６月22日）

49 矢島・経島

大岩の「イワ」が「ヤ」に

佐渡市の小木八景の一つに矢島・経島がある。ひとつながりの島で、小木港の西南1キロほどに位置する。経島というのは、高さ10メートルほどの台形状の小島である。島の名は１２７４（文永11）年、日蓮の赦免状を携えて佐渡に渡ろうとした弟子日朗が嵐で遭難し、漂着したこの島で一夜、題目を唱え続けたことによるという。

矢島は経島の南にあり、高さは23メートル。箱を伏せたような形をしている。ここは双生竹と呼ぶ根元から2本になって生える矢竹の産地で、ここにも伝説がある。

平安時代の末期、近衛天皇（１１３９～５５）の時代というが、京都御所の紫宸殿に出没する、頭はサル、体はタヌキ、手足はトラ、尾はヘビという怪物「鵺」がいた。源三位頼政がこの怪物を一矢で射殺すのだが、その矢は、実はこの島の双生竹で、矢島の名はこの矢竹から付いたのだという。（『新潟県伝説集成』）

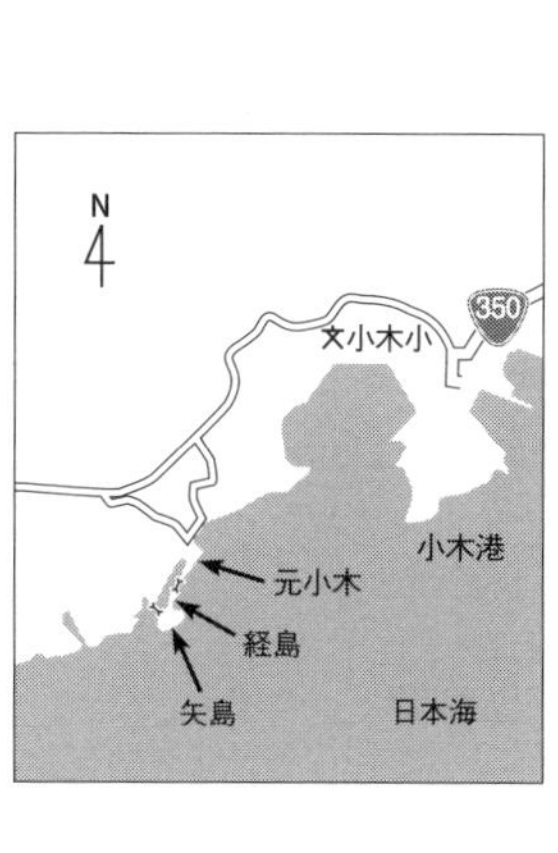

しかし、矢島の由来は別にあると思う。それはこの島自体、岩の島で、地質学的には第三紀溶岩

草木が茂るが実態は岩島の矢島（奥）　橋の向こう側にあるのが経島＝佐渡観光協会提供

箭山（八面山）桜峠（大分県）より

が海食された島なのである。

　初耳の方には信じ難いだろうが、地名の「や」は「岩」を指す場合がよくある。「イワ（岩）」が「ヤ」に詰まるのだ。愛知県の例で恐縮だが、岩作（やざこ）、岩神（やがみ）、岩滑（やなべ）（いずれも集落）などの地名がある。訪ねてみると大岩が実在する。

　似た例としては、大分県旧三光町（現・中津市）に箭山（ややま）（659メートル）がある。車で行けるというので訪ねてみると、山頂部は台地でそこに箭山（ややま）神社が祭られ、祭神は矢山彦（ややま）という。ここにも伝説があり、箭山は矢竹の矢に由来するという。そこで矢竹を尋ねたが台地には見つからない。篠竹（しのだけ）の群落を見たのは台地を下りてようやく2合目であった。

　右下の写真が桜峠（大分県）から見た箭山であるが、箭山は地質学的には耶馬渓（やばけい）溶岩台地の北東端に当たり、溶岩で鉢巻きをしたような見事な岩山なのである。矢島・箭山の「や」はともに島・

山を形作る根元が「岩石」そのものであるからではないか。次稿でもその辺りを補いたい。

ちなみに旧西川町（現・新潟市西蒲区）にも「矢島」があるが、このヤ（矢）は谷地（湿地）の意であろう。


（2010年7月13日）

50 矢柄・岩谷口

岩壁に守られた集落体現

矢島、箭山の由来は矢竹が生えているからというが、それなら、なぜ矢竹島、箭竹山と言わないのかと素朴に思う。

旧下田村（現・三条市）に講師で出向いた折、「黒岩の滝」というのがあるが、これを「黒ヤの滝」とも言うがなぜか、という質問を受けたことがある。これこそ岩が「ヤ」に転訛する過程での地名

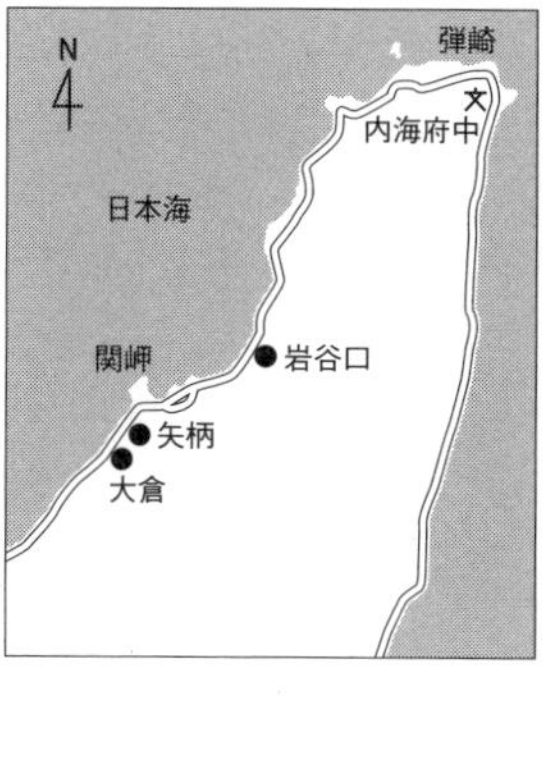

なのである。同じ下田地区の「八木鼻」の「ヤ」も、あのまれな断崖の実態から岩の意と考えられよう。（第95稿参照）

「矢・箭」を「矢竹」と解してしまうのは、わが国の地名研究の現状からしてやむを得ない面もあろうが、悲しい現実ではある。

類似の地名に旧相川町（現・佐渡市）の「矢柄」がある。国語辞書で矢柄を引くと、矢の幹、矢羽根の模様、などとある。しかし、これらはまず地名にならない。それは大地との関わりが薄いからである。この知見も地名研究には重要であろう。

筆者が矢柄を訪ねたのはかなり古いが、南の大倉から岩崖のトンネルをくぐると写真のような見事な情景が眼前に展開したのである。それは岩を巡らせた城壁に守られたような集落であった。

予期した地形に合えてハタと膝を打った記憶がある。矢柄の「ヤ」も岩に違いない。「ガラ」は『広辞苑』に「なり。体格」と見えるが、このガラと同根で、岩の土地柄を名乗っているのが矢柄ではないのか。ちなみに「大倉」集落のクラには岩崖の意があり、名は体を現して北側に大岩壁が見られる。

「矢柄です」の標識と矢柄集落の岩崖。撮影者の背後も岩崖である

さらに北へ2集落を過ぎると「岩谷口」がある。その由来を『佐渡案内』（昭和12年刊）は「岩洞。

字岩谷口の路傍にある大洞窟にして、村名是より起れり」と載せている。岩屋洞穴があるのだ。「岩谷」は「岩屋」の意であろう。

ところで、なぜこの「岩」は「ヤ（矢）」にならないのかと、いぶかる人がおられるに違いない。これに関しては地名の場合、サワ（沢）とゾウ、カワ（河）とコウなど、1地形に対して正・訛二つの呼び名が共存することを学んでほしい。そして岩の場合、「黒岩の滝」の例からも「イワ」と「ヤ」は共存するのである。（第66稿参照）

（2010年7月27日）

51　戸地・戸中

両集落隔てる洞屋が鍵

旧相川町（佐渡市）に戸地・戸中と似た名の集落が隣り合って存在する。前稿の矢柄から20キロ

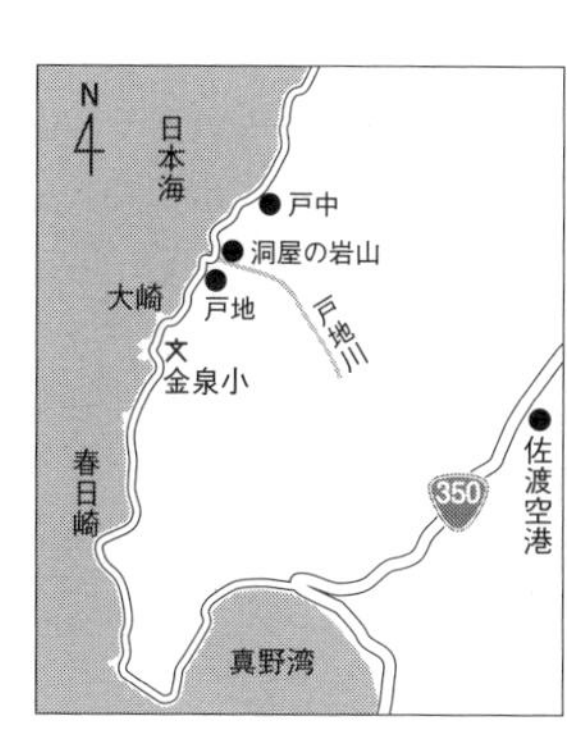

ほど南に下った所だ。戸地川を挟んで北が戸中、南が戸地である。

戸中は、集落の沿革史によると古くは鉱山があり、黄鉄鉱・輝亜鉛鉱などを産し天正年間（1573〜92年）、栗野江の孫右衛門と沢根・鶴子銀山の孫十郎が来て村を開いたものという。

戸地は慶長年間（1596〜1615年）に鉱山開発があり、カツコメ鉱山やウノクス鉱山が成立した。また戸地馬道と呼ばれる山道は寛永年間（1624〜44年）、鶴子銀山の鉱石をここに運んで、水車で粉成したことの名残だともいい、両村とも鉱山に関わる歴史を持っている。

地名からも「戸」の字を共有して「両戸」と漢詩に詠まれたり、「どれが戸地やら戸中やら」と俗謡に歌われたりして一集落的にまとめて扱われることが多い。

しかし、その由来となると、ちょっと難題である。理由は「戸」は訓読みだが、「地」「中」は音読み、いわゆる湯桶読みになっている。この湯桶読みや重箱読み地名は、地名の中では曲者で、その解は一筋縄ではいかない場合が多いのである。

戸地と戸中を隔てる洞屋のある岩山を戸地側から撮影。左端奥に見える集落が戸中＝相川郷土博物館提供

ここで取り上げたいのは戸地区有の「うとう書」と呼ぶ古文書である。記載の元応2（1320）年という年号に疑問を呈する人もいるが、そのまま受け取れば鎌倉期にさかのぼる、とてつもない古文書なのだ。「なみういきはうはか岩ひとむしさゝ宮…」と63字ほど続くが、地元史家によれば「なみういきは・うはか岩・ひとむし・さゝ宮…」と読み、地域の名前を列記しているのだという。

文書の冒頭には「うとう七うら大さかひ之事」とあり、「うとう七うら」の境界を書き留めているらしい。本稿では個々の小地名はともかく、この「うとう七うら」に注目してみたい。

鍵を握るのは俗謡に「戸地・戸中、洞屋（どうや）がなければ一村だ」と歌われる戸地川河口右岸の、両集落を隔てる岩山にあると筆者は思う。洞屋はこの岩山の海食洞窟（どうくつ）なのである。

（2010年8月10日）

52 善知鳥神社（上）

いわれに多くの謎残る

佐渡市戸地区有の「うとう書」と呼ぶ古文書にある「うとう七うら」とは何を指しているのか。

地元郷土史もこれと定まらない。『佐渡相川の歴史』（平成7年刊）が「下戸（おりと）、羽田（はねだ）、鮎川、小川、達者（たっしゃ）、北狄（きたえびす）、戸地」だとすれば、『金泉郷土史』（昭和12年刊）は、浦は海浜湾入の地だから「片辺（かたべ）、鹿之浦（かのうら）、戸地戸中、北狄、達者、小川、相川」であると主張する。

1744（延享元）年の『佐渡名勝志』は、善知鳥（うとう）大明神の項で、善知鳥郷の氏神だから善知鳥明神と言ったのか、善知鳥明神があるから善知鳥郷と言ったのか誰も分からない、としている。

これに対し、同書に注記を書いている歴史家 橘 法老（たちばなほうろう）は「善知鳥郷は戸地のうとう書と橘の七浦を結び着けた創作で」と、暗に氏子拡大のための神社側の策謀をにおわせている。

話が前後して恐縮だが、善知鳥大明神というのは相川にある現在の善知鳥神社のことで、この社殿の創始は1600（慶長5）年といわれるが、勧請は一説に1151（仁平元）年という。

下相川から下戸に移ったとはいうものの、相川に祭られる以前の社地は不詳で、『金泉郷土史』

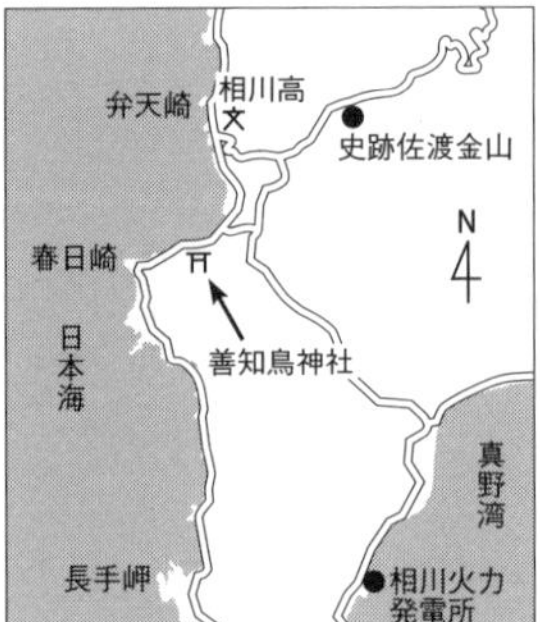

などは戸地川上流の「いりう」が「うとう入り」で、その地内の「石みや滝」こそ善知鳥明神の石祠の所在地なりと、かなり独断的でかつ混迷している。とにかく謎の多い神社なのである。

謎といえば「うとう」を「善知鳥」と書くのはなぜか。その源は陸奥国外ケ浜（現・青森市）の善知鳥神社にある（次稿写真）。昔、烏頭中納言安方なる都人が外ケ浜に配流され、息子は南国の果てに追放されて、それぞれの地で没する。あるとき安方の墓に化鳥が舞い、親鳥が「うとう」と鳴けば、子鳥は「やすかた」と答

佐渡市相川地区にある善知鳥神社　この地への遷座は慶長5年だが、それ以前の鎮座地は謎である

祭礼のみこしでにぎわう佐渡市相川の総鎮守善知鳥神社＝佐渡市観光課提供

えたという。村人はそれと察して、この鳥を祭ったのが善知鳥神社である、と伝説は語る。

また別に親鳥が「うとう」と呼べば子鳥は「やすかた」と答え、巣穴から現れるその幼鳥を捕り殺した報いで、猟師が地獄で責め苦に遭うという謡曲「善知鳥（うとう）」がある。こうした仏教的説話を通して「善知鳥」という表記は生まれたものであろう。

ちなみに「善知識」には、仏道へ教化善導する高僧の意がある。


（２０１０年８月24日）

53　善知鳥神社（下）

海蝕の洞窟に関連か

佐渡市相川の善知鳥（うとう）神社の善知鳥は、現青森市の善知鳥神社からきている。このウトウの由来には2説あって、一つは既に述べた野鳥ウトウである。ウミスズメ科の海鳥で、ハトよりやや大きく

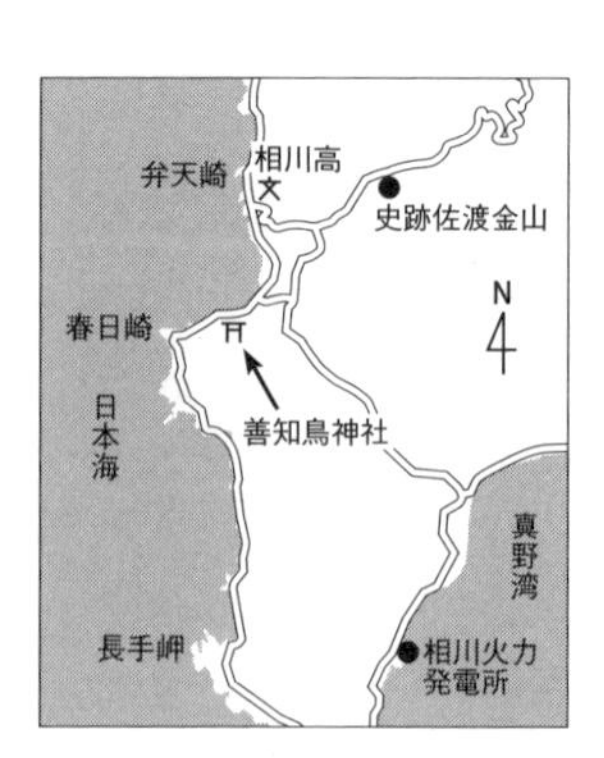

褐色。繁殖は北海の沿岸の傾斜した草地で、ここに1メートルほどの横穴を掘り、卵を育てる。親鳥がウトウと呼ぶと、幼鳥が出てくるというのは伝説で、実際はクルルと鳴く。

それなら、なぜこの鳥をウトウと呼ぶのか。この鳥、夏季はくちばしの基部に突起ができ、アイヌ語で突起はウトウだからという半信半疑の説がある。

青森市 善知鳥神社

二つ目は地名から。ウトウもヤスカタも外ケ浜にかつて実在した湖沼の名で、安潟のちに鳥頭沼、この沼岸の善知鳥村に社はあったからという。現在の善知鳥神社は青森市安方（安潟）にあり、境内には今も沼が残る。最果ての地は都人の歌心を刺激したらしく、夫木集（1310年）に藤原定家は「みちのくの外ケ浜なる呼子鳥鳴くなる声はうとうやすかた」と詠んでいる。

それなら相川の善知鳥神社は、青森の善知鳥神社の勧請か、となるが、これは否である。それは相川は住吉神、青森は宗像三神で、同じ船神だが祭神が異なっていることからも言える。

ここで「うとう」を原点に返って再考してみたい。国語辞典に「うと」を引くと「ウツ（空）」の転と見える。空蝉などの「ウツ」で、中が空っぽのこと。地名では方言的に変化し、「うど、うとう、ぶ（づ）どう」などとなり、土地のくぼみ（くぼ地）

日南市　鵜戸神宮（左手鳥居の内部）

や洞窟（横のくぼみ）に付く。

村上市蒲萄（ぶとう）はウトの一例であるし、糸魚川市塩の道の凹道（峠道）「うとう」もその例である。北海の海鳥のウトウは横穴に営巣し、字は「鴪」とも書く。

ところで戸地の「洞屋（どうや）」だが、洞屋とは洞窟のことで、あの岩山には大きな海蝕（かいしょく）洞が二つもある（次稿の図参照）。一方、洞屋は重箱読みで新しい。さかのぼれば和語の呼び方があったはずで、それが「うとう」であろうと筆者は推考する。ちなみに日本神話で、初代神武天皇の父君、鵜草葺不合命（うがやふきあへずのみこと）の生誕地とされる宮崎県日南市の神社は、鵜（う）戸（ど）崎の大岩屋（大洞窟）の中に営まれ、「うど（鵜戸）神宮」を称している。この「うど」は、その大洞窟からついた名なのである。

自然信仰は間々神の坐（いま）す場として洞窟に宿る。沖行く船はここに霊威を感じ、その巌頭に祠（ほこら）を祭祀し、「うとう明神」とあがめたのであろう。

（2010年9月14日）

54 うとう明神と洞窟

海浜の難所が「閉ぢ」に

筆者が佐渡市戸地・戸中の洞(どう)屋から想定する「うとう明神」について、歴史家・橘法老は『金泉村史』の中で、善知鳥(うとう)神社は相川に移る以前、洞屋の岩上に祭られていた、と述べている。この点、筆者の視点と通じる。

戸地区有の文書として「うとう書」があり、「うとう七浦」を相川から戸地までを包含するという考えがある中で、かつての鎮座地未詳の善知鳥社の創源を戸地・戸中の間の岩山に求めた視点はさすがである。

あえて筆者との相違を言うならば、ウトウの由来がその海蝕(かいしょく)洞にあり、「洞」即「神窟」であった原始信仰に思考が及んでいない点であろう。ウトウ・ウト・ウドは、善知鳥・鵜頭・鵜戸・宇土など、いろいろな漢字が当てられるが文字に意味はない。原義は地形のくぼみであって、それが洞穴の場合、信仰とも結びつくことはすでに前稿で触れた通りである。ここでもう一つ県内に例を挙げるならば、後述、第77稿の「鵜泊」（村上市）の洞窟であろう。詳しくは同稿に譲るが、この洞窟

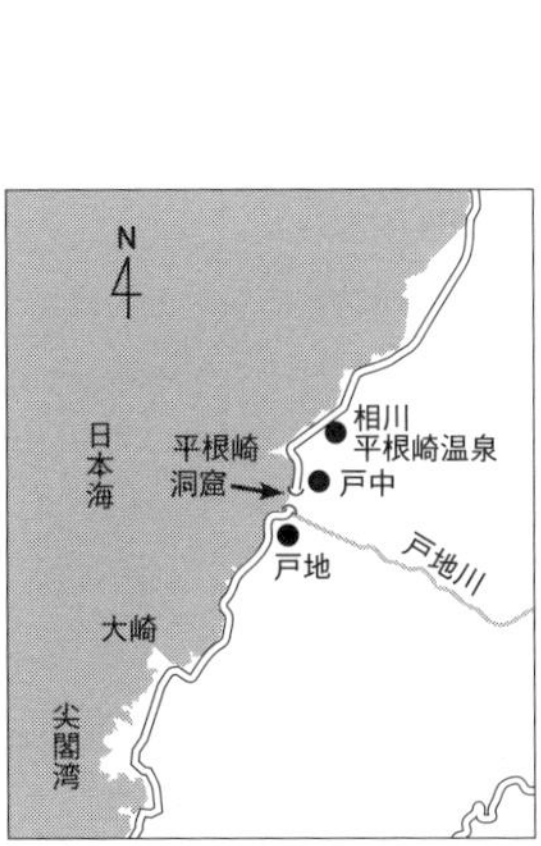

戸中側から見たトンネル付近。抜けると戸地。浜手の道の閉鎖がよく分かる

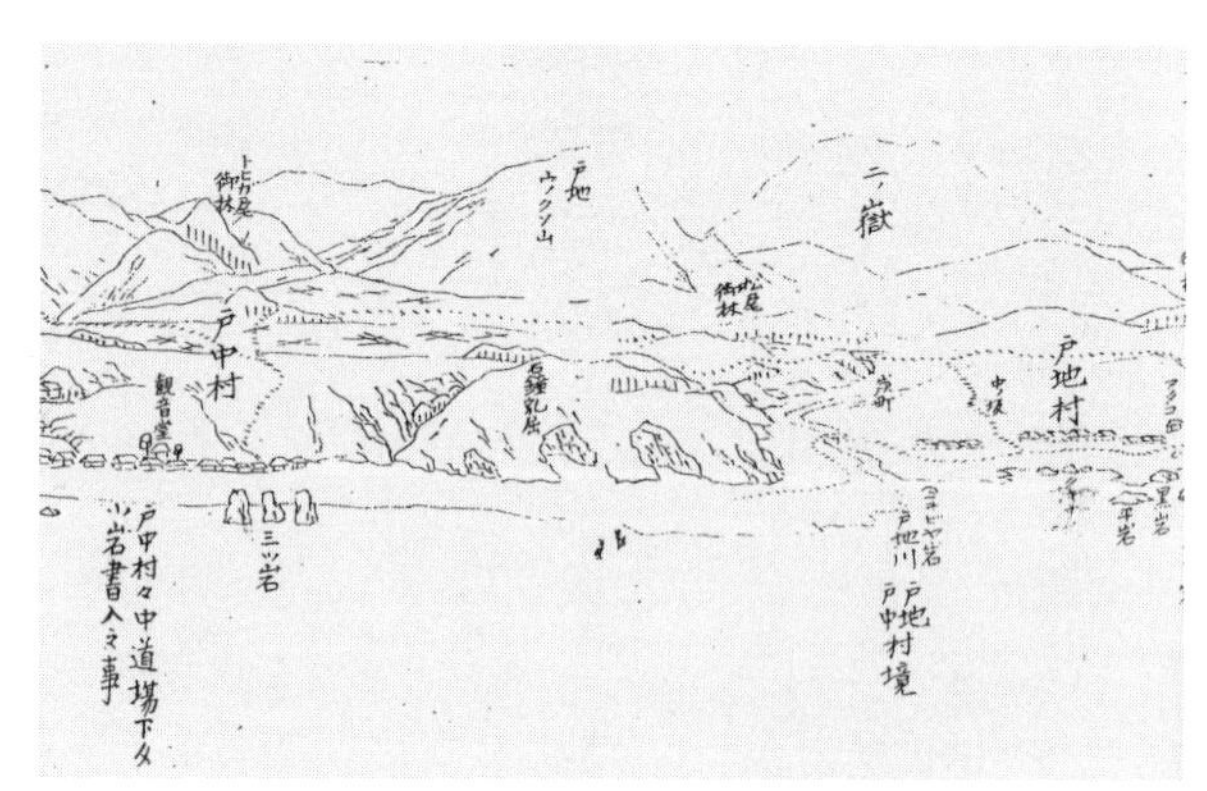

洞屋・石井文海「佐渡海岸通測量野帳」

は蒲萄の「矢葺明神」（第66稿）の岩窟（神窟）に通ずるといい、鵜泊の洞窟に坐す神は女神であると、現地の民話は伝えている。

さて、戸地・戸中の地名の由来は湯桶読みなので一筋縄ではいかない、と宿題にしていたが、これについて少し考察してみたい。

戸地は歴史的仮名遣いではトヂであり、戸中はトチュウである。俗謡の言うように「戸地・戸中洞屋がなければ一村」だったとするならば、古く「トヂュ」のような方言的地域呼称が存在し、これが後に戸地・戸中と書き（呼び）分けられたとも考えられる。そして、その語源は「トヂ（閉ぢ）」ではなかろうか。

現在、戸地と戸中の間は隧道で結ばれているが、古くはその浜手を歩くか、さもなくば不便な山道を遠回りに歩いたのである。１９２３（大正12）年の『佐渡案内』に「洞屋」の項があり、「行人此の邊にて洪濤の起るに逢へば、此の窟内に避難し、其の退くを見て纔かに疾走したるものなり」とある。

また、１９５０（昭和25）年の『佐渡郷土辞典』には「戸中洞屋親不知」と見え、戸地・戸中の浜手は「佐渡の親知らず」とも呼ばれていて交通の難所であったことが分かるのである。

こうした海浜の行く手の閉鎖は、そこを歩行する者に直接困苦を与え、人々はこれを地名としたと考えられる。「親不知」のほか村上市の「馬下」などもその例だが、佐渡では古くこれを「閉ぢ」と呼んだものと考える。

ちなみに、次稿の佐渡市二見（旧・相川町）も行路閉鎖からくる地名である。

（２０１０年9月28日）

55 二見

行路の閉鎖表す「蓋み」

佐渡市の二見新地。1871（明治４）年に海岸を造成した地。道路正面を大佐渡山脈の支峰がふさぐ

昔の人は海岸をよく歩いた。だが行く手の閉鎖地形には困惑したに違いない。それをトヂ（ジ）＝閉ぢ（じ）と呼んだのが、佐渡市戸地であろうと推論した。同類は大分県津久見市の刀自(とじ)ケ浦であろう。道路が通じたのはごく近年で、それまで他所への通行はすべて船であったという。

佐渡市真野湾の西岸に二見(ふたみ)集落がある。二見といえば、初日の出の絵で知られる〝夫婦岩〟の伊勢（三重県）の「二見ケ浦」であろう。佐渡の二見を訪れる以前、ここにも海上に夫婦岩のある風景を愚かにも思い描いていた。しかし現地に立って、この妄想は見事に吹き飛ぶのである。岩などどこにもない。

二見とはいったい何か。以後、二見行脚を始めるが、訪ねる

相川高
史跡佐渡金山
N
春日崎
日本海
真野湾
二見
長手岬
相川火力発電所
台ヶ鼻灯台

こと十数カ所。２００１年10月には伊勢二見町（現・伊勢市二見町）にいた。町の旅館街を抜け、車を降りて歩く。興玉神社の鳥居をくぐると富士見橋、この橋は海に架け渡されている。夫婦岩はすぐ目の前だ。ここは音無山（１９９・８ｍ）の末端が凹の字形に海に突き出した地形で海岸道を完全に閉鎖している。

二見ケ浦の夫婦岩

三重県二見ケ浦のフタミ地形

佐渡の二見も大佐渡山地の１峰が真野湾に落ち込み、北の二見新地と南の二見元村とを分けている。古くはここが波打ち寄せる通行の難所であったことは『佐渡国雑誌』に「二見崎廻り、浜通り往来でき得ども、少し風立ち候節は通路でき申さず候」、つまり少し風が吹くと通行できないと記されていることからも理解できよう。

二見崎　大佐渡の支峰の先端部の小祠（しょうし）

この二見は1381（永徳元）年の文書には「佐渡国蓋見、半分地頭職」などと見え、南北朝のころは「蓋見」と書いていたことも分かるのである。

この蓋見で思い当たるのは、筆者が幼いころ、同年の子の死を聞いたときにしてもらった厄払いの「耳ふたぎ」という儀礼である。2個の丸餅で耳を塞ぎ、「いいこと聞くように、悪いこと聞かないように」と呪文を唱えてもらうのである。耳を塞ぐのに「ふたぐ」とは何事かと思っていたが、「ふたぐ」は『広辞苑』に【塞ぐ】とあり、『源氏物語』の「御耳ふたぎ給ひき」などの例を載せている。「ふたぐ」は由緒正しい古語で、「ふたぎ」はその名詞形なのだ。

その語幹「ふた」は壺や甕の「蓋」と同源で閉鎖を意味し、接尾語「み」が付いて「蓋み」。この接尾語は地形にいう高み・丸みなどの「み」であろう。前記の全国十数カ所の「ふたみ」の共通点は行路閉鎖の地形「蓋み」を伴うことである。

（2010年10月26日）

56 鹿野浦・達者

焼き畑「刈り野」が原意

昔々、直江の浦（現・上越市）で人買い宮崎の三郎の手に渡った安寿（姫）と厨子王（丸）は、舟で丹後（京都府）に送られるが、その母を乗せた舟は佐渡を目指した。

北にこぎ進んだ佐渡の二郎が舟を着けたのはどこか。地元伝説はこれを「鹿野浦（かのうら）」であるとする。戸地・戸中から北へ山坂を一つ越えたところだが、現在は無人の地である。ここで安寿の母を受け取ったのは塩焼荘司の鹿野太夫（かののだいう）平三郎と伝え、彼の酷使で安寿の母はついに目が見えなくなってしまうのである。

秋の一日、鹿野浦に粟（あわ）穂の鳥を追う老婦の姿があった。「安寿恋しやほうやれほう、厨子王恋しやほうやれほう」。このつぶやきを聞き留めて、その肩をしっかりと抱き締めたのが、いまは丹後の国の守（かみ）、かつての厨子王丸であったと伝説は語る。この地には安寿の伝説も語られて「安寿　厨子王の碑」が立っている。

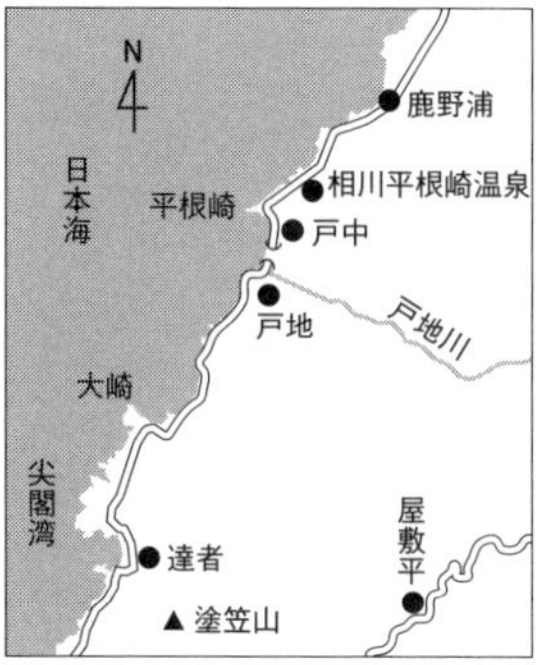

鹿野浦は全国に三つほど現存する地名だが、由来は謎である。鹿野浦の「かの」は焼き畑では

佐渡市鹿野浦の「安寿　厨子王の碑」（左）。「安寿恋しや ほうやれほ…」と刻まれている

達者の立岩（絶壁）

なかったか。佐渡にも焼き畑はあったに違いないが、その言葉はいまは聞かれない。

ただ、岩船や東蒲原地方で焼き畑は「かの」で、この語は関東一円にも広がる。カノとは原野の草木を刈り、焼き払って開墾した畑のことで、「刈り野」が原意である。原始の農耕で、そこに栽培されたものは粟、稗、蕎麦などであった。鹿野浦の老婦が追っていたのは干してある「粟穂」の鳥である。

安寿と厨子王伝説は、さらに鹿野浦の南8キロの達者にも語られている。佐渡に渡った姉弟は鹿野浦で母と出会い、夜道を達者に逃れ、地蔵尊の傍らの清水で母の目を洗う。すると不思議や見えなかった母の目は明く。「達者でよかった！」。母子の感動の対面となり、以来、この地を「達者」、地蔵を「目洗地蔵尊」と呼ぶのだという。

伝説は伝説で史実ではない。しかし、こうして地名が伝説の中に生き生きと語られることは素晴らしいことである。ちなみに私見を述べるならば「たっしゃ」は「たちいわ＝たちや（立岩）」の転ではないか。港湾北側の見事な立岩、この海辺の絶壁からの名付けかと考えている。


（２０１０年11月９日）

57　尖閣湾

勇壮な懸崖の造形する海岸

佐渡の北海岸、姫津から北狄（きたえびす）まで約2キロの海湾を「尖閣湾」と呼んでいるが、この湾名の由来についてはかなり詳しく分かっている。

『相川の歴史』（１９９５年）などによると、昭和の初め、佐渡の観光は黎明（れいめい）期を迎えていた。そ

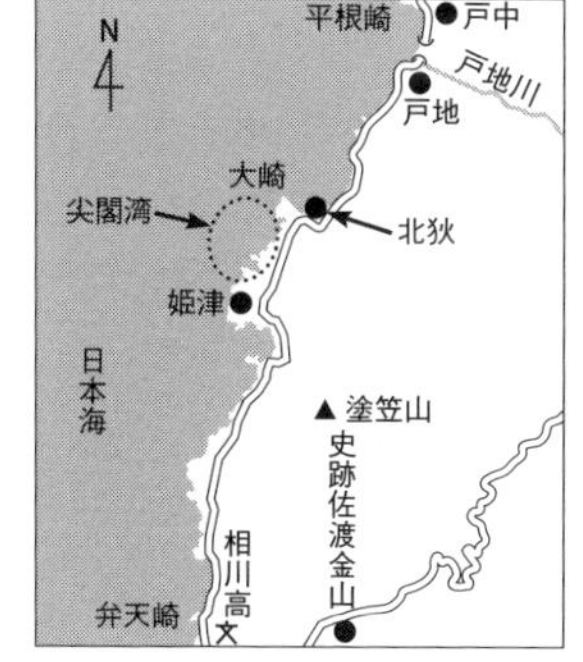

尖閣湾　水中透視船が遊覧する。奥に見える橋が「真知子橋」で、さらに奥の灯台は大埼灯台＝佐渡市観光課提供

の中で１９３４（昭和９）年に、佐渡海府海岸と小木海岸が文部省の名勝天然記念物に指定されたのである。指定された海府海岸は正確には字下相川から字鷲崎までの間の約50キロである。

その前年、文部省天然記念物調査員の脇水鉄五郎博士（東大名誉教授）ら地質学者が来島し、この海岸を調査した。脇水博士は、日本で美しいことで知られる伊豆の西海岸より海府海岸が素晴らしいと称賛している。とりわけ姫津から北狄までの湾岸は見事で、北欧スカンジナビア半島のサルダンゲル峡湾に匹敵するとし、これを「尖閣湾」と名付けたのだという。

尖閣とは、勇壮な懸崖（けんがい）の造形がゴシック式建築における尖閣摩天楼の群立を思わせるからと言い、博士はこの景観を全国に紹介すれば必ず多数の観光客が訪れるであろうと付言した。

これに応じて姫津に「姫津遊覧協会」が、達者には「金泉遊覧協会」が結成され、相川からも遊覧船が出るようになり、１９３４（昭和９）年5月6日の「佐渡日報」は「正に尖閣湾時代、押すな押すなの遊覧客」と報じている。

尖閣湾は漢語地名である。周辺の和語地名の真ん中に突如出現した鮮烈な地名、佐渡観光の閃光（せんこう）でもあったろう。

尖閣湾の第2幕は1952（昭和27）年4月からのNHK連続放送劇「君の名は」であったろうか。「忘却とは忘れ去る事なり、忘れ得ずして忘却を誓う心の悲しさよ」。忘れがたいナレーションで始まったが、放送が始まると女湯は空になったと伝えられるほどの空前の人気であった。すれ違いを重ねる真知子（映画では岸恵子）と春樹（同、佐田啓二）を、作者の菊田一夫はこの尖閣湾で邂逅（かいこう）を果たさせるのだ。激浪の海に身を投ぜんとする真知子、それをしっかと抱きとめる春樹。いま、湾を一望にできる揚島に架かる橋を「真知子橋」と呼び、傍らに菊田の筆になる「忘却とは…」の記念碑が立つ。

（2010年11月23日）

58 北片辺

「鶴の恩返し」の採集地

１９３６（昭和11）年４月21日、学生風の男性が戸地でバスを降りると鹿野浦への道を急いでいた。彼の目指したのは北片辺の松屋という旅館。ここで昼食を取り、近隣の民話を語る老女たちの約束も取り付けて夕暮れを待った。

彼の名は鈴木棠三（とうぞう）。民俗学者柳田國男の勧めで佐渡の民話を採集するために訪れたのである。

鈴木は松屋に25日まで投宿するが、ここで当時72歳の道下（みちした）ヒメ女と出会い、「鶴の恩返し」の話を聞くのである。そして、それは他の六十数話とともに『佐渡島昔話集』として１９４２（昭和17）年、三省堂から出版された。

時あたかも、この昔話が民話劇を志向していた劇作家木下順二の目にとまり、脚色されて「夕鶴」となり、さらに作曲家團伊玖磨によって歌劇「夕鶴」ともなって、文字通り世界に羽ばたく不朽の名作が誕生するのである。

ところで、北片辺は佐渡の主峰金北山（１１７２メートル）に源を持つ石花（いしげ）川の左岸に位置する。

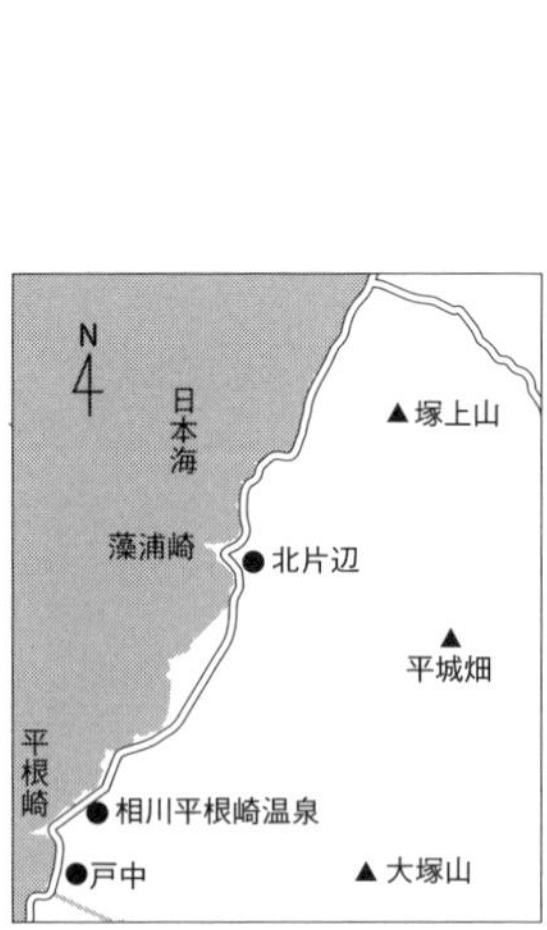

N
日本海
▲塚上山
藻浦崎
●北片辺
▲平城畑
平根崎
●相川平根崎温泉
●戸中
▲大塚山

1694（元禄7）年の検地帳で75軒、1995（平成7）年に68戸という集落である。また、小川を隔てて37戸の南片辺がある。この片辺の由来は何であろうか。

一説に「片辺」は「潟辺」であろうという。石花川はいまは真っすぐ海に注ぐが、かつては河口付近で蛇行し、ある時期には潟のような水辺が存在したのではないか。河口付近からは古い丸木舟も出土している。

夕鶴の碑　重さ8.5トン、小泊産の石英安山岩系。裏面のわらべ唄は黒御影に刻まれ、はめ込まれている

夕鶴の碑の裏面

一方「かたべ」は万葉以来の古語で、漢字で書けば「片辺」、語は片方の意を持つ。南北の集落を一つに見て、それぞれを北片辺、南片辺と呼んだとも、また道の片辺に村建てした歴史をとどめたもの、などの推考も可能である。

1987（昭和62）年10月、北片辺の藻浦崎の付け根、黒松林の下に「夕鶴の碑」が建てられた。碑には木下順二の「夕鶴

のふるさと」の揮毫が刻まれ、作者を招いての除幕式があった。碑の裏面には「爺やんに着せる太布…」の「夕鶴」冒頭のわらべ唄も刻まれているが、これは鈴木が鷲崎の遍路の老女たちから、松屋の玄関先で採集した〝機織り唄〟であったという。

（2010年12月14日）

59 五十里と五十浦

「溢水」の古語が語源か

佐渡の真野湾の北岸には「五十里」があり、外海府海岸には「五十浦」がある。

「五十里村」は1877（明治10）年、田中村・西五十里村・東五十里村・五十里本郷が合併して成立した。これが五十里篭町・五十里炭屋町を併せて1889（明治22）年、「五十里町」となるが、現在は「沢根五十里」の名称が見える。

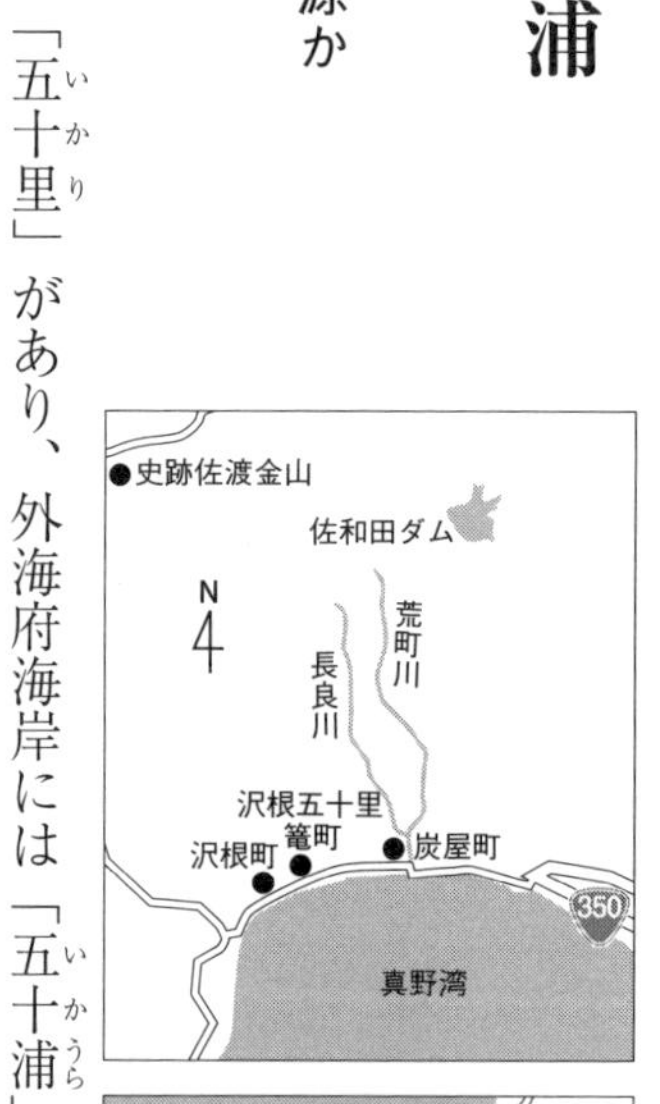

ここで注目したいのは江戸から明治にかけて存在した「五十里本郷」である。理由は、地名が五十里の中心を意味するからである。北に位置した東五十里も西五十里も本郷から分かれた村だという。この「五十里」について、『佐和田町史』は3説を挙げるが賛同し難い。

五十里は「いかり」を漢字書きした場合の仮の姿で、文字自体に意味はない。イカリは「いかる」という動詞の名詞化したものであろう。青森県弘前の友人は水が溢れることを「いかる」という。同県に碇ケ関村があるが、役場に尋ねると「水害に悩まされた村」といい、地名は「水がイカル」からという。「イカ」「イカリ」は古語で「溢水」を意味する。

沢根五十里　長良川は右へ流れて荒町川に合流する

五十浦のヤナ清水　この流れはすぐに海に注いでいる

「五十浦」は外海府にある。現在の世帯数13という小集落で、草分けは能登から来た渋谷家と伝える。ここには「関は潤でもつ岩谷口は浜で、中の五十里は水でもつ」と歌われた名水「ヤナ清水」がある。この清水が村人の生活と深く関わったことは想像に難くない。いまも豊かだが、古くはさらに水量があったといい、水車も回していたという。

遠い昔、まだ村建てもない浜辺に、ひとり滾々と湧く清水、その流れに「イカ浦（溢水の浦）」とはいつの時代に誰が名付けたのか、清水に問うてみたい。

（2010年12月28日）

《補注》　下越の村上市では川をせき止める（溢れるようにする）ことを方言で「イカめる」といい、中越では溢水を「イカがり」という。そして水が溢れ返るのを「イカえる」というのは全県的である。阿賀町に「五十島」、柏崎市に「五十刈」、南魚沼市に「五十沢」、糸魚川市に「五十原」、どれも集落だが、そのいずれもが洪水・冠水の歴史を持っている。共有する地名語「イカ」は溢水の意を持つと筆者が推論するゆえんである。

本稿の五十里本郷は「荒町川」と、その支流「長良川」の流域に展開する。合流点付近での古老（山本氏）の直話によれば、二つの河川は100ミリの雨（1日か）が降ったら溢水するといい、近年、長良川に架かる「長良大橋」が1メートルほど高く架け替えられたのも、そのためだという。

60 乙和池

「タワ」に生まれた水辺

大佐渡(おおさど)山脈の尾根をスカイラインが通っている。相川から金北山(きんぽくさん)（1172メートル）に向かっておよそ6キロ、車を止めて南斜面をしばらく下りる。と、雑木林の中に浮島を浮かべた池が現れた。なぜこんな所にという思いと、そこはかとなく霊気も感じさせる池だ。この池に伝説がある。

昔、麓の長福寺に乙和(おとわ)という美しい娘がいた。ある年、ワラビ採りに出掛けたが道に迷って池の前に出た。すると気品のある若者が現れ、あなたを妻に欲しいと告げる。若者は池の主で、乙和を伴って池の底深く消えたという。それから池を「乙和池」と呼ぶようになった。

伝説は伝説として、地名研究では「おとわ」は「おお（大）タワ」または「お（小）タワ」の転とみる。タワとは「タワむ」のタワから来ている。ピンと張られた糸を緩めたときにできるたるみのことで、地形名である。「おとわ」は、乙和、音羽とも乙羽、乙輪とも書くが、文字自体に意味はない。乙和池の古い表記は音羽池であった。

地形がタワになっているのは、尾根と尾根の間などで、有名なのは京都・清水寺の「音羽(おとわ)の滝」

乙和池（佐渡市山田字家敷平） 1963年、県文化財（天然記念物）に指定された

乙和池　5万分の1地形図＝国土地地院地形図「相川」

の音羽であろう。タワに集まった湧き水が断崖にかかって滝となるのである。

もう一つは東京都文京区「音羽町（おとわ）」の音羽であろう。地下鉄有楽町線の護国寺―江戸川橋間はほぼ南北に直線の道路だが、これは東西の台地のはざまがタワを形成しているからである。

関西で峠を「たお」という所は多いが、タオは正しくはタヲ（ｗｏ）で、タワ（ｗａ）とは同根である。つまり山の尾根がタワんだ所で、鞍部（あんぶ）の意である。このタヲは村上市にもあって、「山熊田（やまくまだ）」集落などでは熊狩りの勢子（せこ）に追われたクマを打ち手が待ち伏せるのは「たを（たわ）」が定石だという。

さて乙和池だが、標高５６０メートルにあり、浮島には貴重な高層湿原植物が自生するという。

なぜこんな水辺がここに存在するのか。
地形図を開くと、スカイラインから南に延びる尾根があり、その尾根に608メートルのピークが見られる。そのためにスカイラインとの間にはタワ（鞍部）ができている。そのタワのくぼみに池が生まれ、「乙和池」と名付けられたものであろう。

（2011年1月11日）

61 赤玉

佐渡の代表的銘石から

佐渡には赤玉石（あかだまいし）という硬い赤石がある。鉱物学的には鉄石英といい、不純物として酸化鉄（ベンガラ）を含む碧玉（へきぎょく）という説明もある。ともかく佐渡の代表的な銘石だ。小佐渡山地にかなり広く産するらしいが、これを即、集落名にしたのが旧両津市の「赤玉」であろう。

文殊院の庭石として見学できる赤玉石（正面手前の石）。集落 赤玉の名を発信している

集落の赤玉は佐渡海峡に面し、集落の北に「北川」、南に「高野川」が流れ、中ほどに「中川」が集落を貫いて流れている。赤玉石はこの川の山間部「垣之内」辺りからよく産出したらしい。

そこへ行ってみたいと集落の仲川茂雄氏に依頼し、上流部を探索したことがある。道は整備されていて車でずいぶんと奥まで上ったが、ついぞ原石には出合えなかった。なお、集落の増野俊弘氏らの話によると、１９８０（昭和55）年～８１年ごろの圃場整備では下流域からもかなり産出したという。１個数百万円と値の付く巨大なものも掘り出されたらしい。

中川をさかのぼると「杉池」という池がある。小佐渡山脈の唯一の湧水池ともいい、広さおよそ80平方メートル。「元池」の名もあるが、春にはミズバショウの花開く別天地だ。中川はこの杉池を水源としており、傍らに「杉池大明神」が祭られている。

この池にも竜神伝説があり、某家の老女が一粒万倍という不思議な杓子を竜神からもらうというものだ。それはともかく、この杉池大明神の祭司は集落の文殊院の住職、山本憲慈氏である。同氏によれば、６月15日（現在は６月第１日曜日）の祭礼には神前に祝詞を上げるのだという。

杉池には奥の院という大岩があり、古く修験者の行場であった。周辺には石仏、寺屋敷の地名も残り、かつて文殊院はこの近くにあったともいう。現在地へは1752（宝暦2）年に移転した。開基は1558（永禄元）年と古く、開祖は不明だが、1573（天正元）年の空遍を第1世として連綿と連なり、現住職は31世、集落45世帯すべてが当寺の檀家（だんか）というのも、いいまとまりである。

寺号は赤玉にふさわしく礼玉山大聖寺文殊院で、見事な赤玉石がその庭を飾っている。ちなみに神社は「赤玉神社」。明治以前の4社を集落の総意で現在地に統合したものという。

（2011年1月25日）

62 赤泊

海中の「赤岩」港の名に

赤泊は佐渡島の東南岸にあり、旧赤泊村の役場があった。古くこの付近は「三河郷」と呼ばれていたらしく、1558（弘治4）年の文書に「佐州三河郷禅長寺薬師堂」と見えるが、禅長寺も薬

かつて海中にあった「赤岩」。岩の上の祠（ほこら）は弁天さんという

赤泊湊の赤岩＝佐渡国奉行渡海図（文化13年）手前中央「番所」左上が「赤岩」

師堂も赤泊に現存している。

したがって今の赤泊地域は、江戸時代以前には、三河郷の中にあり、三河の殿様に支配されていたと考えてよいのではと『赤泊村史』は述べている。三河はまた「三川」とも書いた。

1600（慶長5）年の検地帳には「佐州東三川之内柳沢村」と「東三川」が見え、旧真野町に「西三川」があることから、中世の三川郷は、赤泊の海岸から山を越えて真野湾まで達していたのでは

と考えられるという。ともかく中世に赤泊という村名や郷名は見当たらない。

しかし赤泊には古い山城があって、「城ノ下」「平城」などの地名も残る。城主は本間三河守だという。ところが同名の殿様が赤泊の東3キロの「腰細」にも居る。城は海岸に近い54メートルほどの山城で、地名としては「大城」「中城」「御方屋敷」「本城」「城ノ下」「平城」などが残り、赤泊を超える城であった。現在、「三川」の称が腰細周辺に残ることからも、この城は戦国期にこの地域の中心であったらしい。

赤泊が歴史に姿を見せるのは、大久保長安が佐渡に渡った1603（慶長8）年の翌年、赤泊に代官を置いたときからともいう。江戸期、佐渡奉行は寺泊（長岡市）から赤泊へ、さらに小佐渡の山を越えて相川に至ったのである。

赤泊の郷土資料館に1816（文化13）年の「佐渡国奉行渡海図」という図が展示されている。当時の赤泊の港絵図だ。その港の海中には「赤岩」という岩が描かれている。「泊」は港のことだから、赤泊は「赤い（岩の）港」ということになろう。海上からの特徴的な事物が港の名になる例はよくあることである。

ちなみに腰細は、山岸が海岸に迫って通路が狭く細くなっていることからではないか。「コシ」は「宮コシ」「館コシ」「コシ巻」などのコシで、周縁の意を持つ地形語である。

（2011年2月8日）

63 両津

南北二つの港町が合併

越の湖とも呼ばれた「加茂湖」は、「境川」で海と通じているが、古くはもっと広く海に口を開いていたらしい。この口が海流によって砂州が発達し、中世の終わりごろには境川の南岸には「湊城（館）」もできるのである。

ミナトは「水な（の）門」が語源というから境川、またはその界隈が「湊」と呼ばれたのが起こりなのであろう。文献では、1419（応永26）年、湊の源阿弥陀仏という人が、大般若600巻を「久知河内」の長安寺に納めた記録があるが、これが初見という（『両津市誌』）。

「城の内」という地名が境川と佐渡市両津支所の間に見える。「内」と書いてコシと読ませているが、本来コシは周縁を指す語である。それが「城の内」と表記されたのは、周縁の呼称が城の内部も包含した形で用いられたためであろう。支所の東側に勝広寺、妙法寺などの集まる一角も「城の腰」と呼ばれ、これこそが周縁を呼ぶコシである。

境川から北はかつての夷町である。これも砂州の上の町で、中世の中ごろまでは人家もない荒浜

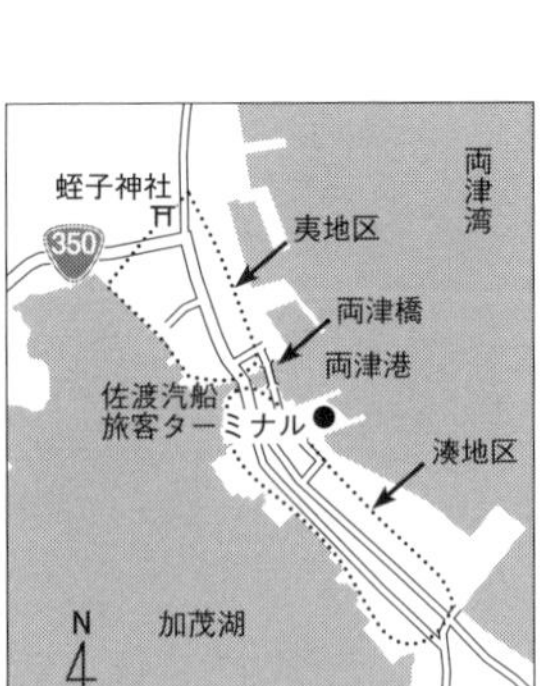

中央が両津（欄干）橋、左上が両津大橋、下を流れるのが境川

であったらしい。「夷」の初見については、1670（寛文10）年、夷町のある船持ちが上杉謙信没後の供養に島内の真言宗の僧を越後まで送ったという文書がある。これが史実とすれば、謙信没年の1578（天正6）年当時、大船持ちが夷に居住していたことになる。

さて、夷の由来であるが、国道350号から神明町に右折して約100メートル、左手に「蛭子（えびす）神社」がある。これが夷の総鎮守で、祭神は蛭子（ひるこ）命という。この神は全国えびす神の総本社、西宮神社（兵庫県）の祭神と同じである。これが夷の由来であろう。室町期には福の神として全国に神徳が広まり、夷では漁業、商業の神として尊崇されてきた。

1713（正徳3）年の夷湊番所付の問屋として、夷と湊にそれぞれ6人の名が見える。二つの町は江戸期を競い合い携え合って1901（明治34）年、合併を果たす。二つの津（港）を持つ町、両津町として新しい歴史を歩み出すのである。

（2011年2月22日）

64 蒲萄

山に囲まれた凹地表現

村上の街から国道7号を北へ約20キロ、隧道を一つくぐった所に蒲萄集落はある。山に囲まれた昔の「出羽街道」の宿場で、何々屋と旅籠の屋号を持つ家も少なくない。南は「長坂峠」を越えて約8キロで「塩野町」。北は約7キロの険しい峠道で「大毎」に達する。

古来、越後と出羽を結ぶ行路の要の宿場であったから、文人墨客の記録も残る。1689（元禄2）年6月27日、『奥の細道』の松尾芭蕉は「温海」（現・山形県鶴岡市）をたち「中村」（現・村上市北中）に1泊、翌日峠を越え午後3時半には「村上」に着いている。同道の曾良は峠について「名に立つほどの難所無し」と記すが、聞き及んだ覚悟の難所からすればの心であろう。

『東遊記』の橘南渓は1786（天明6）年3月18日、塩野町で老婦の制止も聞かず雪の道を蒲萄に向かったが、「方角も取り失い倒るること数十度、千辛万苦して」暮れ方ようよう蒲萄に着いたと述べている。

「蒲萄」は「葡萄」とも書くが、「武道」「武堂」「不動」とも書いた。1597（慶長2）年の「越

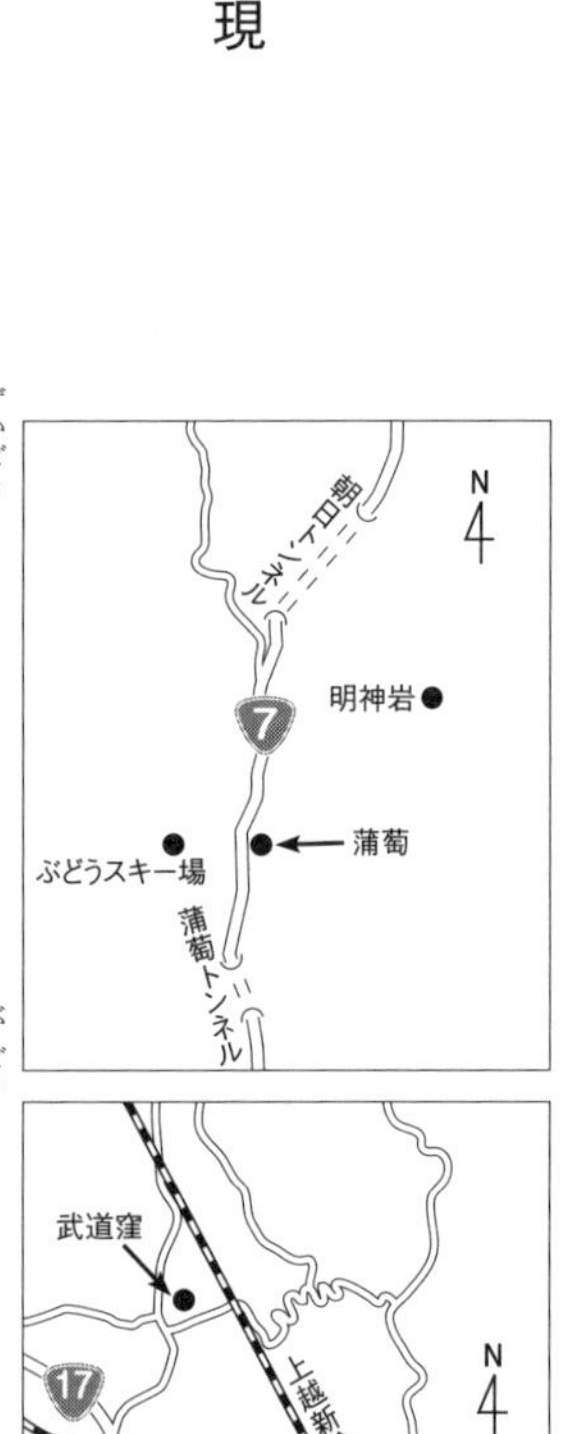

後国絵図」では「ぶだうが谷」である。これほど多様に表記が分かれるのは、文字で書こうとした時点では語義が不明になっていたからで、ごく古い地名と考えてよい。

1343（北朝・康永2）年の文書には「分当平（ぶんどうだいら）」と見え、当時は「ぶんどう」と発音されていたことも分かる（『山北町史』）。ちなみに当地の食べるブドウの方言も「ぶんど（う）」で、紛らわしい。

葡萄（峠）は東北に多い地名といわれているが、語源は「うと」。

旧国道（北側）から見下ろした村上市蒲萄集落。山懐に抱かれている。集落奥の道路状の斜面はスキー場

(旧山北町)
大沢
出羽街道
7
旧国道
ヤブキ明神
明神岩
蒲萄
(旧朝日村)
0　1km

蒲萄 旧出羽街道概念図

これが転じて「ぶ（う）どう」。うつせみ（空蟬）のウツとも同源の語で、中がウツろ（空ろ）になっている地形・状態を指す。宇戸、宇土、有戸、有働などいろいろに漢字を当てるが、文字に意味はない。

語義に当てているものには「洞」「穴」「穴洞」などで、蒲萄も山々に囲まれたウトに位置する集落である。県内の類似地名としては長岡市（旧・川口町）の「武道窪（ぶどうくぼ）」であろう。「武道」はウト（凹地）の転。「窪」はもちろん凹地を意味し、同義語を重複させたもの。「ぶどう」の語義が不明となった後に付けられたものと考える。

（2011年3月8日）

65 漆山神社

「漆」を名にもつ唯一の式内社

村上市蒲萄の山中に「漆山神社(うるしやま)」という社がある。1間四方ほどのささやかな社だ。場所は蒲萄の村中から山腹に取り付き2キロほどその峠道をたどった所。山路は旧出羽街道でそれを少し下った谷あいにある。清らかなせせらぎの南岸がこの境内で、小さな社殿ながら、これが「延喜式内社」なのである。

延喜式内社というのは、９０５（延喜5）年に着手し、９２７（延長5）年に完成したという平安時代の法律の施行細則が書かれたもので、中に全国の３１３２座の神社が載る。これを通例「式内社」と呼ぶが、国司が奉幣するなど格式ある神社なのである。なぜここに「漆山」を名乗る式内社が鎮座するのか、これは興味深い。

漆は縄文時代以来、人々の生活と深く関わり、歴史時代に入っても高松塚の漆塗りの木棺や法隆寺の玉虫厨子(たまむしのずし)など、都に集められ貴人の器物を飾った。国も漆の植栽を奨励し、９３７年、越後の前国司の清原樹陰はその督励を怠ったとして責任を問われ、また１０２５年、越後守となった藤原

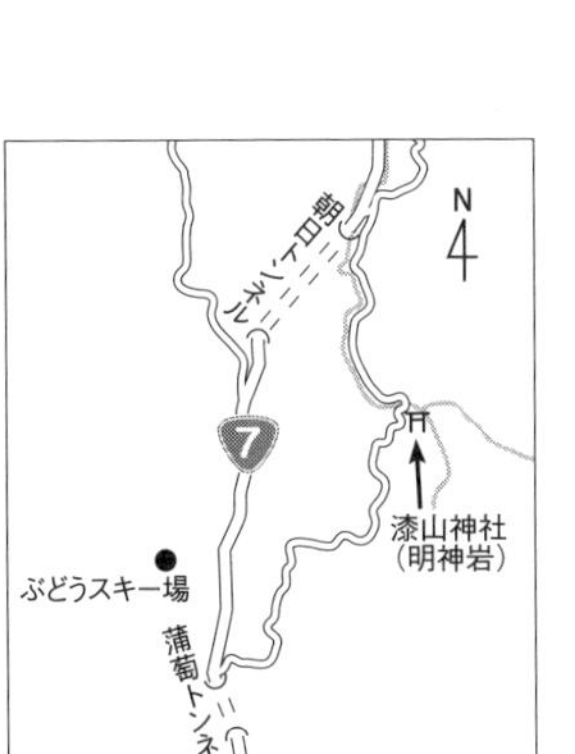

N
朝日トンネル
7
漆山神社
（明神岩）
ぶどうスキー場
蒲萄トンネル

『奥の細道』の松尾芭蕉も『東北遊日記』の吉田松陰も額ずいている式内漆山神社＝村上市

隆佐は漆物を時の右大臣に贈ったことが『県史』に見えている。

漆山神社は古代のこうした時代背景の中で漆樹の生育と豊穣を願う人々によって祭られたものではあるまいか。ちなみに「うるし（漆）」を名に掲げる式内社は全国３０００座に余る社の中でも、この社をおいて他にないのである。このことの意味を他の例から考えてみよう。

奈良・東大寺の大仏は７４３（天平15）年から造立が進められるが、メッキの金の不足に悩んでいた。この時、わが国初の砂金９００両が献上された。７４９（天平21）年のことで、このことから年号も天平感宝と改められた。この産金の地はいまの宮城県涌谷町で、ここに式内社「黄金山神社」が鎮座する。境内にはこの慶事を「すめろぎの御代栄えむと東なる陸奥山に黄金花咲く」（万葉４０９７）と詠んだ大伴家持の歌碑が立つ。

また、最初の銀の献上は６７４年で、献進地の長崎県厳原町にはいま、「銀山上神社」があり、これも式内社である。

こう見てくると、貴産品とその献進地、産品の名を冠した式内社、この3点がセットとなっているやに思えてならない。この漆山の地からも遠い昔、漆の献進がなされたものではあるまいか。その真偽はともかく、この地に全国式内社中、唯一の「漆山神社」が存在する、この歴史的事実は重く受け止められなければならない。

漆は樹液、実（ロウの原料）ともに有用で、山北・朝日の両町村史には、課税の対象となったおびただしい江戸期の漆樹の記録が残る。今日、村上が「堆朱工芸」の技を伝えるのも、この式内社の鎮座と無縁ではないと思うのである。

（2011年3月29日）

66 矢葺明神

巨大な懸崖示す地形語

矢葺明神は村上市蒲萄の山中にある。実は前稿の「漆山神社」の別名なのだが、一般には「矢葺明神」の名でよく知られている。なぜ矢葺明神と呼ぶのか、ここに著名な伝説がある。

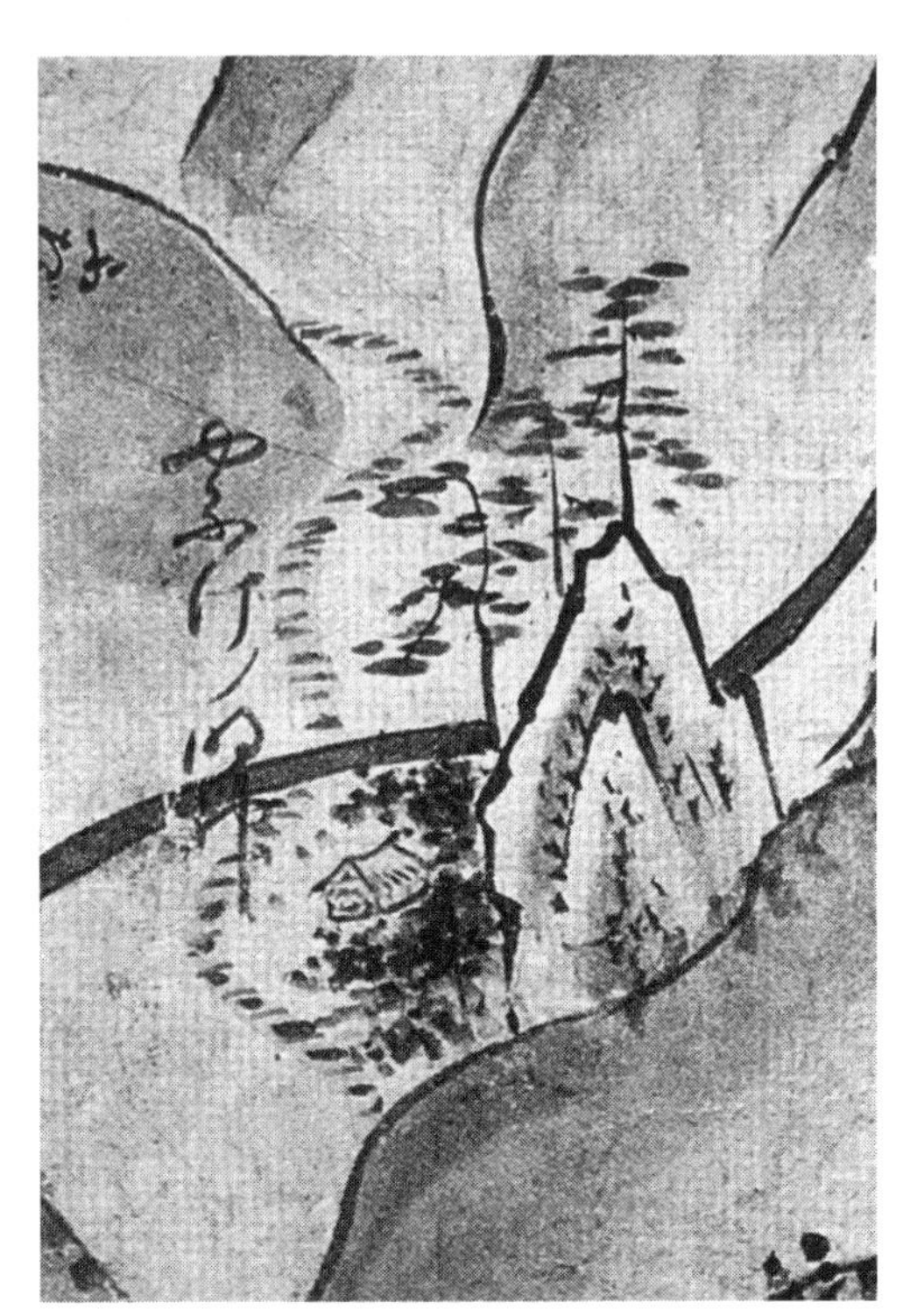

やふけノ明神（慶長「越後国絵図」米沢市蔵より）

１８１５（文化12）年の『越後野志』に、昔、源義家が後三年の役を終えて出羽からの帰路、残り矢でこの社の屋根を葺き奉ったので矢武岐（矢葺）明神と呼ぶようになった、とある。

しかし１６９４（元禄7）年、ここを通った僧盤泉の「湯殿紀行」には「夜深明神」とあり、矢葺明神ではない。夜深は「やふけ」と読むと思う。というのは、この明神の初見は、１５９７（慶長2）年の「越後国絵図」で、ここには草葺きの社に「やふけノ明神」と載っているからである。ついでに言えば、１７５６（宝暦6）年の『越後名寄』には「矢武計明神」とあり、矢武計は「やぶけ」と読んだであろう。

さらに１７８３（天明3）年にここを訪れた橘南渓は「矢伏明神とて神祠あり、神祠の後ろに巌穴あり、明神の住み給う所なりという」と述べている。矢伏の誤記はあるが、社は矢葺ではなく、また源義家伝説など一言半句もないのである。こうみてくると、前述の伝説は、ある時期、唐突に降って湧いたもののようで、地名を尋ねていくと間々行き合う迷惑説話の類であろう。それならば矢葺神社の真の由来は何であろうか。

僧盤泉は夜深明神に続けて「百五丈（約320メートル）の大石が壁立し、空洞は槃屈して九曲の珠の如し、ここに虚空蔵仏を拝す」と述べる。この社のすぐそばには巨大な巌崖がそびえ、巌窟（神窟）が口を開いているのである。盤泉は、祭る仏は虚空蔵仏であったと述べている。

こうした崖を古い地形語で「フケ」とか「フキ」という。「ヤ」は、本書の佐渡の矢島・矢柄の稿（第49・50稿）で触れたように「岩」の転である。

したがって「ヤフケ・ヤブキ」は「岩崖」。霊気を感じさせる巨巌と巌窟は信仰を生み、延喜式内社が営まれたと考えられよう。懸崖ゆえに「やぶけ」の地名も生まれ、やがて祭る社は「やふけ

矢葺明神と明神岩

社の奥の巌窟。鳥居、灯籠、唐獅子がこれに向かって立つ＝村上市蒲萄

ノ明神」と呼ばれたと考えられる。

ちなみに、矢葺明神（漆山神社）は、村上市蒲萄字矢吹（やぶき）に鎮座するのである。


（2011年4月12日）

67 大毎

山間地「大越処」の転か

村上市の「蒲萄」、「矢葺（やぶき）明神」と北を目指した「出羽街道」は、もう一つ峠を越えて「大沢」に達する。さらに下ると「大毎（おおごと）」集落である。「蒲萄峠」の終端だ。

現在の大毎は冬季のスノー・フェスティバルなどもよく報道されているが、集落の自慢は何といっても「吉祥（きっしょう）清水」であろう。

名の由来は水源が集落南方約3キロに聳（そび）える吉祥嶽（500メートル）の麓にあることからの名

で、この湧き水を１９２４（大正13）年、有志が土管で集落に導き湧出させたのが始まりという。近年「平成の名水百選」に選ばれた。総代の佐藤勝敏さん（70）によれば、大毎の全世帯１５８のうち95％はこの名水を引いて利用しているのだという。

大毎川下流から大毎集落を望む。左上の山裾が吉祥嶽の麓

　吉祥嶽は庶民の命名ではない。修験が関わったであったろう。それは「吉祥」という仏語的漢語の地名であること、山頂南麓の「満願寺平」の存在などからだ。現在、満願寺（曹洞宗）は集落内にあるが、かつてはこの台地に開かれた寺ではと考える人も少なくない。もう一つ、吉祥嶽・満願寺平への登り口が「鳥坂」と呼ばれていることだ。鳥坂は「たおり坂」の転で、タオリとは稲妻形・S字形の坂道などを呼ぶ古語である。鳥坂は本来、吉祥嶽登拝の坂道を呼んだものが、その道の衰微とともに麓にのみ名をとどめたものと考えられよう。

　大毎の古い文献は１５９７（慶長2）年の「越後国絵図」であるが、これによると大毎は「黒河俣大事村」とある。「黒河俣」はこの地域の称だが、大毎地内の「中辺村」には「黒河俣之内、黒河俣ヨリ七里」、「南俣村」には「黒河俣之内、黒河俣ヨリ七里」と見える。黒河俣大事村と併せ考えると黒河俣は大毎の別称のようにもとれる。「黒河俣」については後日を約したい。

ならば大事・大毎はいかなる意か。県北は山がちで、他の地へ行くにはまず山を越えねばならない。この越え場（峠）を「こえと（越処）」と呼ぶ。大毎にもコエトはあり、近隣にこのコエト地名は十指に余る。また、「小峠」「大峠」もあり、さらに「こごえと（小越処）」もある。蒲萄峠は出羽街道の最大の難所、大毎はその登坂口であるところから、初めは「おおごえと（大越処）」の村、これが詰まって「おおごと」村、これを大事村・大毎村と表記したものと考える。本来、「田麦（たむぎ）」「鳥越（とりごえ）」など越え場（峠）を呼ぶ地名が麓集落の名に移っている例は県内にも少なくない。

（2011年4月26日）

68 北中

黒河俣の中村が発祥地

1597（慶長2）年の「越後国絵図」に北中（村上市）は「中村　黒河俣之内、家二十九軒」と

村上市北中集落　大毎集落から北に望む。右端の杉の森が「芭蕉公園」

芭蕉公園句碑

ある。ここまで北へ北へと進んだ「出羽街道」は、「中村」で二つに分かれ、日本海を目指す現在の国道7号沿いと、山あいを山形との県境「堀切峠」を目指す道（出羽街道）とに分岐する。

1689（元禄2）年、松尾芭蕉の『奥の細道』に同行した曾良（そら）は「六月二十七日、温海（あつみ）を発（た）つ…暮れに及び中村に宿す」と記している。この宿は一説に秋田屋という。また芭蕉はここの桜清水を「さはらねば汲（く）まれぬ月の清水かな」と詠んだとも。句はいま、集落の丘に碑に刻まれて立っている。

以前、筆者が丘を訪ねたとき女の子たちが数人、遊んでいた。句碑を撮って「君はどこ?」と問うと、「秋田屋!」と元気な声が返ってきた。北中ではここを「芭蕉公園」と呼ぶ。

「北中」の北隣は「北黒川」だが、国絵図には「北黒河村　黒河俣之内、家十一軒」と見え、中村との間に「黒河俣川」が流れる。国絵図に再三見える黒河俣は、現在の集落でいえば、大沢・大毎・北中・北黒川の総称で、１９５５（昭和30）年、山北町に合併以前の「黒川俣村」は、これに荒川・中津原を加え、役場は北中にあった。

「俣」の原意は川筋かと考える。南北に分岐する川筋を南俣・北俣と呼び分ける例はよく見られ、大毎の「吉祥嶽（だけ）」東麓にも「東俣」がある。国絵図に載る「南俣村」は現在の勝木川上流の濁沢（にごりざわ）筋にあった古村で、濁沢は南に向かう沢である。分岐の一流は東に向かい、名を「澄川（すみかわ）」、東俣と呼んでもよい川筋である。

濁川・濁沢は他の地にもよく見られるが、澄・濁並存する例はあまり聞かない。岩船地方で澄川（清流）は常識といえば常識だが、濁沢はなぜか。「越後国絵図」には沢筋に「金山有」と記し、地元伝承にも「マンニモ（万右衛門）金山」がある。またかつて大代（おおだい）炭鉱も存在し、それらの採掘による沢の汚濁、さらには「ざんざわ（沢）」の地名があり崩壊（地滑り）する土地柄である。地元人によれば石に垢（あか）のつくような沢だという。

さて、中村とは「中ノ村」である。「中」は大毎と北黒川との（もしくは黒川俣地区の）中であろう。中村の脇を流れる勝木川の古称は「黒川俣川」（越後国絵図）である。「北黒川」と併せ考えて、中村のそもそもの呼称は「黒川」ではなかったか。それが後に「中村」となる。

そして「北中」は、この中村を1879（明治12）年、同じ岩船郡の中村（現・関川村）との混同を避けて「北中（村）」、関川村の中村を「南中（村）」と呼ぶように改めたものである。

（2011年5月10日）

《補注》　筆者が本稿の句碑に刻まれた「さはらねば…」の句と、「結ぶよりはや歯にひびく泉かな」の2句が、芭蕉によって北中の桜清水で詠まれた句と聞いたのは、昭和51年ごろのことである。当時村上市内の教師であった筆者に、母が秋田屋生まれという生徒（高2）が1枚の書き物を持参し何かコメントが欲しいという様子であったことが記憶にある。ただ芭蕉が中村に投宿したことを知るのみで、桜清水も作句の事実も初耳の筆者の返答は生徒の期待に沿えないものであったに違いない。聞けば、新津（現・新潟市秋葉区）のさる人が、当時北中を訪れ、芭蕉が「おくのほそ道」の途次、北中（旧・中村）の「桜清水」で詠んだものという触れ込みで左記2句の古文書を持参したものという。

時移り平成23年、筆者は新潟市秋葉区（旧・新津市）の金津コミュニティセンターで、金津地区の地名について話さねばならないことになった。この地区には中村集落があり、中村に名水「桜清水」も実在するのである。開会前、控えの間に通された筆者の前に1人の初老の男性（S氏という）が見え名刺を差し出して、「本日の講演の録音を採らせていただきたい」という。「結構ですよ」と応ずるとすぐに退出した。主催者のお話によるとこのS氏が村上市北中へ、前記の2句をもたらしたご本人なのだという。

後日、S氏から、また地元の人々から芭蕉と桜清水の話を聞くことができた。それによると、句の書かれた古文書のそもそもの出所は五泉市の古物商からという。それを旧新津市の某資産家が長らく所蔵していた。そのうち代が替わったが、やがて芭蕉は新津には来ていないことが分かってきたという。思案の末、発句の場は山北町中村（現・村上市北中）であろうとなったらしい。

その後S氏は古文書を携え旧・新津市役所の某課長を伴って北中にやってきたが、唐突な話で北中では買い取りを躊躇したらしい。これが昭和51年ごろなのであろう。S氏によれば当時の北中の「桜清水」は田地の中ほどに存在したという。筆者も桜清水の実見を心にかけていたが、昨（平成25）年、北中の桜清水を知るという古老の案内で、探索してみたが、道路工事などでかなり地形が変わったようで見いだし得なかった。また、桜清水はもともと北中には存在しないという見解をとる人もいる。

最後に発句の「汲まれぬ月」の「月」であるが、芭蕉が中村に宿泊するのは、1689（元禄2）年の6月27日である。この夜の「月」は、晴天ならば明け方ようやく東の空にうす鎌のような細い月影が見えるだけである。しかも曾良の随行日記によれば、「今日も折々小雨（27日）」「甚だ雨降る（28日）」と雨がちの天候であったから「汲まれぬ月」の存在自体も危ぶまれ、作句の北中桜清水説はかなり弱くなると言わざるを得ない。

1989（平成元）年は「おくのほそ道」300周年、北中にも芭蕉による村おこしの機運が高まったのであろうか、集落南の丘を整備し句碑を建立、平成3年9月17日に竣工したのであった。なお句の揮毫は当時の山北町教育長加藤寿氏で、S氏によれば、この建立の式典には自分も招かれたと話している。

以上は筆者の知る事実を記したもので、学問的には事の真実の把握も大切である。しかしまた、視点を変えてこの集落の人々を見つめるとき、芭蕉と「おくのほそ道」を3世紀もの間、確かな集落の誇りとして語り伝え、平成の今日、それを形として結実させようと実行に踏み込んだ〝ふるさと愛〟には、深い敬意を覚えざるをえない。芭蕉が北中に投宿したことは誰も否定できない事実なのだから。

69 大鳥

稲妻形の路形を表現

村上市の市街地から国道7号を北上しておよそ35キロ、国道に沿って「上大鳥」「下大鳥」の順に集落が並ぶ。1597（慶長2）年の「越後国絵図」には「上大鳥、家十二軒」「下大鳥、家五軒」とある。ちなみに現在の世帯数は上大鳥が14、下大鳥は21である。

大きな鳥が舞い降りたので大鳥という話も聞くが、何とも頼りない。鳥など常に移動するものは地名にはなりにくく、一方、地形など動かぬものは地名になりやすいといわれる。

上大鳥の地形に注目すると、八幡地区（旧・八幡村）の東南端にあって、狭隘（きょうあい）な渓谷を挟んで黒川俣地区（旧・黒川俣村）と結ばれている。現在、国道7号は中津原─上大鳥間を「笠取トンネル」─「上大鳥トンネル」の2本の隧道（ずいどう）を穿（うが）って直線で結んでいる。

しかし、この隧道の完成する昭和60年以前、国道は隧道北側の狭隘な渓谷を縫っていたのである。1級国道には珍しい制限速度30キロの急カーブが記憶に残る。下大鳥も1989（平成元）年までは集落の下手で国道が大きく西に迂回（うかい）していたが、いまは「下大鳥トンネル」の完成でほぼ直線化

村上市を貫く国道７号　奥のトンネルが上大鳥トンネル北口。左に入る道路は上大鳥集落へ通じる旧国道

された。

オオトリは、この国道の屈曲と関わる地名であろうと考える。柳田國男は「峠に関する二三の考察」の中で、900年（平安時代）ごろの漢和字書『新撰字鏡』の「垰、曲岸也、くま又たをり」を挙げ、「たをりは山の鞍部もいうが、山裾が幾重にも重なって屈曲して入り込んで居るのも云う」と述べている。つまり、峰の鞍部も山裾の屈曲する道もタオリと呼んでいたという。この地域の方言に「たおる・だおる」があって、急坂を稲妻形・S字形に登（と）攀（はん）また下降することを「タオって登る」「タオって下る」という。

大鳥の場合、稲妻形・S字形の道を急坂から渓谷に移したタオリで、『新撰字鏡』の「曲岸也、くま」が、よく大鳥の地形を表している。ちなみにクマは「隈」で、道や川の曲がり込んだ所をいう。「たおり」は長く使われている中で「とり」に転訛したもので、「鳥」は当て字である。なお、地元では上大鳥をウドリ（大鳥）、下大鳥をシモドリ（下鳥）という。

（2011年5月24日）

《補注》　ウドリの「ウ」は優れた学者などを指す「大人（うし）」などの「ウ」で「大」を意味する。『大言海』は「ウ」を接頭語とし「おほノ約（ツヅマ）レル語」と述べ、「おほみ＝ウミ（海）」「おほま＝ウマ（馬）」「おほしし＝ウシ（牛）」「おほば＝ウバ（祖母）」などを挙げ、「大人（うし）」は「おほし」の約としている。この説に従えば、「うどり」は「おほとり」の約（つづ）まった語と素直に受け取れよう。ちなみに同じ旧山北町の「おおたにざわ＝大谷沢」の地元呼称は「ウたざわ」である。この「ウ」も「おほ（大）」の転訛と考えられる。なお『大言海』にいう「おほ（大）」は、現今では多く「おお」と書かれることはご承知の通りである。

上大鳥を「ウドリ（大鳥）」と呼称するのに対し、下大鳥を「シモドリ（下鳥）」と「ウ（大）」を用いていないのは、国道直線化のための隧道発削を、「うどり」で2本、「しもどり」では1本で対応していることからも、ウドリ・シモドリの呼び分けの理由が理解できよう。「ウドリ（大鳥）」はまさに「大いなるタオリ（曲路・曲岸）」であったのである。地名研究において地元呼称に留意されなければならない好例と考え、補注した。

70 カリヤス峠（上）

「たやすい」を表す方言

カリヤス峠（247メートル）は、村上市山北地区の荒川集落と中継集落の間にあり、5万分の1地形図にも載っている、旧出羽街道の道筋で、片仮名というのも面白い。

由来として、早くからカリヤス草からという説が聞かれる。カリヤス草はイネ科の多年草でススキに似るが、草丈は1メートルほど。茎葉は乾かして黄色の染料にするとある。927（延長5）年成立の『延喜式』にも茜や紫草などとともに記載があるから、襲の色目を競った平安の女性などには関心の高い植物であったのだろう。

しかし、戦後も織り続けた旧朝日村（現・村上市）奥三面の麻布にしても、雪晒しが最後の工程で、染めても紺。カリヤス草が染料として用いられた例はなく、カリヤス草の語も存在しない。したがってカリヤス峠の植物由来説はまず考えられない。

この峠の近隣の集落で「カリヤスは？」と問うと、「川をせき止める木組み」と返ってくる。これは長い丸太の元の方に2本の脚をつけたもので、ちょうど人が腕立て伏せをした形をしており、

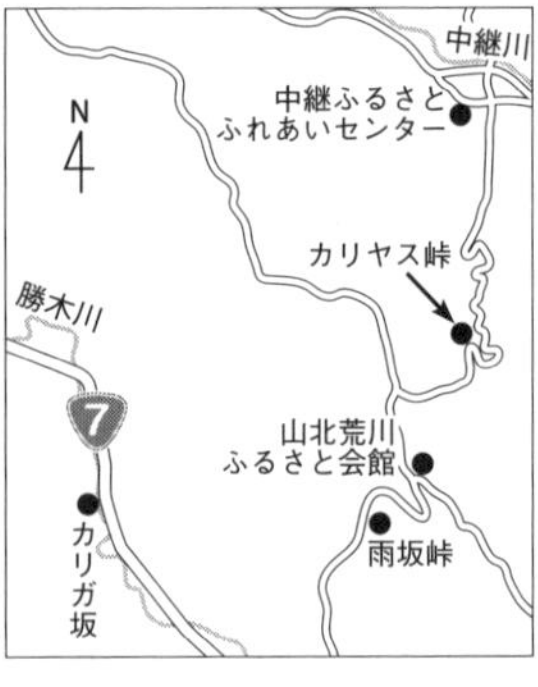

地域一般では「うしわく（牛枠）」や「うし（牛）」とも呼ぶものである。この呼び名は臥牛の前脚を立てた姿からであろう。

この峠の旧道の形をおよそに言えば、頂上まではなだらかに登り、そこから急崖を降下する。それは人の腕立て伏せの形であり、ウシワクの形なのである。牛枠をこの近隣でカリヤスと呼ぶ理由

村上市中継の北側、旧出羽街道から望む中継集落と峠のある稜線

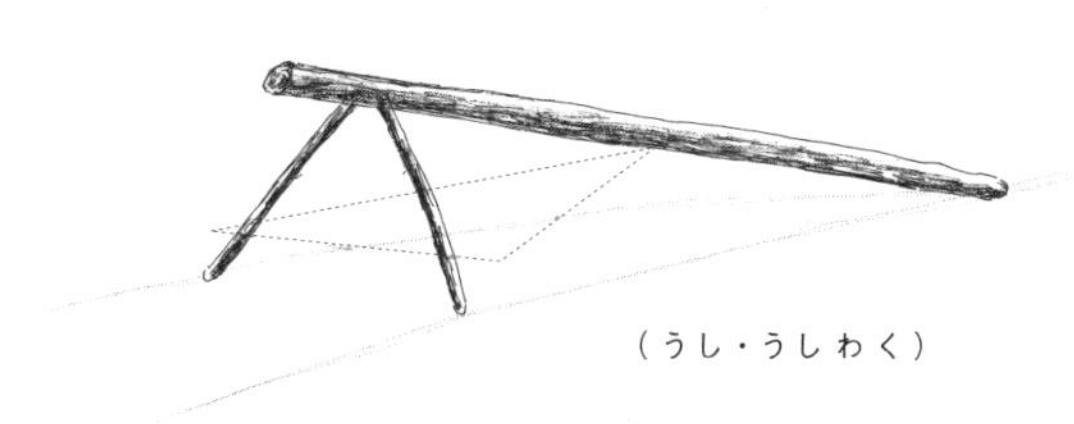

カリヤス（牛枠）略画

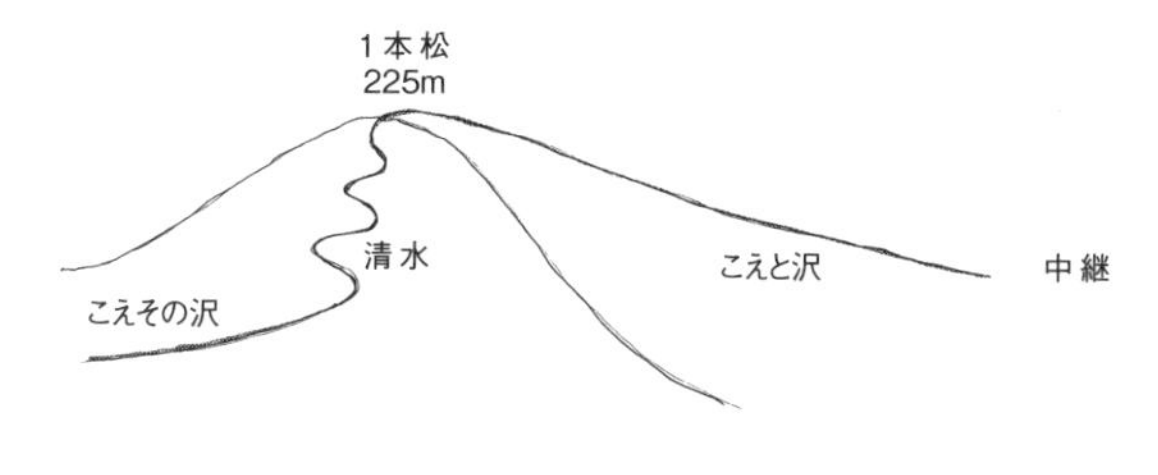

カリヤス峠 略図

はここにあるかと考える。

ところで峠には源義家伝説が語られる。蝦夷（えぞ）を制圧しての帰途、彼が峠に差し掛かると折しも都から使者がやってきた。「いかがでしたか」の問いに、義家は「征討はカリヤスかった」と答える。これが峠の名になったのだという。

カリヤスは、たやすい、簡単だ、の意を持つ方言で、方言辞典に当たってみると、若干の転訛はあるが、富山、福井、京都などの諸府県に分布する。義家は方言で「征討はたやすかった」と答えたことになる。それはさておき、当地にカリヤスという方言の存在することは、峠の由来にとって見逃せない事実だと思う。


（2011年6月14日）

71 カリヤス峠（下）

「緩やかな坂道」が有力

カリヤスは、正しくは「かりやすい」である。「やすい（易い）」は容易なさまをいうと考えて、「かり」が問題である。われわれは獲物を得ることを「狩り」といい、干潮に魚介を得ることを「潮干ガリ」という。また「桜ガリ」「紅葉ガリ」ともいう。

これらのカリは目的を持った一つの労力行為とくくられようか。自家の桜を眺めても桜狩りとは言わない。

地元の方言で「やまガリ」と言えば山菜採りであり、「かわガリ」といえば「魚捕り」である。また山を歩くことを「山をカル」ともいう。能登（石川県）では追いかけることを「ガル」、会津（福島県）では大声を出すことを「ガル」、山口県では仕事に熱中することを「ガル」という。このカル（ガル）の名詞形が「カリ」である。

同じ村上市山北地区だが、国道7号の北中—中津原間に「カリガ坂」がある。いまは崖崩れよけの洞門が設けられ坂はなだらかだが、かつては山際の坂を下の平地から上の段丘にかなりの勾配で

国道７号のカリガ坂洞門（村上市）　かつては山際の坂道を登っていた。脇を流れるのは勝木川

登っていた。カリガ坂はカリヶ坂で「カッて（カリて）登る坂」であったと考えられる。この坂とカリヤス峠は直線で約3キロ、この至近の「カリ」は同語であろう。つまり、坂・峠に関わる労力行為を指し、それは登攀（とはん）であろう。カリヤスを「登攀（はん）し易い」と解する理由である。

荒川―中継間にはカリヤス峠と並行して「鳥越」（約２２５メートル）というもう一つの峠がある。この鳥越に比べ、カリヤス峠が登攀容易であったのだろう。旧出羽街道も、現在の道路もこの峠を越えていることが、それを証明している。

岐阜県高山市にも「刈安峠（かりやす）」がある。緩い坂道で、これが峠かと思う峠であった。富山県立山の南4キロ余にも同名の刈安峠（約１９００メートル）がある。峠から西方五色（ごしき）ケ原にきれいに延びた登山道が名の由来ではなかろうか。周辺はザラ峠（２３４８メートル）はじめ、険峻（けんしゅん）な山岳地帯である。

梅原猛によれば、「カル」の持つ「狩る・刈る・為る」などの意は、アイヌ語「カル（ｋａｒ）」にも通じるという。カリヤスのカリは彼我の古語の残存であろうか。ちなみにカリヤス草はススキに比べて細く、「刈り易い」のが語源であるという。

（２０１１年6月28日）

72 ダイとダイラ

小盆地の「平」が転訛

村上市山北地区は、山あいに展開する集落が多い。ここのダイとダイラ地名について注目してみたい。

旧山北町役場のある府屋（ふや）から大川をさかのぼると2キロほどで南北に分かれる。南を中継（なかつぎ）川、北を小俣（おまた）川と呼ぶが、小俣川をさらに1キロほどさかのぼると「杉平（すぎだいら）」という集落になる。

山懐に抱かれた集落で、巨大なぼた餅を神社に供える祭りで名がある。ところが高齢の人たちはこの集落を「すぎのだい」と呼ぶ。なるほど、1597（慶長2）年の「越後国絵図」には「杉ノだい村　家拾軒」と見える。

また中継川を5キロほどさかのぼると「朴平（ほおだいら）」集落があるが、高齢者はこれを「ほおのきだい」と呼ぶ。そして前記の国絵図には「ほおの木だい村　家七軒」と載っている。つまり杉平・朴平の「平」は、古くはダイと呼ばれていたが、いつからかダイラと呼ばれるようになったのだ。ちなみに江戸期の「正保国絵図」（1645年ごろ）に両村は「杉平村」「朴平村」と記されている。

山あいの小盆地、村上市朴平集落　川は中継川の支流の荒川

ところで村上市朝日地区には「北大平」が、神林地区には「南大平」がある。この2集落の「大平」は、ともに「おおだいら」と呼ばれている。

一方、杉平からさらに6キロほど小俣川をさかのぼると「大代（おおだい）」集落がある。これを慶長の国絵図に探すと小俣の枝村とあり、「大たい村　家八軒」と載っている。こちらは昔も今もダイ（タイ）で変化がないことになる。さらに北隣の山形県鶴岡市に越えると「槙代（まきのだい）」「菅野代（すがのだい）」と「代」が続き、「大平（おおだい）」も見える。

ダイは「代」とも「平」とも書かれるから、「正保国絵図」の杉平・朴平の「平」が、ダイと発音されていたか、ダイラと発音されていたかは分からない。だが「平」の文字を用いたためにダイがダイラに転じ、大代は「代」のためにダイラにならずに済んだのかもしれない。

以上のダイとダイラはいずれも山あいの小盆地といった所で、そのダイがダイラに転訛しつつ漸次北上を続けている?、そんな転訛の現実をこの越後から出羽への「平・代」地名は示しているようにも思えるのである。

（2011年7月12日）

73 大鳥ダイと大鳥ヒラ

地形の様子で呼び分け

岩船地域には村上市の南大平（おおだいら）・北大平（おおだいら）のほかに、関川村松平（まつだいら）と村上市高平（たかだいら）、二つのダイラ集落がある。あとの二つはいずれも1946（昭和21）年以降の開拓集落で、松平は荒川右岸の段丘上にあり、高平も遠い昔は門前川の段丘であったであろう見事な台地上にある。ともに山あいになく、「○○ダイ」と名乗ってもよい地勢だが、地域の伝統的なダイラの仲間入りをしている。

前稿で見たように「平」は「ダイラ」とも「ダイ」とも読む。しかし「ヒラ」と読むのがもっとポピュラーかもしれない。同じ字に3通りもの読みが付くことは困ったことだ。しかし、これは日本人がそもそも文字を持たなかった中で中国から漢字がもたらされ、漢字を無理に日本語（和語）に当てはめていった結果がこうなったのである。地名研究には迷惑な話だが、愚痴っても仕方がない。「ヒラ」にも手足のヒラのように、平らな地形を呼んだとみられる地名も存在するが、ヒラは斜面や崖とみるのが一般的で、岩船地域には「崖っピラ」の方言もある。『古事記』にいうあの世とこの世の境の「よもつヒラ坂」は急坂をそう呼んだものであろうが、斜面をヒラと呼ぶのは全国的

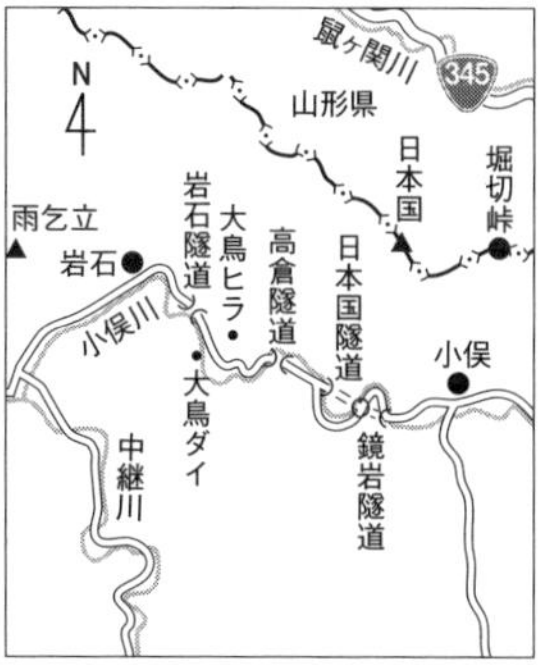

田地が大鳥ダイ。左斜面が大鳥ヒラ

で、沖縄の首里城にも「儀保阪（ギーホヒラ）」などのヒラがある。

日本語のヒラは時代をさかのぼると「ピラ」になるというのが国語学の説であるが、アイヌ語で崖は「ピラ（ｐｉｒａ）」である。これを日本語からの借用とみる向きもあるが、むしろ彼我共通の地形語ととらえられないだろうか。蝦夷が本州から退いて、北海道でアイヌとなる以前の地形語が残ったものと考えることも可能であろう。

村上市「岩石（がんじき）」から「小俣」へは、小俣川を4キロほどさかのぼるが、川は曲折を繰り返す。この曲折を「タオリ」と言うが、4キロ間の県道に隧道（ずいどう）が4本もある。それゆえであろう、ここも「大タオリ」、つまり「大トリ」である。一つの隧道を抜けたところに平地があり「大鳥ダイ」、北側斜面を「大鳥ヒラ」と呼ぶ。このダイは村上市内も南部にあれば「大鳥ダイラ」と呼ばれたに違いない。

（２０１１年7月26日）

74 小俣・日本国

将軍家が山に命名有力

旧「出羽街道」を村上市「北中」から「中継」を経て、峠を越えると「小俣」である。小俣は川筋の集落の意であろう。越後北端の宿場で、『奥の細道』の松尾芭蕉も通ったと思うが、同行の曾良の日記に小俣の名は見えない。多くの文人の中で明確に小俣を記しているのは幕末の志士、清河八郎である。彼は1855（安政2）年3月22日、ここに一夜の宿をとる。その『西遊草』に、

小名部といふ村を越える頃、七ツ時（午後4時ごろ）に及びぬれば、間もなく小俣の村迄努力して吉左衛門といふ家にやどる。最早、越後路なり。（略）すべて此の辺は余程なる山間なれども、郷里いづれも有富の体にして、家なども応々見事なるあり。

と記す。どの家も裕福そうで家の構えも見事だと称賛している。

ところがその13年後、小俣は戊辰の戦場と化し、集落は灰燼に帰するのである。いま残る家並みはその後のものであるが、駕籠寄せや化粧格子など江戸期の風情を残している。

平成の小俣は5月5日、「日本国」登山でにぎわう。日本国はこの地の山の名である。標高

越後北端の宿場 小俣集落。家の表には旅人の憩う土縁（駕籠寄せ）が見える

555・2メートル、山形県との県境に位置する。地元で「すり鉢山」と呼ぶこの山が、なぜ日本国と呼ばれたのだろうか。某誌には「古代（650年ごろ）阿倍比羅夫が蝦夷を攻めてここまで進行し、ここが日本国と蝦夷地との境の意で日本国」としたとある。

また「飛鳥時代、崇峻天皇（590年ごろ）の子、蜂子皇子がこの山に隠れ住み、これより彼方は日本国」と言ったことからとも見える。しかし「日本」の国号が用いられたのは『日本書紀』（720年成立）からで、上記の2説はまだ「倭」の時代であって、否定されてよいと考える。

もう一説は、小俣の隣の大代村に江戸期、遠藤某なるタカ捕りの名人が居て、山で見事なタカを得た。早速、庄内の殿様に奉ったところ将軍家に献上され、将軍家から「日本一のタカ、捕らえた山を日本国と名付けよ」となったとも。

この根源を尋ねていたが、今回、1770（明和7）年、鶴岡藩が幕府の巡検使の来藩を受けて用意した説明文書の中に、「往古この山（鷹待山）にて捕り候鷹を領主より将軍家に奉り候ところ、日本無双の鷹と賞美これあるにより『日本国山』と唱え候よし」とあるのを知った。これが1914（大正3）年発行の陸地測量部の地図に記載されたのが起源であると考える。

ちなみに、庄内地方での「日本国」は、最上氏時代の1611（慶長16）年、下大宝寺村検地帳に「にほんこく」とあるのが初見で、江戸初期の酒井侯時代の文書に「日本国」また「二本こく」とも見え、現在、県立鶴岡中央高校の所在地は鶴岡市大宝寺字日本国410番地となっている。

（2011年8月9日）

75 勝木

水辺を好む真菰の方言

JR羽越線を村上駅から北へ40キロほど走ると山形県だが、県境から二つ手前に勝木駅がある。「勝木」は集落名でガツギと発音されるから、初めての人は「ええっ！」と思う。ガツギとはイネ

国道７号と国道345号の合流点付近にあった古勝木。かつて一帯は低湿地であったという

科の植物真菰（まこも）のことらしい。

真菰は、越後ではかなり広く「かつぼ」「がつぼ」と呼ばれていたようで、三条市に「嘉坪川」、見附市に「加坪川」の集落が見える。村上地方では一般に「がつぼ」であるが、蒲萄峠以北、つまり勝木のある旧山北町一帯はなぜか「がつご」で、「がつぎ」の方言は見当たらない。しかし、地名・勝木がガツギ（真菰）に由来するならば、どこかにこの方言はあるに違いない。

方言ガツギの在りかは言葉の文化の流れを考えれば北であろうと予測し、ガツギを尋ねて山形県庄内地方を歩いた。その結果、最上川右岸の飛鳥（あすか）（酒田市、旧・平田町）という集落、そこの沼縁に生える「がつぎ」と出合うことができた。30年ほども前になろうか、案内してくれた佐藤春吉氏はその1株を抜いて、さっと泥を洗い落とすと手際良く表皮をむいて白い茎を見せ、「昔の子どもは川へ泳ぎに来るとこうして」と、食べてみせるのだった。

筆者も相伴にあずかったが、さくさくと歯触り良く甘みさえ感じる貴重な食体験ができたのである。また飛鳥の老婦からは、田植えのときに「今日は忙しくてガツギ汁だども」と真菰の汁をすすめた話など、ガツギが人々の生活の中に深く入り込んでいたことも学ぶことができた。そして何よりも、「ガツギ田」が地名として存在することも確認できたのである。
真菰は草丈高く2メートルにもなる。同じイネ科の蒲(がま)に似るので往々見誤る人がいるが、出穂を待てば誰にも分かる。真菰の穂はススキに似るが、蒲は緑褐色の筒状である。共に湿地を好むが、真菰がより水辺を好むように見える。
勝木は、集落のすぐ北に「古勝木(ふるがつぎ)」の地名を残す。かつて7軒ほどの小集落がここに存在したと地元ではいう。当時ガツギと呼ばれていた真菰が、その山あいの水辺に群落を成していた歴史を、この地名は伝えているのではなかろうか。

（2011年8月23日）

《補注》　県央部の見附市に「加坪川」、三条市に「嘉坪川」の地名が存在するが、先般、その東北方わずか十数キロの新潟市南区味方（旧・味方村）の真菰の方言が今も「がつぼ」であることを知った。加坪川・嘉坪川のカツボも当初の発音がガツボであった可能性は否めない。

76 筥堅八幡宮

屹立した崖、船人命名か

村上市のJR羽越線勝木駅の北西500メートルに「筥堅山」（72メートル）があり、頂上台地には「筥堅八幡宮」が祭られている。境内のスギ、ケヤキ、ヤブツバキなど巨木の社叢は国の天然記念物に指定されている。1597（慶長2）年の「越後国絵図」はこの山を「八幡石」としているから、当時既に八幡宮が祭られていたことが分かる。山を「石」というのは全山岩石の山だからであろう。

八幡宮の冠称を「筥堅」としたが、これは式内社調査報告書（皇学館大学）ほかによるもので、地元では一般に「筥堅」を冠称している。なぜ筥堅かといえば、筥を積み重ねた形、つまり山が箱形だからというのである。これに対し、筥堅を説明した例は見当たらないが、筆者は次のように解する。

ハコはフキやハケと同根の古い地形語で崖をいう。タテは立岩・鉾立など屹立を意味する。つまり筥堅は切り立った崖の意で、八幡岩の地形を端的にとらえているのである。命名は海側、船人か

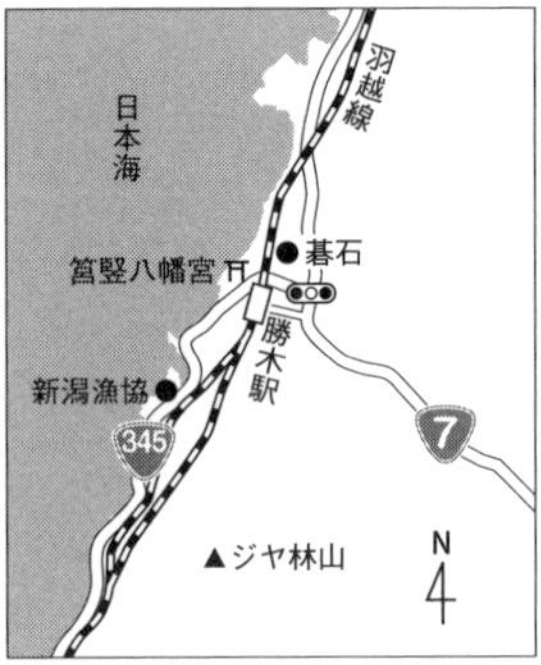

らなされたものであろうか。

箱形（筥堅）もハコを崖とし、崖形とも解せるが、他にハコガタの地名はあまり聞かない。これに対し、例えばハコダテは北海道に函館がある。あの街の夜景は屹立する崖山がもたらすもので、山の南端の海面に接する岩崖と筥堅山の海側の岩崖の様は酷似する。

碁石海岸から見た筥堅山（八幡岩）。右は寝屋の鉾立岩＝村上市

話は変わるが、927（延長5）年成立の「延喜式神名帳」に載る磐船郡八座の中の「蒲原（がまはら）神社」をこの筥堅八幡宮に比定する説がある。ところが「蒲原神社」はこの山の北麓、「碁石（ごいし）」集落の鎮守として現存するのである。これをどう解するか。

筥堅山は海中へ突き出た地形、屹立した岩崖、中でも見事な社叢は、神の降臨する場所であり、海上安全の社として、古来人々の深い崇敬を集めてきた。

一方、蒲原神社は碁石の小高い独立丘陵地にあり、「六社大明神」の別名も持つといい、筥堅山の巨巌（がん）とはわずかな距離である。八幡宮がかつての式内社であり、碁石の神社はその遥拝（ようはい）の地であったとするのも、一つの解の在り方かもしれない。

（2011年9月13日）

77 鵜泊

入港時に見える海食洞

村上市のJR羽越線勝木駅の南方1・5キロほどの所に鵜泊集落がある。日本海に面した漁村だ。1597（慶長2）年の「越後国絵図」に「家七軒　屋敷計」とあるが、その通り、そば立つ崖山の南半分はこれまたすごい岩崖で、その足元に大きな海食洞がある。鵜泊の由来を一説に鵜（ウミウ）がこの洞窟に泊まるからだという。そうだろうか。

ウミウは対岸の粟島に国の天然記念物指定の繁殖地があるほどで、村上市の海府海岸には多く生息する鳥である。しかし昼の動きはともかく、夜の宿りまで知る人は見つからない。

岐阜県長良川の鵜匠はウミウを用いるというので尋ねてみたが、竹籠に1羽ごと飼育するそうで、夜も籠の鳥であった。次は「磯の鵜の鳥ゃ日暮にゃ帰る」の波浮の港、東京都大島町役場に聞く。観光課長のK氏は「港の鵜はたしかに日暮れには沖へ帰ります。沖には崖島がありますが…」ということで、これも空振り。某鳥類研究所も尋ねたが同じであった。

そんなある日、日本海に浮かぶ「粟島」（岩船郡）に、ウミウとオオミズナギドリ（粟島ではサバ

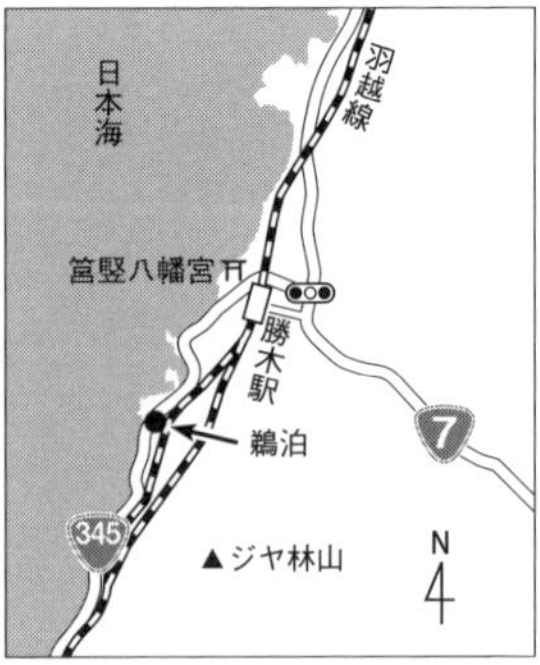

ドリと呼ぶ）の営巣地のあることを知った。その名を「立島」といい、西海岸の海中にある片側絶壁の孤島だ。この島は、すでに1972（昭和47）年、これらの集団営巣地として国の天然記念物の指定を受けている。粟島浦村役場によれば、ウミウはここに営巣もし、ここを塒（ねぐら）ともしているという。もちろん海府海岸（村上市）の岩礁にも多くのウミウを見かけるから、それらがすべて粟島まで帰るはずがない。おそらくその塒は周辺の、しかも天敵を寄せ付けない険しい岩礁を選ぶに違いない。間違っても洞窟などに宿ることはしない。

粟島の東海岸に「うぐり」という小島が存在し、朝夕ウミウがそこに密集し、そこを彼らの塒としていることも島の人たちから聞くことができた。ウグリは「鵜グリ」であり、グリは地元語で岩礁を指す語である。

1758（宝暦8）年、海路越後を訪れた出羽庄内の人（姓名不詳）の記録の中に、「鵜泊といふに、船の掛り沼有り」と見える。また、1800（寛政12）年、鵜泊村の久兵衛が杉材・杉板を積んで新潟湊に向け出港したが、途中、難破したことが別の文書に見える。鵜泊はかつて港（泊（とまり））であった。

鵜泊の洞窟　下部は道路に隠れて見えないが、古くはそこまで海であったと思われる

県内には赤泊・寺泊などの「泊」地名もあるが、これらの地名は入港するときの眼前の風物からの名付けであろう。鵜泊の場合、それは洞窟であったと思う。1597（慶長2）年の「越後国絵図」には「うどまり村」とあるが、また、「足谷(あしだに)ヨリうと村へ五里」とも見える。「うと（うど）村」とも呼んだのであろう。ウト（ウド）は地形名で、凹地や洞窟をいう古語である。

現在さきに述べた海食洞は、昭和30年代に設けられた道路にふさがれ視覚的には小さく見えるが、高さ10メートル、幅5メートルの奥深いウト（洞窟）である。入港する船は当初この港を「ウト（ウド）のトマリ」と呼んだのであろう。これが詰まって「ウドドマリ」、さらに「ウドマリ」となる。これが「鵜泊」と表記されたものと考える。

（2011年9月27日）

78　笹川流れ

うねりが高い沖合の潮

村上市では「笹川流れマラソン」と銘打って、毎年4月の第1週にマラソン大会を開催している。ことし（2013年）は東日本大震災のために中止になったが、来年は26回目を迎える大会という。全国から2000名を超える参加者が見込まれている。出発・ゴールとも桑川（くわがわ）で、国道345号を寒川（かんがわ）で折り返す全長21キロのコースだ。

「笹川流れ」と聞くと、山あいの小川などを思う人がいるかもしれないが、実態は村上市北部海岸の地名で、しかも沖を流れる潮の流れに由来するのである。これは土地の漁師のご教示だが、潮の満干を「潮がこむ」「かれる」、潮の流れを「潮が速い」「よどむ」などと表現する。海岸には岩島が多く、島々の間も潮は流れる。その潮が速くなると盛り上がりを見せるが、これを笹川流れと呼んだのだという。

一帯は蒲萄山塊が日本海に落ち込んでできた海岸で、古来人の往来を拒んできた。その山ひだの所々の川口に集落が生まれ、「早川（はやかわ）」「桑川（くわがわ）」「今川（いまがわ）」「脇川（わきかわ）」など川地名の集落が多い。「笹川（ささがわ）」も

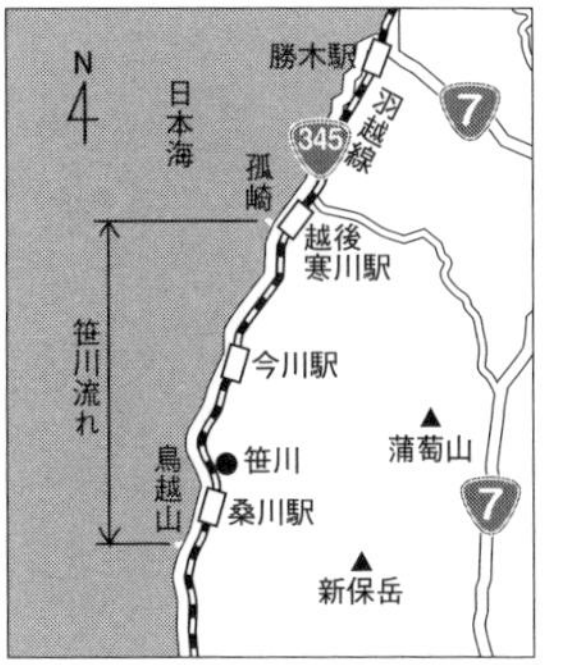

笹川流れの恵比寿浜　左端はめがね岩、右端が獅子岩
頼三樹三郎の記念碑は写真左の入江奥の丘にある

その一つで、１５９７（慶長２）年の「越後国絵図」には「篠河村　家四間（軒）」と見える。

この集落の名を冠したのが「笹川流れ」であるが、南の「浜新保」集落の「鳥越岩」から、北の寒川集落の「狐崎」までの約11キロの海岸線を呼んでいる。この海岸は白砂青松、奇巌怪石の連続で、往来の不便にもかかわらず、江戸後期ともなると海路幾多の文人がその風光を訪ねて来遊した。「笹川流れ」の名称もその中から生まれたものであろう。

１８１９（文政２）年に訪れた『北越奇談』の筆者 橘 昆崙も来遊者の一人で、『海府七里灘乃記』を残している。しかし、その筆頭は１８４８（嘉永元）年来訪の頼三樹三郎かもしれない。彼はその『海府游記』の中で、笹川流れについて「松島はこの美麗ありて此の奇抜なし、男鹿はこの奇抜ありて此の美麗なし」と記し、松島、男鹿と比べてその海岸美を絶賛したのである。いま、この記念碑は恵比寿浜の丘に建てられている。

この天下の景勝を背景に走ってもらうというのが、「笹川流れマラソン」の開催趣旨らしい。来る年の再起の号砲に呼応して、うねり高い笹川の潮流を全国からの参加者に見てもらえたら、筆者もまた本望である。

（2011年10月25日）

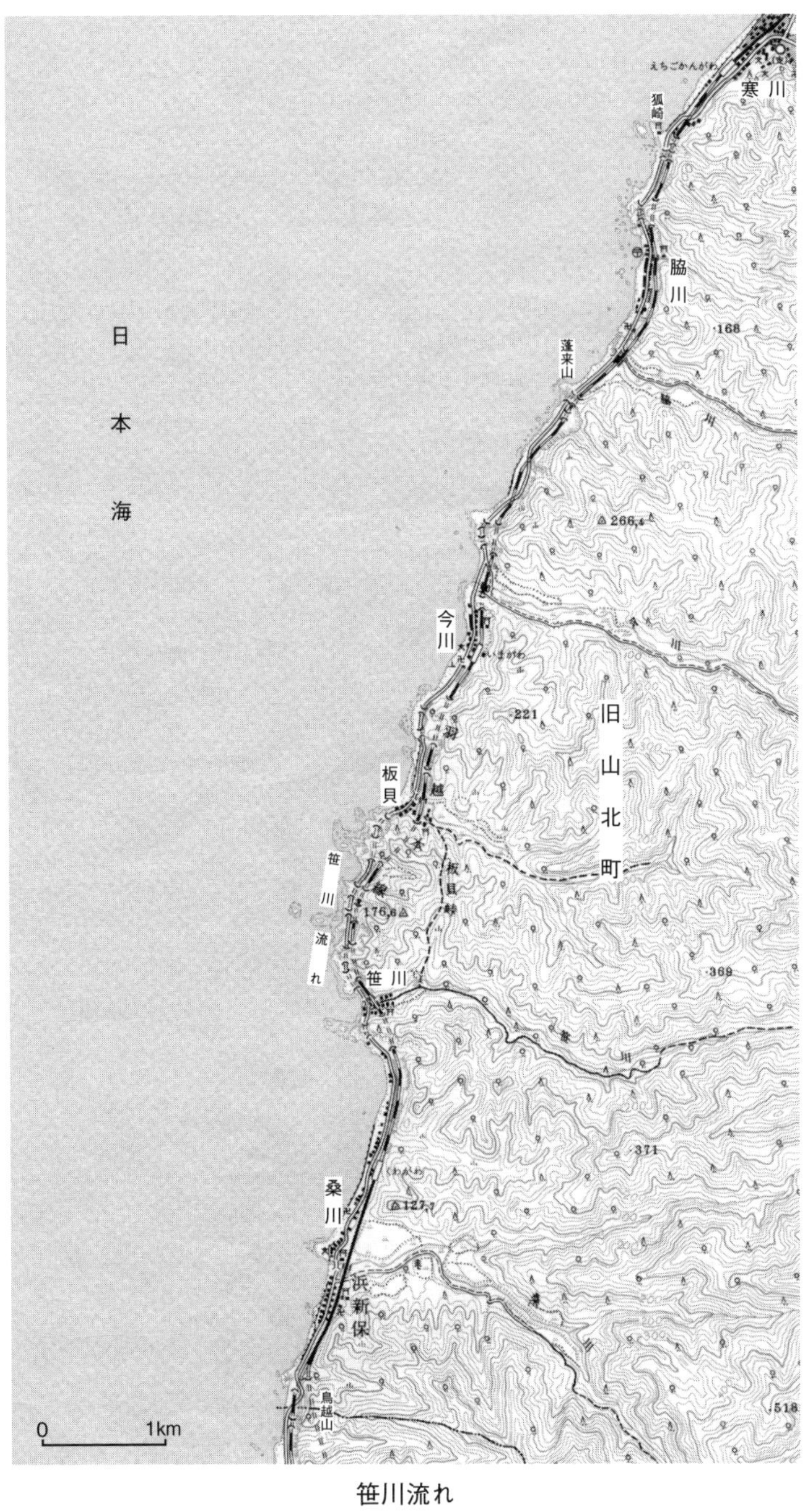

笹川流れ

79 小鳥越・大鳥越

海府浦の最も険しい峠

室町初期に源義経の生涯を書いた軍記物語『義経記』には、義経が奥州に落ちていく道筋を「荒川の松原、岩船を通りて、瀬波といふところに左やなぐひ、右うつぼ、せんが桟(はし)などといふ名所々々を通り給ひて」と、海府浦などは名所々々で何事もなく念珠(ねんじゅ)の関(せき)（山形県鼠ケ関）まで通り過ぎている。

ところが、村上市の馬下(まおろし)集落には、ここまで馬で来た義経が険しい山路を越えるため、ここで馬を下りた。ために「馬下」の地名が付いたとする伝説がある。放たれた馬は粟島へ泳ぎ渡って島の野馬の祖になったとも。

確かに馬下集落の北側は、海に落ち込む大岩壁が立ちはだかっている。１９２４（大正13）年、ＪＲ羽越線が開通し、近年、並行して国道３４５号が海岸線を北上するが、これらの隧道(ずいどう)・国道以前は義経のみならず万人を拒み続けてきた岩壁である。凪(なぎ)ならば舟も通うが、荒天なら北の新保村までどこをどうたどったのであろうか。

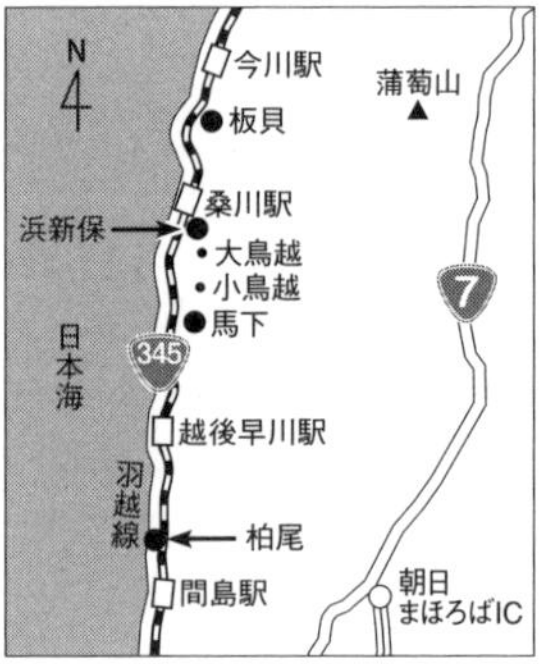

1980（昭和55）年ごろ、板貝（旧・山北町）に当時94歳の老婦人を訪ねた。彼女は旧朝日村早稲田から、もんぺとわらじ姿で板貝に嫁いできたのであった。その直話だが「猿沢から柏尾へ峠を越える、そこから海沿いに来た。馬下では小トリゴ、大トリゴを越えてのう」。その道中の難儀を淡々と語るのであった。

小鳥越・大鳥越の大岩壁　手前は馬下集落

現在の鳥越岩と鳥越隧道＝国道345号　旧道は右手奥の山路を越えた

その折、「トリゴ」は「鳥越」の転訛だろうと直感した。後日、橘昆崙の『海府七里灘乃記』に「つゞら折りなる岨道の…小鳥越ニして…大鳥越となん」とあるのを見て自分の考えに誤りのなかったことを確信した。鳥越のトリは『古事記』『万葉集』などに見える古語「たおり」に由来し、稲妻形に山坂をたどり越える「たおりごえ」の詰まった語である。

「正保国絵図」（1645年ごろ）には「おちの山坂」とあり、「慶長国絵図」（1597年）には「馬下村ヨリ新保村へ十五里」と見え、峠をのちに「十五里峠」とも呼んだことを裏付けている。過日、馬下の古老に峠の案内を請い、S字の坂を登る。無名の墓が数基、往時の遭難者の墓かという。傍らの地蔵には誰の手向けか菊花が秋の日に輝いていた。

（2011年11月8日）

80 峡の渡し

荒川流れる山峡の要衝

国道7号と国道113号が交差する「十文字交差点」（村上市坂町）から東へ約3キロ、荒川に架かる「磐梯朝日大橋」が見えてくる。この橋は1972（昭和47）年に完成した。以前の橋は、その300メートルほど上流にあったが、1967（昭和42）年の8・28水害により壊滅的な被害を

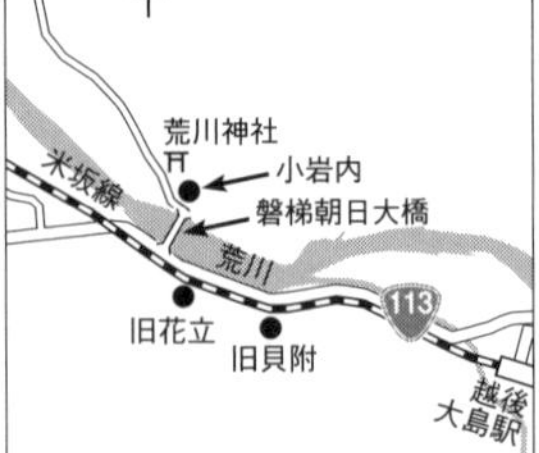

受け、下流に再建されたものである。橋であって取水堰でもあり、荒川下流域の稲作を一手に担う極めて重要な施設なのである。

「大朝日岳」（1871メートル）に源を発し、諸支流を集めて流長59キロになる大河が、この堰を通らなければ日本海には注がないという地形がここには存在するのである。この山峡を地元では「せばと（狭処）」と呼ぶ。1958（昭和33）年までここに橋はなかった。

左岸「貝附」と対岸の「小岩内」との間には渡し舟が通い、ここを「峡の渡し」と呼んでいたのである。村上城下、また岩船湊などから米沢へはここが最良の行路らしく、慶長の「越後国絵図」（1597年）には渡し舟が描かれ、「正保国絵図」（1645年ごろ）の街道もここで荒川を渡っている。

峡の渡しと山峡　手前が磐梯朝日大橋。右手山際に「峡の渡し」の碑が立つ

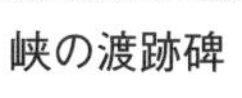

峡の渡跡碑

ところが「狭の渡し」は燕市「地蔵堂」にもあって、傍らを流れる西川に架かる橋に「狭橋」が現存する。この橋の辺りに「狭の渡し」があったという。また伝説があり、1181（養和元）年、西行

法師がここを通りかかり、「越路なる狭の渡しの朝嵐昨日も吹くか今日も吹くらし」と詠み、渡守に金の地蔵菩薩像を渡した。これが後の願王閣の本尊であり、地蔵堂の地名はここから起こったというのである。

対して貝附の伝説は、昔、京都の公家のお屋敷に麗しい女性が仕えていた。また貝附出身の力士の朝嵐も出入りを許されていたが、あるとき女性に生国を尋ねると、懐紙をとりすらすらと「越路なる…」の一首をしたため差し出したという。朝嵐は「おお、ご尊女もわが里、越後貝附のご出身であったか」と察したというのである。

伝説は伝説として、貝附の「峡の渡し」はここの山峡に由来し、地蔵堂の場合は、西川の渡しが信濃川のそれに比して狭かったことに由来するかと考える。なお朝嵐とは夏の朝方、山手から吹く快い風と貝附周辺ではいう。アラは「新」、シは「颪」を意味する古語であろう。

（2011年11月22日）

《補注》「峡の渡し」は「狭の渡し」と書く場合もあるが、荒川左岸の歌碑には次のように刻まれている。

峡の渡　正跡　荒川町貝附

越路なる　せばのわたしの　朝嵐
昨日も吹いて　今日も吹くなり

なお、貝附と対岸の小岩内とは集落の位置はずれているが、渡し場への道は小岩内から荒川の右岸をさかのぼり、貝附の対岸まで延びていたのである。これが渡船の最短の場所であったのであろう。

81 蛇喰

崩れやすい地形を示す

関川村では毎年8月末に「大したもん蛇祭り」を行っている。主役は竹とわらの大蛇だが、世界最長（82・8メートル）ということで、ギネスブックにも載った。

この祭りのそもそもの源は、死者行方不明者134人、全壊流失家屋1080戸という1967（昭和42）年8月28日の羽越大水害にあるのだが、一方、同村の集落「蛇喰」とも深く関わっている。ここに伝説がある。

昔、蛇喰に住む女性がある日、夫の秘蔵していた蛇のみそ漬けを食べる。喉の渇くまま井戸水、女川、荒川を飲み尽くし、ついに蛇体となった。大蛇は羽越境の山を7回り半巻いて考える。荒川を貝附の「せばと」でふさげば眼下の盆地は泥の海となる、「ここをわが住まいと定めよう」。

1808（文化5）年、すでに『東海道中膝栗毛』を世に出した十返舎一九が江戸から大里峠を越えて下関村にやって来る。そしてこの伝説を著したと、蛇喰出身の高橋重右衛門氏はその著書で述べている。地名としては「阿古屋谷」「大内淵」「蛇崩れ」「大里峠」なども巧みに取り入れて、

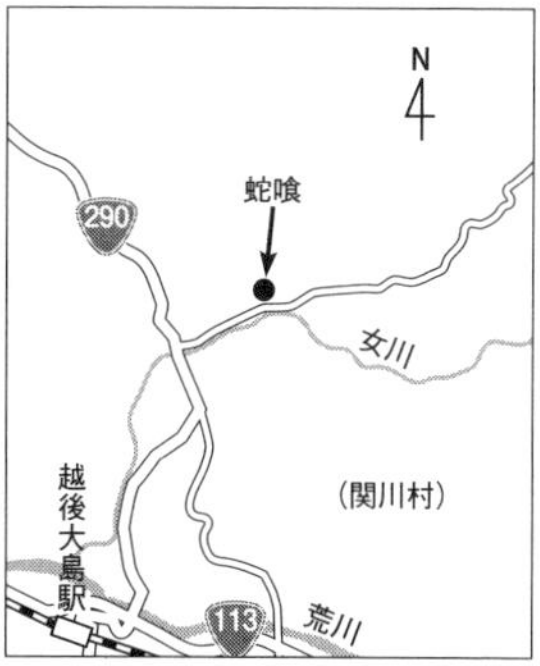

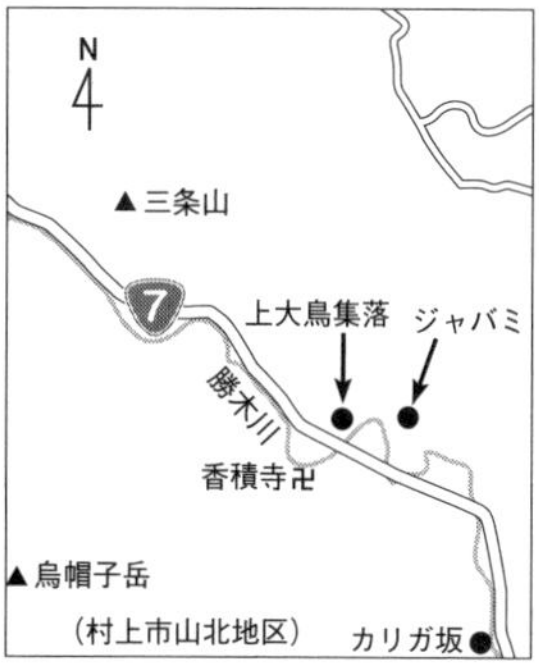

蛇喰の地崩れ斜面（正面）　江戸末期にも麓の２軒が移転を余儀なくされている

ジャバミ　村上市上大鳥の地崩れ現場
小沢だが杉樹の倒伏が見られる

聞く者に疑いを与えない。

国土地理院2万5000分の1地形図で、蛇喰は全国に6カ所ある。秋田、新潟、群馬、埼玉、富山、石川の諸県で、他には福島県会津美里町などにも。東日本に多い地名である。県内では出雲崎、長岡、佐渡に。村上市でも小字で拾えば上大鳥、板屋沢、檜原、門前など、表記は「蛇喰」または「ジャバミ」である。

いま、これらを逐一検討する紙幅を持たないが、ジャ（蛇）は、土質をいうジャル（猿）やザル（笊）

と同源で「崩れ」に関連し、ハミ（喰）も土地の崩壊で、蛇喰は地形崩壊を呼んだとする考えに至る。もちろん漢字に意味はない。

話を戻すが、関川盆地を貫流する長江荒川は出羽・越後の諸川を集めて貝附の山峡に集中する。「山峡の閉鎖！」、この関川盆地の人々の太古からの畏怖が現実になったのが、羽越水害である。その霊を弔い、被災の根絶を祈念する祭りは、また日本人と竜神信仰との深遠な関わりをわれわれに伝えてくれている。

（２０１１年12月13日）

《補注》　本稿に記述の不十分な部分があったので、補足させていただく。高橋重右衛門氏はその著『せきかわ歴史散歩』の中で、大里峠の大蛇伝説の由来をこう述べている。

文化五年（一八〇八）、江戸の十返舎一九が大里峠を越えて下関村に入り、「大里峠」伝説を書いたという記事を、小国町史から発見しました。渡辺家には文人墨客が多くとう留しているので、十返舎もここに留まり、いろいろ取材してこの伝説をまとめたものと思われます。

そして大蛇伝説はその「大里峠」の中で断片的に語られている。なお、ここでいう『小国町史』とは、山形県西置賜郡小国町の町史のことである。

一方、１８０９（文化６）年、十返舎一九が著した『越後国関鎮守座頭之宮由来』（国立国会図書館蔵）では、一九は越後新潟のある人が自分の室に来て越後関の「座頭の宮」の由来を語った。それをメモしておいたものを今年（文化6年）永寿堂に請われるまま三巻にまとめ発刊した、と述べている。その上・中・

下三巻をここに略記してみよう。

〈上之巻・発端〉 昔々越後の関という所に「おりの宮」という社があり、毎年犠牲（いけにえ）として村の少女を1人ささげる習わしがあった。今年は弥五太という者の娘「小よし」がそれに決まった。庄屋が娘を迎えに来たが、あまりの衝撃に弥五太夫婦は癪（しゃく）を起こす。孝行娘は「薬よ、水よ」と親元を離れない。神主は「明神の神制に背くならば、目代（代官）に訴えるぞ」と、捨てぜりふを残して帰る。

〈中之巻〉 目代は神主に対し「鎮守は氏子繁盛をこそ守るべきに、その氏子の命を取ること不審なり」と逆に神主を叱り、以後の犠牲を禁じる。それからというもの、目代の屋敷に次々妖怪が現れる。加持祈禱（きとう）を試みたが効果がない。ある時には身の丈1丈もの老婆が飯は飯櫃（めしびつ）、菜は鍋のまま、たき木を箸として食い尽くす。それを見た者は驚き仰天し寝込む者あまた。そんなある夜、目代の夢に艶やかな女性が現れ「我はこの所に三千年を経たる大蛇」と名乗り、ここ関郷は、もと数百里の池であったが、年々池埋もれて今は田畑と成り果てた。仕方なく五穀を食うようになったが、「今後は年に一人犠牲を奉るゆえ五穀は喰らい給うな」と村人が願うので、ここ数百年そうしてきた。これに対し目代は「氏子の命を取らんと願う者、なにとて鎮守と崇（あが）めんや」と応酬する。と、女はたちまち二十尋（はたひろ）あまりの大蛇となり目代に襲いかかる。ここで夢は覚める。豪胆不敵な目代は、翌朝早々に家来たちに、「おりの宮」をみじんに打ち砕かせ、神主は追放する。

〈下之巻〉 関に「きぬ市」という座頭があった。秋の半ば、米沢へ行かんと山越えにかかったが、道に迷い山深く分け入った。日も暮れて、きぬ市は途方に暮れたが、気を取り直して辺りの岩に腰かけ、背の琵琶を取り出し弾き始めた。月のよい晩であったが、「そこに居給（たも）うは何人にや」と若い女の声がした。「私は人間ではないが、そなたの琵琶が聞きたくて」と言う。聞き終えて、「お礼をしたいが参らすべき物がない。それで御身にも関わる重大な私の思惑を打ち明けよう。これから羽州へ向かうなら関へは帰らぬがよい。もし身内が関におられるなら急ぎ引き返し、早々に関の地を離れなさい。関郷は三日後には青海になるだろう。私はわが宮を破壊されて、居所なくこの山中に入った。今朝より三日間豪雨を降らせ山を崩し、斎田口（貝附のセバト）を塞ぎ関郷を湖とし、わがすみ家とするつもりだ。これを他言するならそなたの命はない」。

きぬ市は急ぎ関に引き返し、山中でのことを弥五太と目代に告げる。目代は蛇に毒となる鉄を集めさせ、それを山じゅうに打ち込み、家来には鉄砲を持たせる。果たせるかな黒雲舞下がり車軸を流す豪雨となり、黒雲の間から年老いた大蛇が顔を現した。この時とばかり鉄砲でつるべ撃ちに撃てば、さすがの大蛇も首うなだれて谷底にのたくり落ちて死んだ。この所を「おりが峠」というのは、大蛇の名をとったものである。さきのきぬ市は大事を語るや、たちまち血を吐いて死んだ。人々は宮を建て、霊を祭って「座頭の宮」と崇めた。

以上であるが、当今地元で語られる大蛇伝説とはかなり異なっている。あえて言うならば当今のものは〈下之巻〉を下敷きに、前半を創作したと思えなくはない。だがこれで、一九が「大里峠の伝説を書いた」と言えるかどうか。もう一つの疑点は、一九が「文化五年に大里峠を越えて下関村に入り」の記述である。一九が越後に来遊するのは、前後3回で、それは文化11（1814）年、文政元（1818）年、文政9（1826）年である。しかも下越には新発田までで、岩船地域に入った記録はない。来訪の4回目もあるかともいうが不詳である。これとて文政9年以降で、「文化5年」とは無縁である。この『小国町史』の記述も高橋氏の推測も訂正されなければならないのではないか。

82 高坪山

山頂の意ツムリが転訛

高坪(たかつぼ)山は胎内川と荒川とで区切られる、ほぼ南北に延びる山塊の主峰である。標高570・4メートル。頂上からは新潟平野、日本海が見渡せる。「坂町」方面からの登山口は「梨ノ木」(村上市)にあり、頂上まで約5キロ、毎年4月第2週には山開きでにぎわう。市民に親しまれている山である。

一方、1816(文化13)年の「越後輿地(よち)全図」(胎内市文化財)に高坪山はなく、相当の位置に「蔵王(ざおう)山」が見える。これは現在の5万分の1地形図に載る「蔵王権現」であろう。高坪山の西南、約700メートルの位置である。

蔵王権現とは修験道の伝説的な開祖、役小角(えんのおづぬ)が吉野の金峰山(きんぷせん)上で感得したという菩薩(ぼさつ)で、修験道の本尊という。この地にいつ祭られたかは定かでないが、周辺には「釈迦嶽(しゃかたけ)」「虚空嶽(こくがたけ)」「古坊」など古い信仰に関わる地名が多く、集落の「蔵王」もある。

「蔵王権現本堂」「今蔵王堂」「前立堂」「役行者堂」「如意輪堂」などの各跡地は国指定の史跡で、

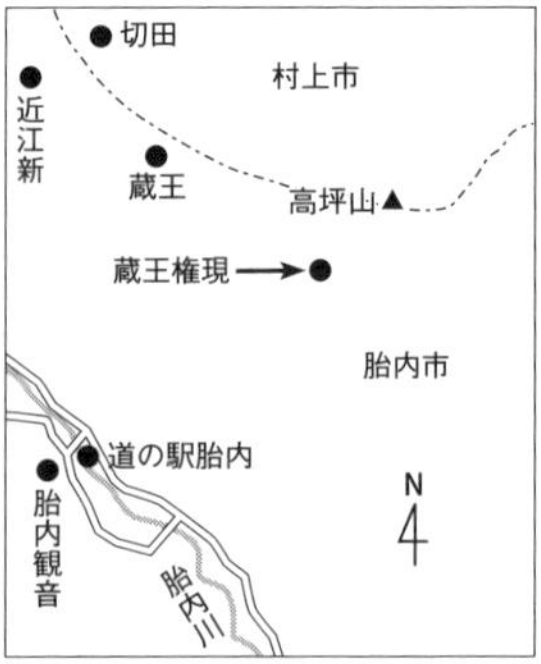

切田
村上市
近江新
蔵王
高坪山▲
蔵王権現
胎内市
道の駅胎内
胎内観音
胎内川
N

韋駄天山遺跡から高坪山を望む　手前の集落は胎内市近江新

集落「下館（しもだて）」に居館を持った中世の土豪黒川氏の「黒川城」「蔵王山城」などもこの山麓にあり、やはり国指定の史跡である。つまり胎内市からすれば、歴史的にも文化財的にも貴重な山域なのである。

高坪山が特筆に値するのはもう一つ、平成の合併以前、この山が岩船郡と北蒲原郡との郡境をなしていたことである。また、1292（正応5）年の奥山庄（おくやまのしょう）地頭和田氏と荒河保（あらかわほ）地頭河村氏との和与（和解）状が存在し、その庄・保の境として「円山之頂…村上山北麓」などとあり、この「円山」を高坪山とする学者・研究者も少なくないことである。ちなみに「村上山」はJR平木田駅東方の「韋駄天山（いだてんさん）」遺跡である。

さて「高つぼ」だが、高いツボとは何か。阿賀野市に五頭山（ごずさん）がある。五つの盛り上がり（頂き）が並び、昨今は「ごづ山」だが、かつては「いつつむり山」であった。ツムリとは頭のこと、古くは山頂をツムリと呼んだのだ。このツムリがツボリと方言で転訛し、リを省いた。タカツボは「高い頂き」の意であろう。

（2011年12月27日）

83 樽ケ橋

岩崖渓谷と深い関わり

新潟市から国道7号を北へ、胎内市で黒川大橋を渡る。次の信号を右折して1・2キロ、再度右折すると樽ケ橋、胎内川に架けた橋である。橋を渡ると胎内観音、その背後にそびえ立つ山が鳥坂（とっさか）山（438・4メートル）である。

1201（建仁元）年、越後の豪族城（じょう）小太郎資盛（すけもり）はこの山に拠（よ）り、鎌倉幕府に反旗を翻（ひるがえ）した。だが勇戦むなしく落城、小太郎は城の北側へ下り、川の傍らの大木を倒して橋とし、落ち延びたという。よって橋を太郎ケ橋、なまって「樽ケ橋」となったと由来伝説は語る。

しかし県内の樽地名、たとえば村上市旧三面（みおもて）集落のつり橋のあった「樽の内（たるのうち）」、魚沼市の破間（あぶるま）川大倉沢ダムの「樽淵（たるぶち）」などを訪ねても、そうした伝説は聞かれない。むしろこれらの樽に共通するものは、見事な岩崖渓谷である。村上市薦川（こもがわ）の「樽ケ谷（たるや）」もまた同様である。

さらに、十日町市の「樽沢」にも深い谷筋が見られ、上越市安塚区の「樽田（たるだ）」は「いすすぐらの滝」から600メートル、深い谷筋が刻まれている。妙高市「樽本（たるもと）」は長野県飯山市の沼地から「樽

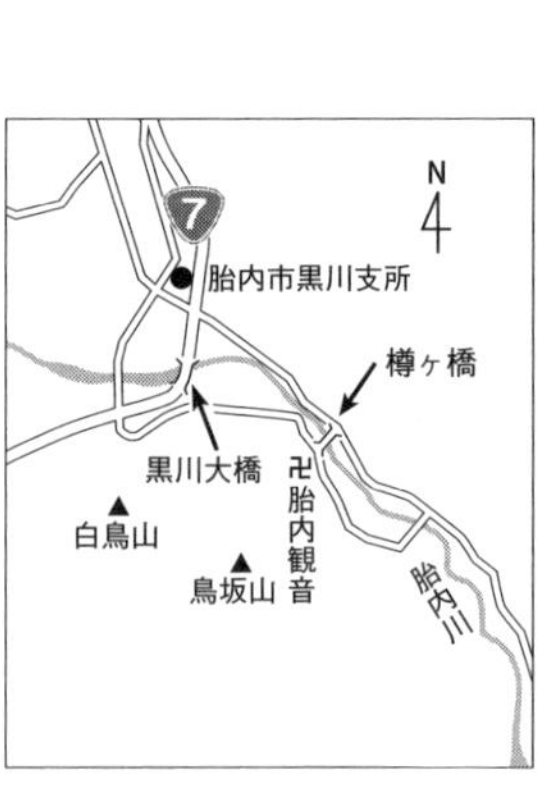

現在の樽ケ橋（奥のアーチ）。胎内川の両岸に岩崖の渓谷が続く

川」が深い渓谷を刻んで北流し、その元（本）に開けた集落の意が樽本であろう。

こう見てくると、樽地名は渓谷と深く関わっていることに思い至る。一方、東京都八王子市から神奈川県相模原市へ越える峠に「大垂水峠」（389メートル）があり、山梨県山梨市から長野県川上村に越える峠に「大弛峠」（2350メートル）がある。このタルミ・ダルミは山並みの鞍部を呼んだもので、地形が弓形にタル（弛）んだ所である。

さらに弛みが進めばU字形となり、この地形は水を集めて渓谷となる。樽地名は地形「タルみ」の語幹から生まれた「タル」であろう。

1815（文化12）年編の『越後野志』に、越後の名のある21橋が載るが、その中に「樽ケ橋」がある。「橋長サ十一間、此川高キコト数尋（約9メートル）」橋上から川底を見ると目がくらむと、「景色美ニシテ佳境」とも述べている。橋長11間は20メートル弱、江戸期の橋は現在の4分の1に満たない川幅だけの橋であったようだ。

（2012年1月10日）

84 鳥坂山

「タオって登る」古城跡

櫛形山脈の北端が「鳥坂山」(438・4メートル)である。その北麓を胎内川が巻いて西流する。1201(建仁元)年、越後の豪族城資盛(平氏)は源氏に反旗を翻し、ここに立てこもるのである。

事の起こりは1180(治承4)年の源頼朝の伊豆での挙兵、これに呼応した信濃での源義仲の挙兵に始まる。源氏追討の宣旨を受けて城長茂は1万余騎を率いて信濃に攻め入った(『県史』)。千曲川左岸の横田川原で戦うが敗退する。帰郷して長茂は小川荘赤谷に城郭を構え、妙見菩薩に源氏を呪ったと『吾妻鏡』は伝えている。

その後、長茂は都にあって、建仁元年1月、幕府討伐の宣旨を後鳥羽上皇に請うが入れられず、暴挙を働いて吉野へ逃げる。しかし新津四郎らとともに誅殺されるのである。

長茂の甥資盛が鳥坂山に挙兵するのは、その年の5月。攻め手は鎌倉方の元御家人佐々木盛綱であった。しかし鳥坂山の士気は旺盛、守りは堅く激戦となる。資盛の伯母の板額御前は強弓の誉れ高く、「百発百中、当たって死なない者はない」と『吾妻鏡』が述べるほどで、攻め手を散々に苦

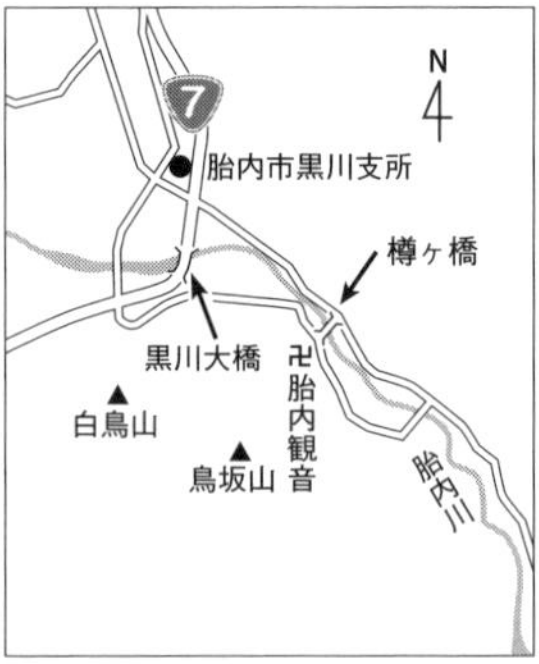

しめた話は名高い。

「鳥坂」は鶏のとさか（鶏冠）によるとする由来説がある。一連の山並みの凹凸やトッサカが鶏冠を想起させたかもしれない。しかし妙高市にも「鳥坂山」（347・3メートル）がある。読みも同じトッサカで、また古城跡でもある。麓に根小屋の「堀の内館」があって、いまも付近（上堀之内）から山へ登るくねり道が残る。しかし山頂部はむしろ平たんな感じで、鶏冠形ではない。

村上方言で急坂をS字に登ることを「タオって登る」という。「タオって」は「タオリて」で、タオリはS字のくねり道をいい、『万葉集』にも見える古語である。この「タオリ」が地名となり、多用する中で「トリ」となり、「鳥」と書く。峠をいう「トリ越（鳥越）」がその一例である。

「鳥坂山」は「タオリ坂山」であろう。くねり坂を登る山の意である。北の「白鳥山」（298メートル）は板額御前の実戦地といい、また古城跡でもある。城への登り道を「城のタオリ」、転じて「城トリ」、これを「白鳥」と表記して山名としたのではあるまいか。

（2012年1月24日）

鳥坂山（右・主峰）と白鳥山（左端）。右側の民家は胎内市半山集落

85 胎内川

「タイ」は川岸の台地か

平成の大合併に当たって、旧中条町と旧黒川村が合併して胎内市が誕生した。この胎内の市名は、旧両町村の間を流れる胎内川に由来することは既にご承知の通りである。

この川は鎌倉時代末期の「越後国奥山荘波月条絵図」（国指定文化財）には「太伊乃河」と見える。この絵図は北が上で、河は右（東）から左（西）へ流れている。途中3筋に分かれ、北から「古河」「新河」「新河」である。古河の北岸中央に「波月条四郎茂長家」が描かれ、その右側に「波月条東堺」、左側に「波月条西堺」と書かれている。

ちなみに、右上には「久佐宇津条」が見える。久佐宇津とは原油のことで、その湧出地の地名である。左隣には「久佐宇津下鋳師家」とあるが、ここは金属技術者鋳物師が住居した所であろう。茂長家の西に巨木が3本描かれ「随願房前林」とあるが、後述の「槻」の林か。西端には「高野市」、河の左岸（下側）には「七日市」「石曾根条」「茂連屋敷」「藤太夫名」などが描かれ、中世の地方の条や市、屋敷や名などの所在やその位置関係を知ることのできる貴重な絵図である。

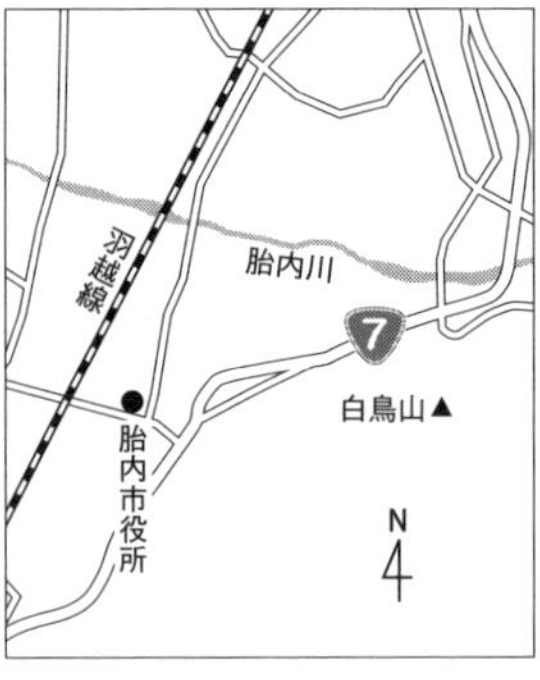

波月の由来を、川面の波間にきらめき映る月影などとする向きもあるが、都人ならいざ知らず、地方にみやびな地名はなじまない。波月は「並み槻」であろう。槻は欅（けやき）の古名であり、現在の集落並槻はその遺称だと考える。

国重要文化財の「越後国奥山荘波月条絵図」 胎内川は右端に「太伊乃河」とある（胎内市教育委員会提供）

現在の油坪＝中世の久佐宇津条のうち

「太伊乃河」は1241（仁治2）年の文書には「たいのかハ」、1597（慶長2）年の国絵図では「たゐな川」である。「乃・の・な」を助詞とすれば、「太伊・たい・たゐ」、つまり「タイ」が由来の核心であろう。

地元には、早春、この川の源流部にある杁差岳（えぶりさし）（1636メートル）に現れる「鯛（たい）の頭」の雪形から「鯛の川」とする説がある。

ただ白馬（代馬）岳、光兎山、杁差岳など雪形からの地名は、すべて山名で河川名ではない。タイは台地とは考えられないか。この河の中流部左岸の「熱田坂」や右岸「夏井」には台地が広がり、夏井には１９７２（昭和47）年、全国植樹祭のあった「胎内平」もある。タイはタイラ（平）の古称である。

（２０１２年２月14日）

《補注》第72稿「ダイとダイラ」参照。

86 半山

粘土の古名「はに」が語源

胎内市内を国道7号で北へ向かうと、旧中条町に「半山」の信号がある。右折して1キロほど進むと「半山」、１９８０（昭和55）年の世帯数46、現在１８４世帯と発展をみせている集落だ。半山

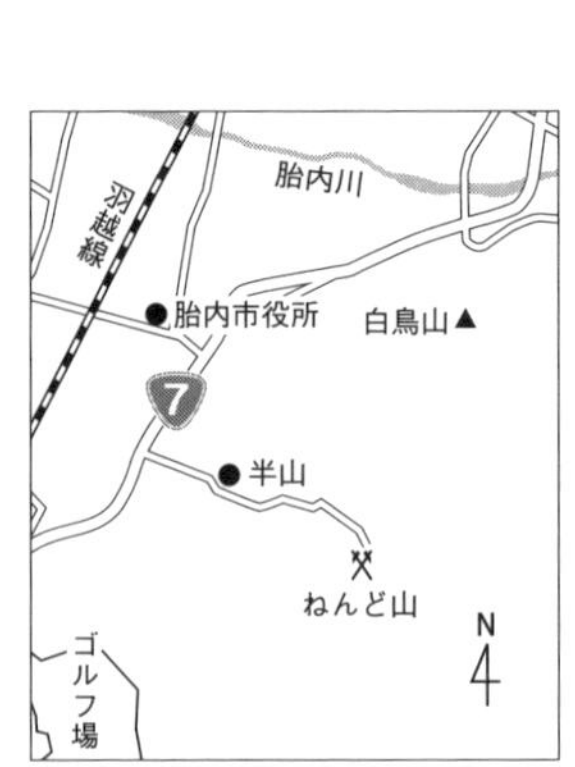

とは何からついた名だろうか。

半山を「半島状の丘陵地形から」とする地名解がある。しかしこれは的を射ていないと思う。理由は「半島」は西欧語を和訳して生まれた語で、半山地名のはるか後のことである。

もう一つは原則論だが、越後や佐渡の古い地名は「和語」で付いている。和語とはもともとの日本語で「やまことば」ともいう。

胎内市半山集落　粘土鉱山は背後の丘陵中ほどの沢奥にある。背景は櫛形山脈

ところで半山は、半（ハン）は漢字の音（オン）で読み、山（やま）は訓で読む。つまり「音―訓」の不自然な重箱読みになっている。この場合、一般にオンで読む語は字音を借りているだけで文字に意味はない。

それならば「ハン」とは何か。和語の「はに」だと考える。「Hani→Han」の転訛だ。類似の地名に、柏崎市の「半田」「半明（はんみょう）」（旧西山町）、長岡市の「半蔵金（はんぞうがね）」などが挙げられる。

半山を国土地理院（昭和46年）の地形図で見ると、集落の東南東約1キロの沢奥に採鉱地「⚒」の記号があり、「ねんど」と表記されている。そして粘土の古名が「はに」である。漢字では「埴」で、古墳に出土する「埴輪（はにわ）」は粘土で作られている。また古墳時代から平安期にかけての土器を土師器（はじき）と呼ぶが、ハジ（土師）とは「はに

往年のねんど（粘土）山=胎内市半山

師」のことで、粘土で器物を作る人の意である。

半山の周辺にはかつて瓦屋が2軒ほどあって、瓦を焼いていたという。稲刈り後、田の耕土を剥がすと粘土盤で、これを瓦に焼いたというのだ。

半山の沢の粘土は酸性白土と呼ばれ、薄青い粘土だ。採掘は1944（昭和19）年、石油精製のための軍需工場が始まりという。当初は粘土山から工場まで空中に索道が架設され、これで粘土を搬送していた。工場はJR中条駅に近い「水沢化学工業」で、ここで加工、出荷された。現在は食用油の添加などに用いられると聞く。

創業以来68年、掘っても掘っても尽きることを知らない露天掘りである。半山は粘土の山であることを、遠い昔から地域の人々に教えていた地名だと考える。


（2012年2月28日）

87 大塚・城ノ山

県内で最北の前期古墳

胎内市に「大塚」という集落がある。国道7号の西約2キロ、柴橋集落から塩津集落へ向かう道の東側で、1889（明治22）年の戸数15、現世帯数18と大きくはないが、素晴らしい歴史を持つ集落だ。

1277（建治3）年、この地域を支配していた高井道円が、孫の彦二郎義長に譲り渡す文書の中に「おほつか」と見える。これが現在の大塚だという。田の中に杉林になった小山が見えるが、これが集落の名になった大塚だ。

『中条町史』（1982年刊）には「城ノ山」とあり、塚には古墳説や城氏の墳墓説があるが、発掘しなければ、その性格や年代は分からない、としている。城ノ山は鎌倉初期の越後城氏の墳墓説かららしい。なお城ノ山の東方200メートルには長径21メートル、短径20メートルの円形の小塚があって、大塚の副塚かともいわれていたが、1967（昭和42）年、その一本杉の洞穴に失火があり枯死、翌年に伐採されて、小塚は削平されたという。

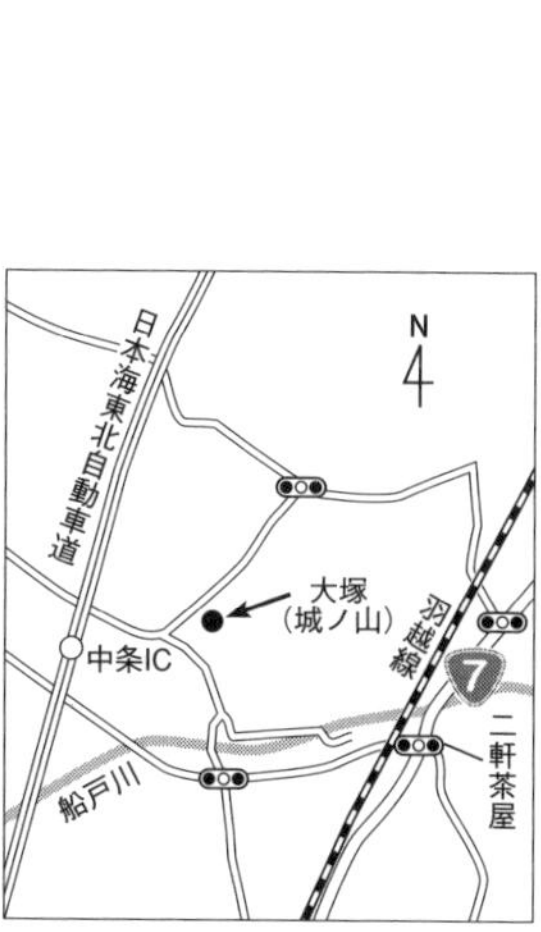

発掘調査前の大塚（ひと籠山 2004年撮影）

２００５（平成17）年、この大塚が発掘調査された。その結果、頂上部から幅１・６メートル、長さ７・３メートルの木棺が出土し、古墳であることが確認された。しかも出土した高坏・壺などから築造は４世紀初め、この地方で稲作が始まったころの首長の墓で、県内最北の前期古墳と分かった。

年を経て、取り残されたような、田の中の丸い小山は人々の想像をかき立てたようだ。こんな話が残っている。

昔々、朝比奈三郎という強力の大男がやって来て、関沢（現・胎内市）に形のよい小山を見つけ、地頭に所望した。地頭は明朝あけぬ間に運び終えたらと条件をつけて許諾した。「よし」と朝比奈は早速巨大な籠を用意し、小山を背負いわが家へ歩み出したが、途中で一番鶏が夜明けを告げた。やむなく籠の土を捨てたのが今の大塚、さらに２、３歩歩いて残りの土を払ったのが副塚だという。地域では、大塚を「ひと籠山」、副塚を「籠ほろき山」と愛称で呼んでいた。

集落大塚は寛文（１６６１～７３年）のころ、塩津潟（紫雲寺潟）の度重なる氾濫で柴橋に分散移住したという。しかし、この城ノ山ゆえに、集落の絆は、いまも固く守られているのだという。

（２０１２年３月13日）

88 船戸・大船戸

川筋に交通・交易の要衝

国道7号を新発田市から胎内市に入ってすぐ、西側前方に見える集落が「船戸」で、その北隣には「小船戸」集落がある。江戸時代の「元禄郷帳」と「天保郷帳」に、船戸の村高はそれぞれ352石余・421石余とあり、立派な農村集落である。

小船戸は46石余・52石余、「船戸村枝郷」とあり、小船戸は船戸の枝村であったことも分かる。このような農業地帯に「船」に関わる地名が存在するのは不思議な感じだが、なぜか。

1816（文化13）年の「越後輿地全図」（部分）を見てみよう。ここに船戸は「大船（舩）戸」とあり、ますます興味深い。しかしよく見ると、ここにはっきりと川筋が描かれている。現在の舟戸川であろう。小船戸にも川筋があり、これらの川は双方とも胎内川の分流で、末はかつてあった紫雲寺潟（塩津潟）に注いでいたのである。

享保年間（1716～36年）の干拓以前の紫雲寺潟（塩津潟）は、日本海岸の砂丘の発達により胎内川・加治川が北へ南へ曲流し、そのため潟を経由して北は荒川河口から南は新潟の町まで船を

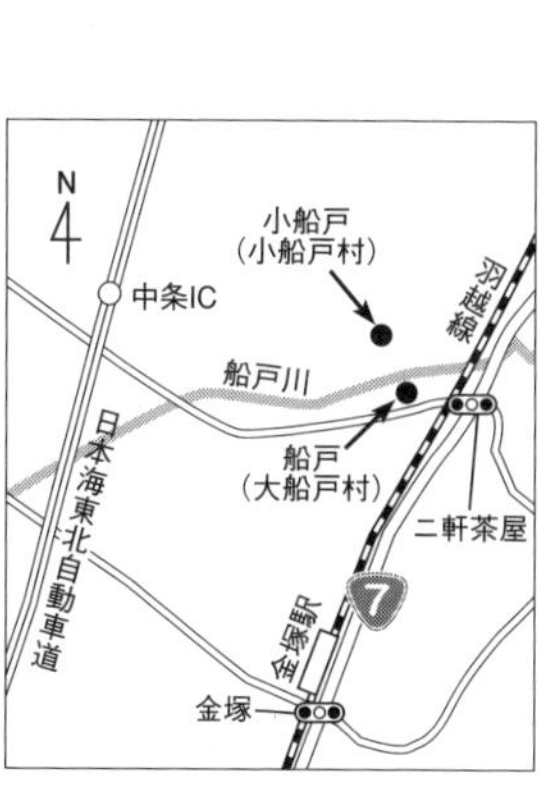

通わせることのできる交通・交易の要衝だったのである。

船戸はこの紫雲寺潟のすぐそばに位置し、その重要な船場であったと考えられるのである。これを裏付ける遺跡が2000（平成12）年、船戸の字「蔵ノ坪」で発掘された。

建物跡が15棟ほど、8世紀後半～9世紀後半（奈良―平安時代）にかけての土師器・須恵器が多数出土し、その中に「津」と墨書された土器と「少目御館米五斗」と書かれた木簡が出土したのである。木簡は「しょうさかん（少目）おんたち（御館）こめごと（米五斗）」と読むことができるという。「少目」とは国司の役人で、この船戸からそう遠くない所に国の役人が駐在した可能性が見えてきたのである。

「蔵ノ坪」の字名は、船揚げした荷の蔵の所在地を示すと考えられ、「津」の墨書土器は湊の存在

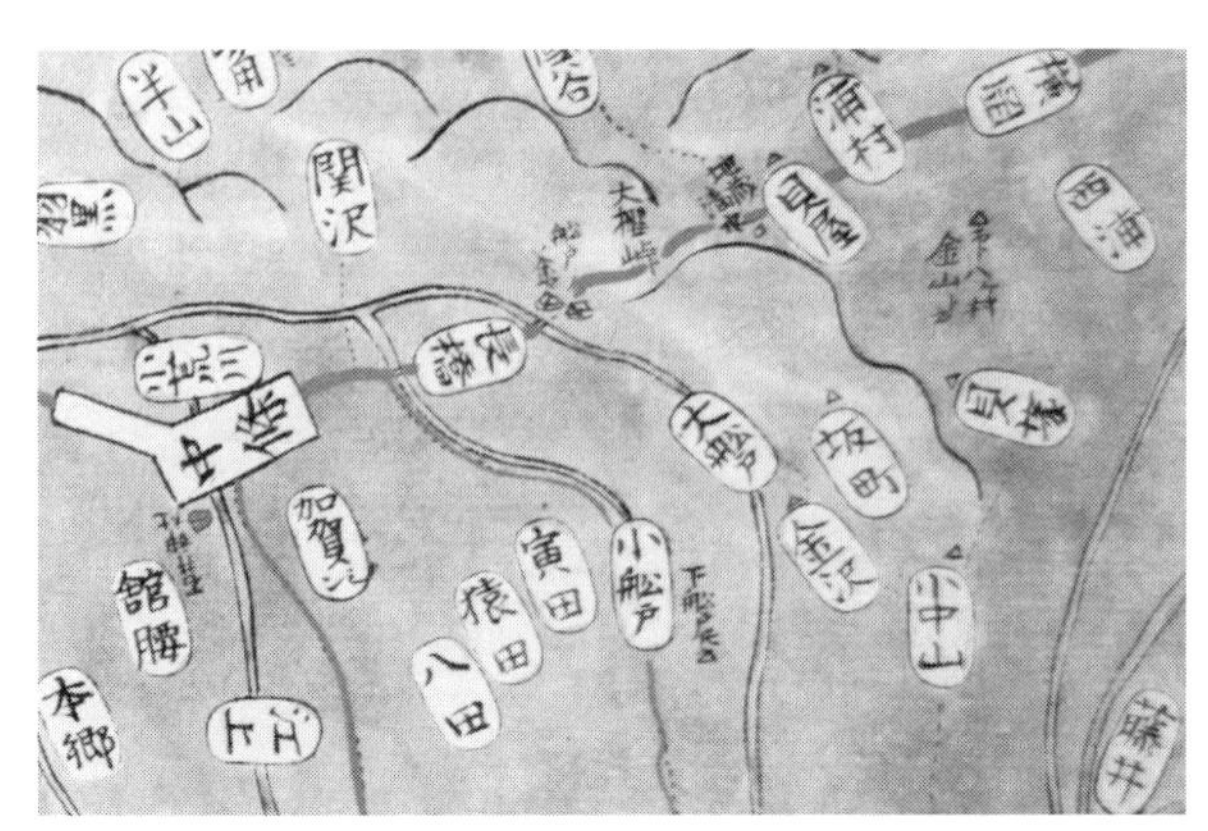

「越後輿地全図」の一部分　「大舩（ふな）戸」「小舩戸」の文字が見える＝胎内市教育委員会提供（下図も同じ）

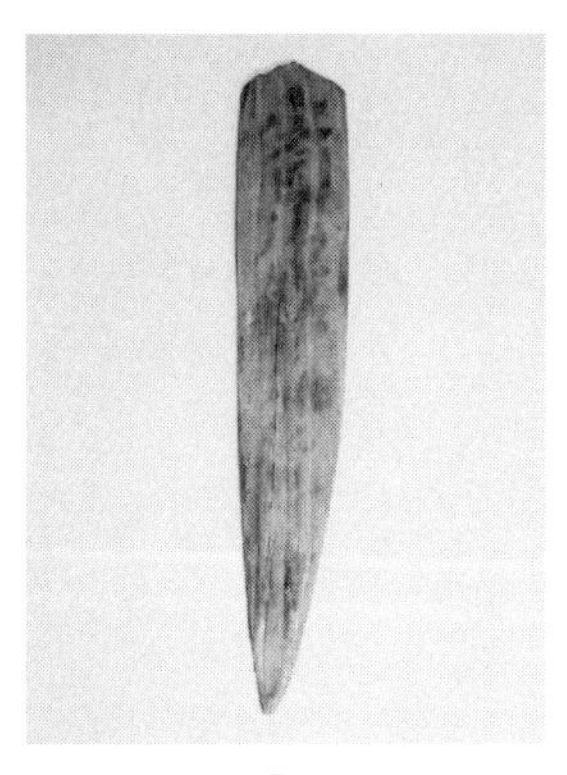
蔵ノ坪木簡「少目御館米五斗」とある

蔵ノ坪「津」と書かれている墨書土器

を語っているといえよう。「船戸」は「船渡」とも書かれるが、「戸・渡」は場所をいう「ト」という和語を漢字書きしたもので、文字に意味はない。「大船戸」とは立派な船着き場の意である。

（2012年3月27日）

89 貝屋・貝塚

山峡と水辺の縄文遺跡

胎内市の南端、国道7号に「二軒茶屋」という郷愁を誘う信号がある。1816（文化13）年の「越後輿地全図」を見ると、当時「米沢街道」と呼ばれていた長橋（胎内市）から貝屋（新発田市）に抜ける峠の入り口に、2軒の民家が描かれ「船戸茶ヤ」の傍記がある。これが「二軒茶屋」の起こりではあるまいか。

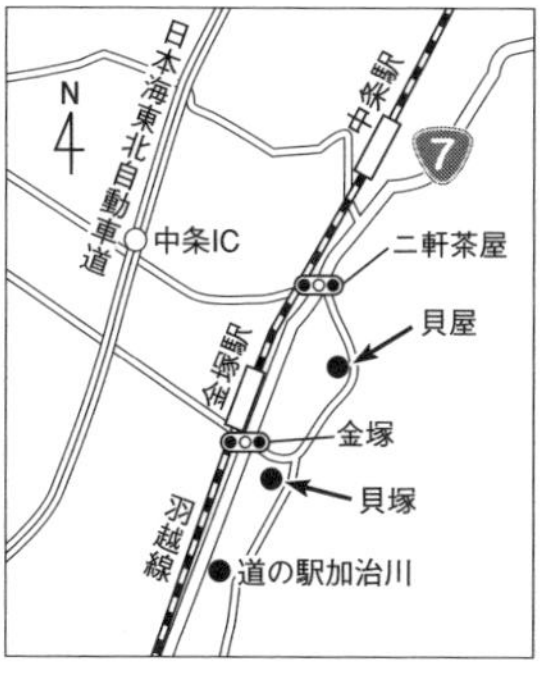

「船戸」を冠しているのは、ここが船戸（現・胎内市）地内であることによると思われる。なお、

正面の丘が貝塚遺跡　金山方面から写した。左側の民家が貝塚集落

貝塚遺跡の標柱

大桜峠の頂上付近には、鈴木道喜の頌徳碑が立つが、鈴木もまた船戸の人で、峠の往来困難を見かねて私財を投じてこれを開削、1849（嘉永2）年、幕府代官から白銀10枚を付与されたという。碑文には「旅人のこえなづむ…窪田なす大桜のたむけを…」云々とある。

「大桜峠」は小桜とも見かけるが、国土地理院地形図も古文献も「大桜」で、かつて存在した桜の大樹の地名化したものではあるまいか。往時の街道筋で、現在の国道7号が完工する1962（昭和37）年以前は、難所であるが是が非でも越えなければならない峠だったのである。越えると「地蔵清水」、そして「貝屋」である。

貝屋には、古代の須恵器窯跡があり、また縄文中期〜後期の遺跡もある。『加治川村誌』は「村名もそうした遺跡によって…」とするが、現地を見ると貝屋は地形からであろう。カイは「やまかい（山峡）」のカイであり、山と山の狭まった所をいう語。「貝谷」とも書くというが、「峡谷（かいや）」が原意であろう。

貝屋の南西約1キロに「貝塚」集落がある。集落は丘の南側を巻くように立地するが、この丘の上の畑地に「貝塚遺跡」がある。縄文中期、約5000年前の遺跡といい、昭和初期の発掘調査というが、淡水産のシジミ貝塚で、石器・土偶・人骨も発掘検出されているという。

貝塚のカイは貝殻の「貝」であろう。この丘は、かつては旧紫雲寺潟の湖面に面していたことが、遺跡や地名からも分かるのである。なお、紫雲寺潟（塩津潟）干拓以前は舟便交易の要でもあったらしく、「五日市」という「市」地名が小字名として残っている。

（2012年4月10日）

90 金山・境

大きな金掘り穴が残る

新潟市から国道7号を北へ、新発田市のＪＲ金塚駅手前を右折すると、正面に見える山が願文山（がんもん）、その麓の集落が「金山」で、右方に「境（さかい）」集落がある。

かつての金山村は周辺の貝屋・貝塚・坂町・金沢・小中山などを含めた一帯の呼称でもあり、「金山八ケ村」などの呼び名も存在した。

１２７７（建治３）年、高井道円の譲状案に、奥山庄（おくやまのしょう）「かなやま」と見える集落で、その後、鎌倉幕府の崩壊により建武政府から没収されたとも、某寺が寺領を主張するなど、南北朝期のこの地をめぐる争いは絶えなかった。しかし１３５４（文和３）年以降は中条（三浦和田）家の領有となり、さらにその血筋の金山氏に引き継がれるが、１５９８（慶長３）年には村上藩領として江戸時代を迎えるのである。

現在の金山は、「正保国絵図」（１６４５年ごろ）に「浦村（うらむら）三四〇石余」と見え、浦村の呼称は１８７９（明治12）年まで及ぶ。「浦」は水辺の岸を指す。

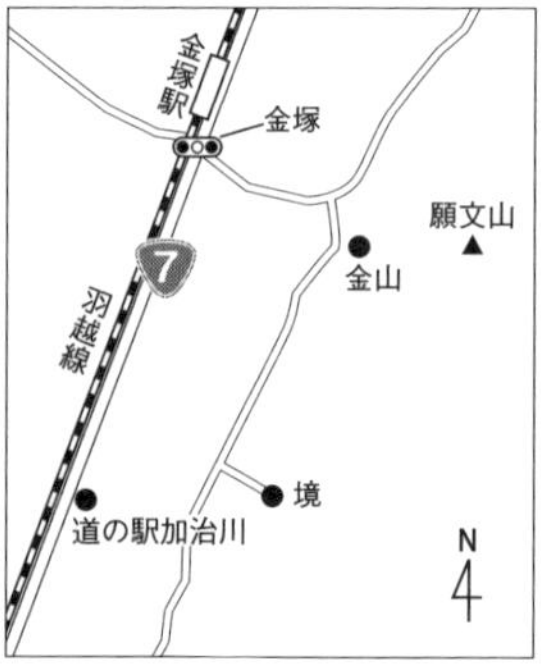

推測の域を出ないが、新潟平野の堆積を年2ミリとする説もあり、1000年なら2メートル。また貝塚に「五日市」の市場地名もあり、「浦村」が古塩津潟（紫雲寺潟）の縁辺に位置した時代はなかったか、浦地名のロマンは広がる。

1219（承久元）年正月、時の将軍・実朝が鎌倉で暗殺されるという事件が起こった。これを機に政権を奪還すべく後鳥羽上皇は動く。その宣旨の使者酒匂家賢が、朝廷方に誘うために加治庄佐々木信実の元へ駆け付けたのは、1221（承久3）年5月であった。しかし信実は使者を拒否した。

『吾妻鏡』によれば家賢は、せんかたなく一味60余人と「加治庄願文山に拠ったが、これを信実が追討した」と述べる。願文山を加治庄と誤記するが、奥山と加治との庄境

金山集落の背後に立つ願文山　右手の先に境集落がある

境集落

が「境」集落であったから、この誤記もむべなるかな。そして『吾妻鏡』は「関東武士が官軍を破るの初め也」と結ぶ。

金山の由来は、集落を流れる金山川の上流、「池の沢」付近に時代も人も不詳だが、大きな金掘り穴が見られるからという。幾星霜、時代の歴史を深く刻んできた金山であるが、今は静かな自然の中の村里である。

（２０１２年４月24日）

91 要害山・藤戸神社

盛綱の戦功の地を記念

新発田市街から国道7号で加治大橋を渡ると、国道２９０号が東に分岐する。２キロほど進むと左手に小高い山峰が見えてくる。これが要害山（１６５・７メートル）で、中世加治佐々木氏の山城

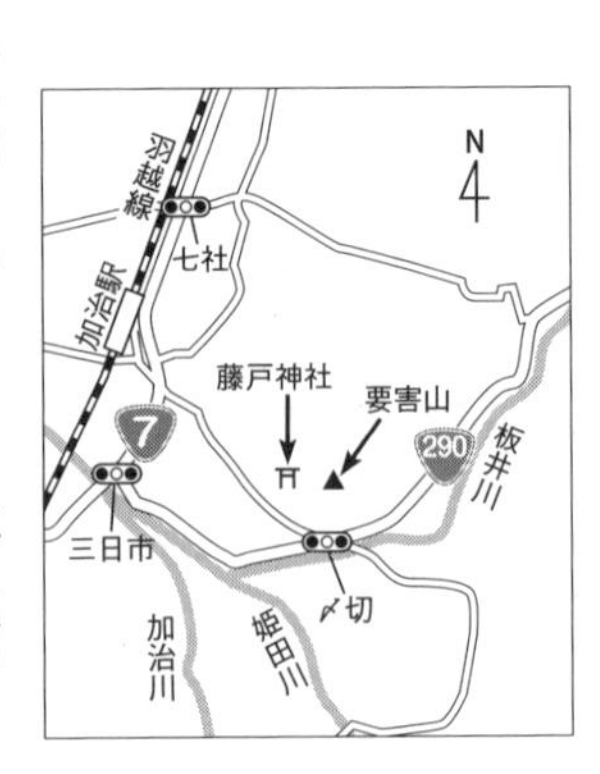

である。麓の集落は「東宮内」、集落から山頂へ登る中ほどに「藤戸神社」がある。

「要害」とは地勢険しく、味方に要、敵には害の意で、中世の山城をいう語である。この要害山は、山頂に主郭が、周囲の尾根に曲輪や空堀の遺構がある。「藤戸神社」は長い石段を上るが、古くは山頂の城郭の一角に社地があったといい、「元社」の地名を残す。


「藤戸合戦絵図」（藤戸寺蔵）に描かれる海峡を進む盛綱（中央）。右に陣取るのは源氏、左には平家が描かれている

藤戸神社の標柱と要害山

「藤戸」とはあまり聞き慣れない名であるが、何に由来するのであろうか。

佐々木氏は宇多天皇の流れをくむ源氏で、近江国佐々木荘を領し、佐々木姓を名乗った。佐々木秀義は平治の乱の折、源義朝（頼朝の父）にくみするが敗北、佐々木荘を失った。その結果、13歳の頼朝は伊豆に配流となり、秀義も相模国渋谷荘に身を寄せる。この秀

義の三男が後の加治荘地頭佐々木盛綱なのである。

１１８０（治承４）年、雌伏20年の頼朝が伊豆で挙兵、いち早く盛綱もはせ参じ、以後、源平合戦のただ中に身を投ずることになる。

１１８４（寿永３）年、源氏は西国に平家を追う。12月、備前（岡山県）児島に陣取る平家と海峡を挟んで対峙するが、水軍のない源氏はいたずらに日を送る。この時、盛綱は漁師に海の浅瀬を聞き、機を見て騎馬の敵前上陸を決行し、壇ノ浦に平家を滅ぼす戦端を開いたのである。

これを世に「藤戸合戦」といい、合戦の後、亡きものとした漁師の大法要を行ったのが「藤戸寺」。この藤戸寺は現在の倉敷市藤戸町藤戸にある。いまは陸地化したが、海峡であった昔は「藤戸の渡し」のあった所でもある。

佐々木盛綱は、藤戸などの戦功により、加治荘の地頭に補せられた。櫛形山脈の南端を要害とし、山頂に佐々木氏の始祖宇多天皇を祭り、これに盛綱一代の戦功の地を記念して藤戸を冠し、「藤戸神社」としたものと考える。

（２０１２年５月８日）

92 水原

ルーツの「杉原」が転訛

新潟市街から国道49号を20キロほど進むと「水原」である。江戸中期には「水原代官所」が、明治初頭には「越後府」、「水原県」の庁舎も置かれ、近年は阿賀野市役所の所在地である。

われわれは「水原」を「すいばら」と読んで普通だと思っているが、他県の人なら「みずはら」と読むであろう。それがいわば常識である。

「阿賀野川の洪水および湿地帯で湛水（たんすい）被害を繰り返したことから水原と呼んだ」とは某書の説だが、現代日本人の陥りやすい地名解の典型である。字音と字訓の別がないがしろになっている。「水」をスイとするのは中国由来の発音で、日本の自然地名に付くはずがない。

十数年前、水原代官所を訪ねた。正面向かって左側に「杉原常陸介碑（すぎはらひたちのすけひ）」が立つ。一方、傍らに「水原常陸介碑移転記念」とある。この「杉原」「水原」の矛盾を町でただすと、水原城主であった常陸介は、大坂冬の陣（1614年）で手柄を立て、将軍秀忠から感状をもらったが、祐筆（ゆうひつ）が書き誤って水原を杉原としたのだという。『水原町編年史』などにも水原・杉原の確たる記述はない。

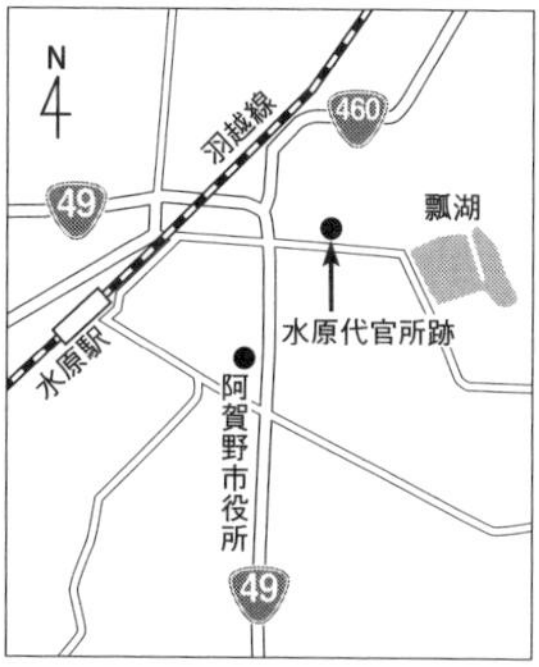

水原代官所前の「杉原常陸介碑」　左の移転記念碑には「水原常陸介」とある

伊豆の豪族大見氏は1186（文治2）年、源頼朝から白河荘(しらかわのしょう)の地頭に補せられるが、1229（寛喜元）年のその譲状に「白河庄之内水原条」と見え、これが水原の初見だという。やがて大見氏の中から水原氏が現れ、その系図の上に杉原常陸介が登場（1586年）するのである。一見、水原→杉原には唐突の感も否めないが、『北国太平記』によれば、杉原城主として杉原左近将監が在城し、『北越軍記』には杉原壱岐守(いきのかみ)憲家が見える。いずれも常陸介以前の人物と地名である。

思うに、平安末期あたりから水原と杉原とは並行して存在していたのではあるまいか。杉原のギは古くは鼻濁音の「ギ」で、イに極めて近い発音であった。従ってスギハラはスイバラに転訛するのである。それを「水原」と表記したと考える。

昔の「美しき」は、いま「美しい」である。また「泳ぎて・漕ぎて」は、いま「泳いで・漕いで」に移っている。キ（ギ）→イは移ろいやすい転訛で、文法では《イ音便》と呼んでいる。しかし改まると「美しき日本」のように先祖返りもする。スイバラ（水原）のルーツはスギハラ（杉原）である。

関連して、佐渡市の小佐渡に「水津（すいづ）」という港集落がある。杉の生育の適地と見えて集

復元された 水原代官所

落の並びに見事な杉林が見える。杉の枯れ葉をたきつけに用いるのは、かつての庶民の生活であった。これを通常「すぎっぱ（杉葉）」などと呼んだが、水津ではこれを「すいば」と呼ぶ。つまり「杉」を「スイ」と発音するのである。よって「すいづ」は「杉津」が本然の地名と考えることができよう。また福井県敦賀市に「杉津」という漁港があるが、この訓みは「すいづ」である。参考となろう。

平成の合併以前の水原町役場でのご教示だが、水原氏の末裔には「水原」と「杉原」の双方があり、役場に来られて「杉原」の名刺を出し「スイバラです」と名乗られる方があったという。杉原（すぎはら）が転訛して「すいばら」となり「水原」と表記されたことは疑いない事実であろう。

（2012年5月22日）

93 沢海・草荷

水草が生える低湿地帯

新潟市街から国道49号を東へ、阿賀野川を渡る手前で右折、約３キロで「沢海」（新潟市江南区）である。

『沢海城物語』（１９７６年刊）によれば、沢海の初見は１５３２（天文元）年であるという。１５９８（慶長３）年、上杉景勝が会津に移封となり、代わって越前から堀秀治が高田へ、新発田には与力大名として溝口秀勝が加賀大聖寺から入部する。秀勝の次男に善勝がおり、善勝は１６１１（慶長16）年、蒲原郡19カ村ほかを合わせて、１万４０００石の沢海藩を立藩するのである。

この城がどこにあったのか。『沢海城物語』は、現在の沢海集落の東南、恐らくは堤防と堤防地と河川敷にまたがる辺りかという。また築城以前の沢海は囲いも堤もなく、水一面に押し流され、水が引いてもくぼ地には水がたまり、築城に当たり二重に土手を築いたとも述べている。しかし沢海藩は４代政親の１６８７（貞享４）年に除封となり、城は荒れ、畑地化していったらしい。

「さわ（沢）」を『広辞苑』で見ると（１）低くて水がたまり水草の交じり生えた地。（２）山あい

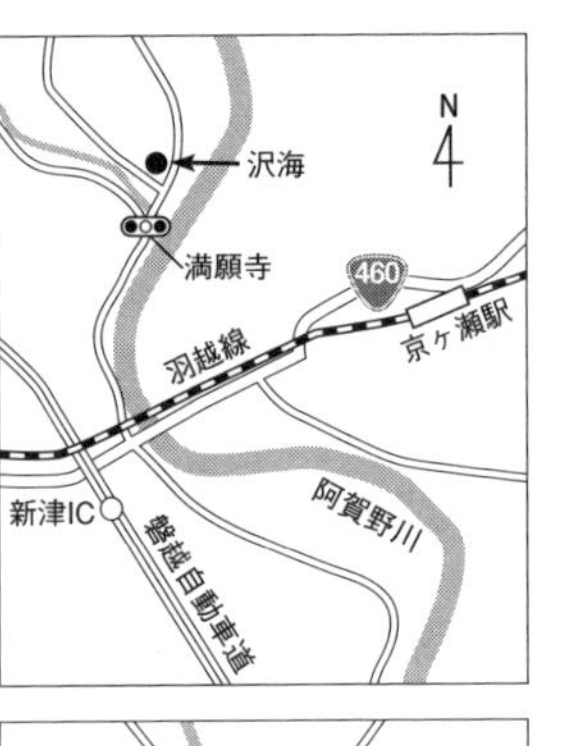

の比較的小さな渓谷―とある。沢海のサワは（1）であろう。ウミはアワウミ（淡海）・ミズウミ（湖）のウミで、大きく水の集まった所である。沢海はサワウミがソウミに転訛した。当てた文字（漢字）が土地の実態に沿った例である。

新発田市に「草荷（そうか）」がある。塩津潟（紫雲寺潟）干拓以前は北に「塩津潟」、南に「加治川」、西に「境川」があった。砂丘列上に縄文・弥生の遺跡も見られるが、総体としては低湿の水害常襲地である。『加治川村誌』は由来を「草と荷（蓮）の潟べりか」とするが、草荷が音読みであることに留意がない。

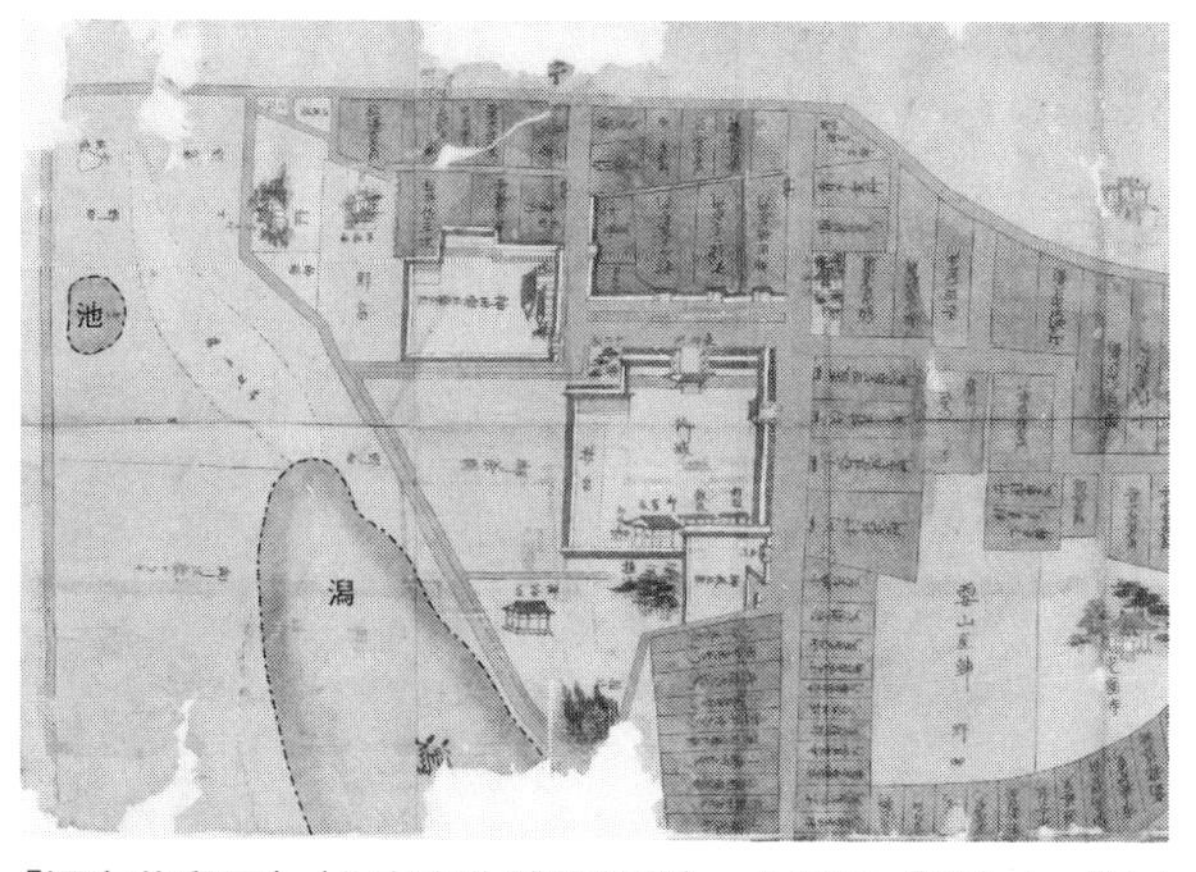

「沢海藩邸図」（北方文化博物館蔵）　左側の「潟」と「池」は昔の沢海の面影をしのばせる

草荷集落　左奥は加治川堤防

埼玉県に「草加（市）」がある。草加は日光街道の宿場で、煎餅で有名となった。「古利根川」低地に位置し、洪水の歴史を重ねている。「草」は字音「サウ」で「沢」に通じ、「荷・加」は「在りカ」「住みカ」などのカで、場所を指しており、文字に意味はない。草荷（草加も）のルーツは「さわか（沢処）」で、水たまり水草生える地の意であろう。ちなみに、塩津潟干拓後の草荷の村高は、干拓前のおよそ30倍である。干拓前の水腐地の広大さを教えてくれる数字である。

（2012年6月12日）

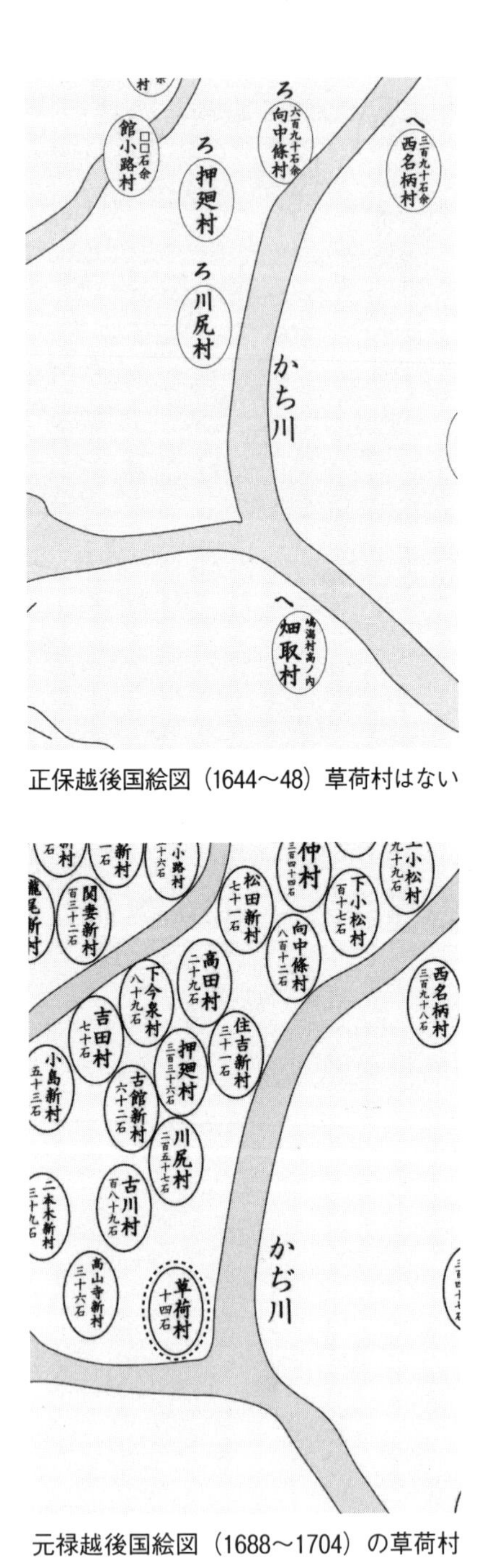

正保越後国絵図（1644〜48）草荷村はない

元禄越後国絵図（1688〜1704）の草荷村

《補注》　草荷のルーツ「さわか」は普通名詞で「水草の交じり生えた低地」をそう呼び習わしていたのであるから、地名の発祥は定かではない。場所は塩津潟の落ち尻と加治川の合流点付近で、雨のたびに冠水していたであろう。ちなみに1654年ごろの「正保国絵図」にはそれらしい集落は見えない。それが1700年の「元禄越後国絵図」には「草荷村」として現れる。さらに1842年の「天保越後細見図」には「草荷」と「下草荷」が載る。現在の「草荷」と「山草荷」であろうか。こうした時代時代の地図からも「さわか」の地が漸次開発されて集落が立ち上がっていった様子が読み取れるのである。

埼玉県の「草加」の場合も似た経過をたどる。『草加の歴史随歩』によると、

中世末の草加辺は集落らしい集落の形成はみられず、1614（慶長19）年以降の梅津政景の日記にも「さうか」「さう加」「草賀」という文字が登場し、わずかながら「草加」も見えるが「草加村」「草加宿」という記述は登場しない。

とあり、草加が江戸時代初めに、ようやく集落らしい姿を見せてくることが分かる。また明治以降の農業については、

低地に位置する草加では水田ではコメをつくり、…沼地ではレンコン・クワイなどを栽培していた。

とあり、さらに、1966（昭和41）年6月の台風による集中豪雨の部分では、

流域でいちばん低い土地であったから湛水するのはいの一番、引水するのはいちばん最後という有様で、住民は何日も長靴で駅まで行き、そこで靴に履き替えて通勤通学していたのである。

ともある。以前、市役所に電話で尋ねると、「松原団地」付近が最も水はけが悪く、草加のまち自体がスプーン皿の底のような所です、とご教示いただいた記憶がある。「草加」も沼沢の低地が開発されて今日に至ったことのよく分かる土地なのである。

94 新津・古津

新しい湊と歴史ある湊

明治以降、石油のまち・鉄道のまちとして知られた「新津」（新潟市秋葉区）は、江戸初期から北国街道脇本道の宿場として栄えていた。

この新津が歴史の舞台に登場するのは、１２０１（建仁元）年の『吾妻鏡』の記述で、越後守城(じょう)長茂(ながもち)に従い都にあった新津四郎が、長茂の謀略の失敗で吉野の山中で討たれる部分である。『吾妻鏡』はまた、１２２１（承久３）年、金津資義が承久の乱鎮圧のため、北条朝時に従い上洛(じょうらく)したことを述べる。この新津四郎、金津資義の姓はいずれも地名から出ている。

『尊卑分脈』などによれば、金津資義は、また平賀資義ともいい、平賀氏は新羅(しんら)三郎義光を祖とすると伝え、鎌倉初期に「金津保」の地頭職に任じられた模様である。資義は金津に城を築き、子の代には新津氏も建てている。

「古津」はこの新津と金津の間に位置する。越後の古図として著名な寛治3年図（１０８９年）などは、越後平野は一面の海で、新津・古津はその海浜に臨んでいる。それゆえか新津・古津をかつ

ては内湾に臨む船着き場と説くものも見受けたが、今日、この内湾の存在を諸学に照らして学術的に認める根拠は存在しない。康平3年図（1060年）とともに、この種の絵図を江戸期の偽作とする説に従いたい。

古津東部の新津丘陵には1987（昭和62）年、弥生時代後期の大規模な高地性環濠（かんごう）集落が発見された。「古津八幡山遺跡」である。この遺跡はいわゆる「倭国の大乱」により、高地の生活を余儀なくされた人々で、弥生の終末期には麓に下りる。そしてこの低地に「舟戸遺跡」が出現するのである。この舟戸遺跡の首長こそ県内最大、直径およそ60メートルの「古津八幡山古墳」に葬られた主なのである。

古津八幡山遺跡遠望　丘陵中央部の杉木立の下に八幡山古墳がある。手前が古津集落

古津は新津に対する湊（みなと）の意であり、「舟戸」は船着き場をいう。金津川は「東大通川」を経て信濃川に通じるが、「大通」は舟が盛んに通う水路（川）の意である。古津ははるかな歴史を秘めた湊、新津は「能代川」に開かれた新しい湊だが、いまその位置の判然としないことが惜しまれる。

（2012年6月26日）

95　八木鼻・五十嵐川

ヤギは岩崖、イカは溢水

「八木鼻」は三条市下田地区のほぼ中央、守門川が五十嵐川に合流するすぐ下流に位置する。屏風を立てたような見事な絶壁で、ハヤブサが営巣する岩壁としても知られている。「鼻」は地形の出っ張りを呼ぶ語だから「八木」はこの切り立つ岩壁を呼んだものと思う。

この地形は、隆起した流紋岩を気の遠くなるような年月をかけて表土と岩を自然が削り落としたもので、われわれの祖先がこの地に住み始めたとき、この崖は既にほぼ今の姿でここに存在した。雄大な岩崖は人々の信仰を集め、よき目印となり、地名となった。その名は現代語で言えば「いわがけ（岩崖）」であったろう。

古く人々は崖を「ハキ・ハギ」と呼んでいたから、当初は「いわハギ」であったろう。しかし、使っているうちに「やハギ」となった。「いわ」は「ヤ」に転訛しやすい語なのである（第49・50・66稿参照）。

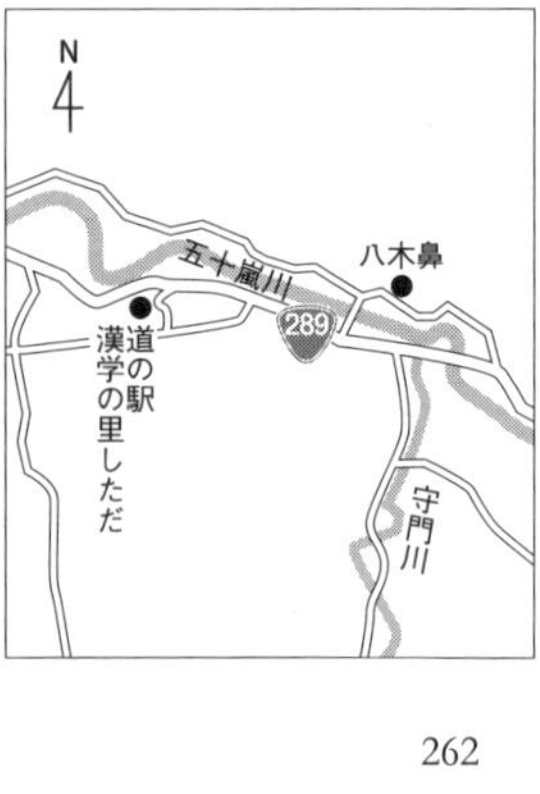

八木鼻は「やハギはな」と呼ばれる。だが日常使用する地名としては、いかにも長い。そこでい

ま一度詰まる。こうして「やぎはな」が誕生するのである。もちろん八木は当て字である。

ちなみに明石原人が発掘された兵庫県の「八木海岸」も瀬戸内海に面した一枚岩状の絶壁が続いている。

八木鼻の岩壁とその足元を流れる五十嵐川（三条市提供）

さて八木鼻の足元を流れる川が五十嵐川だが、五十嵐川は氾濫する川の意である。『下田村史』（１９７１年刊）にも近世の水害が載るが、この川の洪水は太古からであったろう。「いか」は溢水をいう古語だからだ。青森県で「イカる」は川の氾濫をいう。同県旧碇ケ関村（現・平川市）は洪水で有名で、「イカり（碇）」は「イカる」の名詞形である。佐渡市沢根五十里（第34・59稿参照）は１００ミリの雨で溢水し、柏崎市五十刈は田舟で稲刈りをした。「イカめる・イカがる・イカえる」など県内には溢水に関わる方言が広く分布し、下田地区には「イカがり」がある。源は「イカあがり」で、水が溢れ上がる意。ちなみにアイヌ語の「イカ（ｉｋａ）」も溢水の意である。

下田地区飯田集落は、かつては「五十嵐」で、中世には「五十嵐保」の土豪五十嵐氏が居館を構えたところ。五十嵐の原意は「イカあらし」であろう。河川の氾濫による川荒れをいう地名とみる。

（２０１２年７月10日）

96 悪田・明戸

河川曲流部の肥沃な地

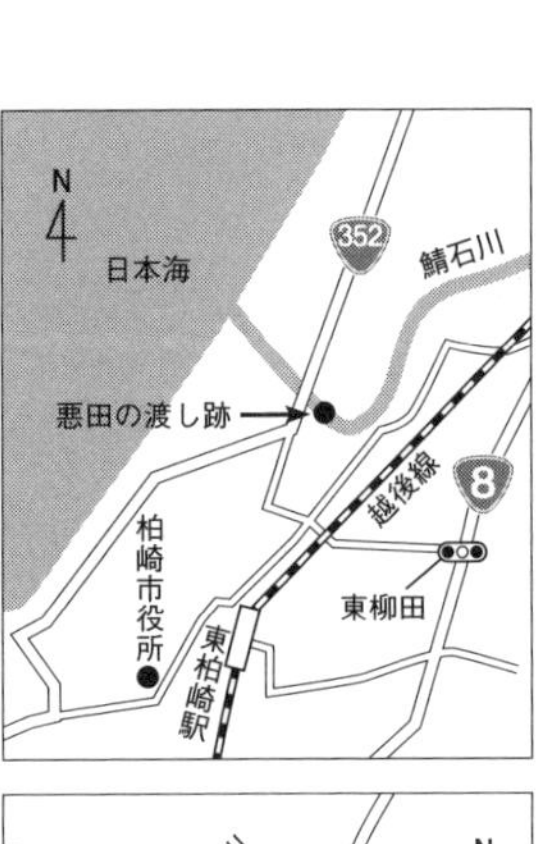

日本海沿いに北上する北国街道が「鯖石川」（柏崎市）に差し掛かると、三階節に「悪田（あくた）の渡しがなきゃよかろ」と歌われた渡し場があった。海岸からおよそ1キロ、現在は「安政橋」という立派な橋が架かっている。

この「悪田」の初見は戦国期の１５８６（天正14）年の「悪田渡守文書」だという。その由来を「良田といえない田であるから」ともみえるが、正しくないと思う。悪田は当て字で「悪い田」の意ではないからだ。古くは「阿久田（あくた）」とも「灰田（あくた）」とも書いた。

長岡市栃尾地区に「明戸（あけと）」がある。刈谷田川右岸の集落だ。１５６０（永禄3）年の文書に「あくと」と見え、１６４５年ごろの「正保国絵図」には「悪戸村」とある。また同じ刈谷田川の下流、見附市にかつて「明戸嶋村」（現・本明町）があったが、「正保国絵図」では「悪戸村」である。これら「あくと」は「あくだ」と同源で、いずれも川沿いの低湿地である。

塵芥と書いて「ちりあくた」と読み、また「ごみあくた」とも言うが、ちり・ごみ・あくたの別は明確ではない。わが祖先たちは、洪水によって上流から押し流されてきた泥土・ちり・ごみなどを総称して「あくた」とか「あくと」と呼んでいたと考えられ、悪田・悪戸はいずれも川の曲流部に位置し、肥沃な土地である。

「明戸」は「悪」の字を嫌って改めたものであろう。表記が「悪戸」から「明戸」に変わるのはいずれも江戸時代、正保（1644～48）以降である。柏崎市悪田は、1966（昭和41）年に桜木町・安政町等々に変わり、公称から「悪田」は消えた。

渡し場は1854（安政元）年、渡守たちが自費で架橋し、有料橋にしたという。安政橋の起こりである。いま、橋の西詰めに内閣総理大臣・故田中角栄氏

安政橋（柏崎市）から臨んだ「悪田の渡し」　橋から上流150メートル付近という。両岸は「あくた」の由来を示す河川敷

「悪田の渡し跡」記念碑

悪田稲荷神社

の揮毫（きごう）による「悪田の渡し跡記念碑」が立ち、往時の渡しをしのばせてくれている。

この碑の国道を挟んだ森の中に古い社が見えた。正面に立つと右手に高く「悪田稲荷神社」の高い標柱が立つ。おそらくは、この地が「悪田」と呼ばれた地域であったことの、唯一の証人ではなかろうか。心して参拝した。

これら「悪田」「明戸」の地名を訪ねると、時を経ていまなお「あくた」「あくと」に濁音さえ交えて「あぐだ」「あぐど」の呼称の健在なことに驚いた。同時に地域の人たちのこの地名に対するこだわりや思い、さらには愛惜の念さえ感じられたのである。

（2012年7月24日）

97 曽根

かつての河川氾濫跡か

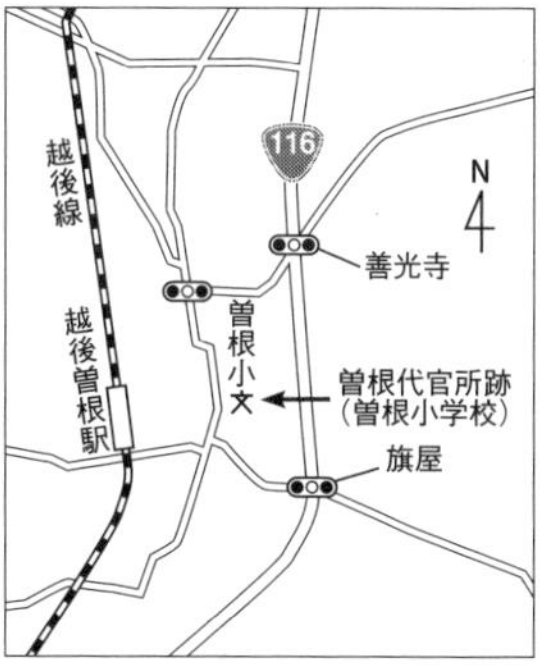

「曽根」という地名は新発田市、三条市、田上町、新潟市北区・秋葉区などに見える。「○○曽根」という地名も国土地理院の地形図では県内で十数カ所を数える。しかしその中で、旧西川町（新潟市西蒲区）の役場のあった「曽根」は人口も大きく、岩室甚句にも歌われ、知らぬ人はないほど著名である。

この曽根は中世の1463（寛正4）年の文書に「越州曽禰」と見えるのが初見といわれ、江戸期になって1618（元和4）年には長岡藩曽根組の代官所が置かれるようになる。月の2、7日には六斎市（ろくさい）が立ち、西川の水運も手伝って経済的にも近郷の中心的な存在となった。代官所跡は現在の曽根小学校で、建物は現存しないが、かつて代官所に生えていたという樫（かし）の大木が1本、当時をしのばせてくれる。

田上町の「曽根」は信濃川の右岸に位置し、1651（慶安4）年の開発といい、三条市の「曽根」は貝喰川（かいばみ）右岸にあり、1652（承応元）年以前の開発である。新発田市の「曽根」は新発田川の

代官所跡の樫の巨木　右端の石碑には「曽根代官所跡」とある。背景は曽根小学校（新潟市西川出張所提供）

左岸で南北朝ごろの文書に「そね」と見え、新田開発の際、観音像が発掘された。同市天王字曽根には平安後期の集落遺跡があり、土師器・須恵器などが出土する。

曽根代官所趾碑石

最も古い曽根は佐渡市にあり、739（天平11）年の調布（正倉院蔵）に「佐渡国雑太郡石田郷曽根里」と見え、この「曽根里」は現在の沢根（旧・佐和田町）のことだという。

ソネとは何に由来する地名であろうか。平安時代の古辞書や『広辞苑』には「石まじりの土地」とある。しかし山手の桑曽根（上越市三和区）や浦田（十日町市）の曽根などはともかく、越後平野部の泥土の地にこの由来説はなじまない。全国のソネの方言などを参考にすれば、ウネ・クネ・ミネなどと同系の、連続する地形の「高み」を呼んだ語と理解したい。それはかつての河川氾濫の痕跡（自然堤防）でもあったろう。

新潟市秋葉区川口は、かつては能代川・信濃川の合流点といい、江戸初期は「曽根興野」。1796（寛政8）年の水害は著名である。

（2012年8月14日）

98 鶴田・敦ケ曽根

蔓状の川の流れからか

県内には「ツル」とついた地名が多い。表題に挙げたほかにも新発田市に「敦賀」集落がある。市内中心部から東へ約4キロ、「加治川」と「姫田川」の合流点付近に位置する。西隣の「岡田」

三条市鶴田の「敦田八幡宮」　元は敦田に鎮座し、古くからこの集落の歴史を見守ってきた

集落の枝村といい、慶安年間（1648～52年）以前の成立という。由来として、鶴ケ城という城の存在、越前敦賀からの来住を仮想するものなどがあるが、いずれも架空の域を出ない。

集落「鶴田」は三条市にある。JR東三条駅の東北1・5キロほどの所。その南側を「敦田」と表記を分けていたが、2000年、全域が鶴田になった。もっとも敦田村は1645年ごろの「正保越後国絵図」には鶴田村だから、元に戻ったともいえる。現地は住宅地になっており、北は信濃川河岸の「三貫地」方面まで美田が広がる。

しかしかつてはこの美田地帯に長さ3町40間（約399メートル）、幅40間（約73メートル）の「大槻潟」が存在し、これに「籠場」付近から北流した五十嵐川の一部が注ぎ（「正保越後国絵図」）、流量は本流をしのいだともいう。

長岡市に「敦ケ曽根」集落がある。大河津分水の左岸で、国道116号の立派な十字路がある。付近はここから北へ「北曽根」「小豆曽根」「下曽根」「中曽根」と曽根集落のラッシュである。

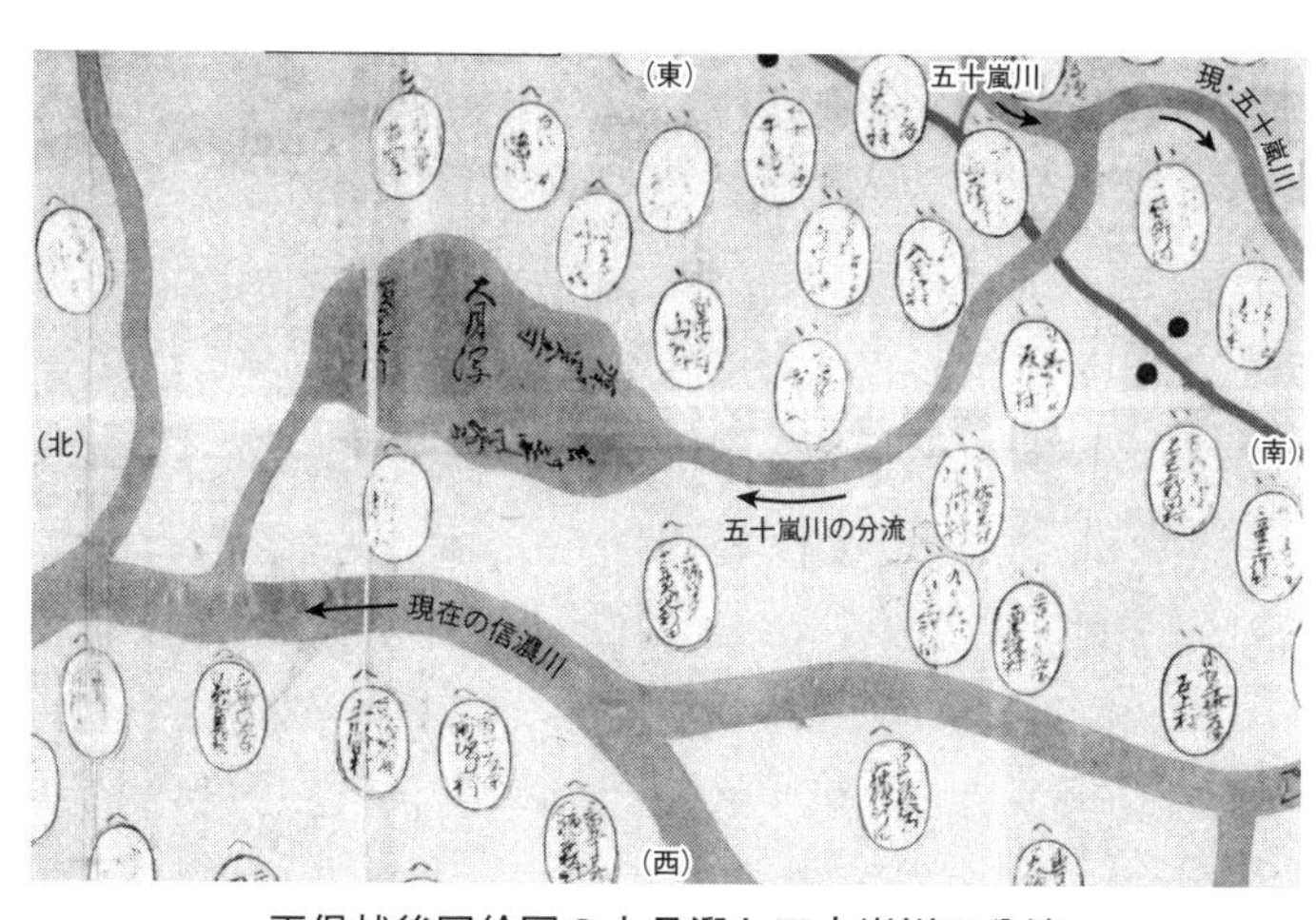

正保越後国絵図の大月潟と五十嵐川の分流
（新発田市立図書館所蔵、県立文書館提供）

1922（大正11）年に大河津分水が通水するが、それ以前、島崎川は西川に流下していた。しかし周辺には円上寺（えんじょうじ）潟、信濃川があり、洪水時にどのような状況になったものか。ただこの曽根群がこれら河川の氾濫と無縁ではあるまい。

ツルは古い地名であろう。以上三つを挙げたが、いま現地にその由来を求めるのは困難である。

話は九州に飛ぶが7月12日、九州阿蘇地方に豪雨があり、大水害が発生した。その流れを集めて熊本市を貫流するのが白川である。これが平野部に至って蛇行するが、その蛇行部に「下鶴」「芭蕉鶴」「馬場鶴」など「鶴」地名が並ぶ。ツルは蔓（つる）状の川の流れを呼んだものではあるまいか。集落はその曲流部の自然堤防の上に成立しているのである。

敦賀は加治川、鶴田は古五十嵐川、敦ケ曽根は島崎川がそれぞれ母なる川であろうか。

（2012年8月28日）

99 剣

「つるぐ」が名詞に変化

いずれも集落名だが、新発田市に「敦賀」、三条市に「鶴田」、長岡市に「敦ケ曽根」と「鶴ケ曽根」がある。鶴ケ曽根は1560（永禄3）年の文書に「靏か瀬」と見え、古くは川瀬の存在が推測される。

この鶴・敦・靏は文字は異なるが、いずれも「ツル」と発音される。このツルは、川が植物の蔓のようにくねって流れることからついた地名であろうというのが、筆者の考えである。

ここで前稿に載せ得なかった新潟市西蒲区の「釣寄」（旧・月潟村）について、少々触れておきたい。この集落は木曽義仲の家臣の後裔という木曽太右衛門なる者が文禄年間（1592～96）に開発したとの伝承をもつが、古くは「鶴瀬」あるいは「鶴寄村」を称したという。とすれば、釣寄はまたツル地名の一つであろう。5万分の1地形図でも確認しているが、先般機会があって集落を訪ねてみた。傍らにかつての河川（中ノ口川からの用水）であろう水路が残り、集落はこの水路に沿って西側に成立している。その水路が集落の中ほどでクランク状に微妙に屈曲しているのも観察

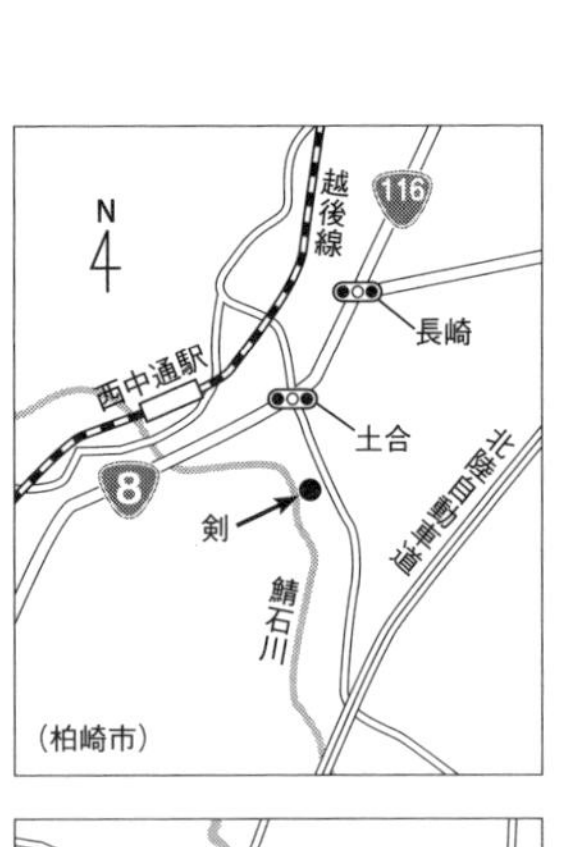

できた。思うに「釣寄」は「ツル寄せ」に由来するものではなかろうか。

ツルの実例として前稿では、熊本市を流れる「白川」を挙げた。補足すると、この川は阿蘇山のカルデラ内の雨水湧水を集めて熊本市内で有明海に注ぐ流長63・2キロの1級河川である。これが平地に出ると蛇行する。このくねりに対してツル（鶴）地名が存在するのである。

鯖石川の旧河道で、2011年に柏崎市に一部払い下げられた剣農村公園

ツルは漢字で書くと、前記のほかに「弦」「津留」「都留」などとも書く。以前、鹿児島県の某博物館に電話をしたところ、「くわツル」さんという方が出られた。文字を尋ねると「桑水流」だという。そんな因縁で今回も同所にダイヤルしてみると、今度は「うちの課長はツル（水流）ですが」という。これも多生の縁かと課長さんに代わってもらって鹿児島県のツル姓の分布などを話していただいた。

それによれば課長さんの水流姓のルーツは薩摩川内市入来だそうで、水流さんは2戸、水流さんの多いのは枕崎市だという。鹿児島県内には「上水流」「下水流」「小水流」もかなりあるという。2万5000分の1地形図によると、地名の「水流」は宮崎県に4カ所、鹿児島県に2カ所ある。その一つが枕崎市である。地名研究には他県への目配りも重要であることを学んだ次第である。

前置きが長くなったが、柏崎市に「剣」という集落がある。鯖石川左岸、別山川との合流点に近い。「正保国絵図」に４８０石とある堂々たる村である。鯖石川は、かつてこの付近でS字に蛇行していて、昭和40年代の地形図に三日月湖が川の左右に確認できる。この蔓状に蛇行することを「ツルぐ」と呼んだものではあるまいか。その名詞形（これが地名になる）が「ツルぎ（剣）」である。ちなみに県（柏崎地域振興局）は10年ほど前、このS字の鯖石川蛇行部を直流するよう河川改修した。出来た余剰地の一部（上流部）は市に払い下げられ市はこれを農村公園として整備している。下流部はそのまま残り、現在葦（あし）の密生地である。土地の古老の直話によれば、曲流部は水深深く夏は水泳ぎや魚捕り、楽しい子ども遊び場であったという。なお、上越市にも飯田川左岸に「剣」集落があり、そのすぐ北側に「鶴町」集落がある。「ツルぎ」「ツルまち」のツルは、ここにかつて、河川の曲流部の存在したことを教えてくれている地名なのである。

（２０１２年９月11日）

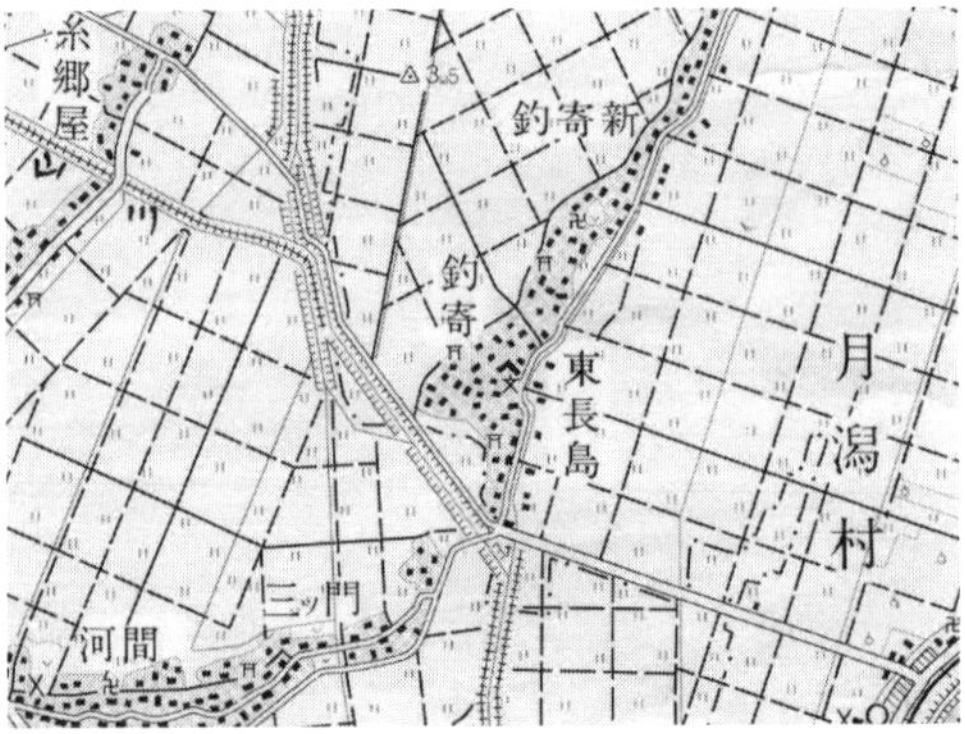

釣寄と屈曲水路＝「文」（月潟小学校）の右手

剣集落と旧鯖石川蛇行部と河跡湖

100 猿供養寺

地滑り表す「サル・クイ」

上越市板倉区総合事務所から東南7キロほどの所に集落「猿供養寺」はある。その東隣が「東山寺」で、この集落の北方約1キロにはすり鉢形の丈ケ山（571・6メートル）がそびえる。

この辺りは山岳仏教の盛んな地であったらしく、地元説によると、古くから華園寺、乙宝寺、猿供養寺、仏照寺、天福寺の五山が開かれ、「山寺五山」とも「山寺三千坊」とも称されたという。またこんな話も伝わる。

乙宝寺（観音堂とも）にある日ある時、雌雄の猿が来て、僧の読経を聞いていた。その後、木の皮を持参して僧に経の書写を依頼し、礼として山芋を持って来たりした。その猿たちがしばらく来なくなったので、僧が山を探し歩くと、雌雄の猿は死んでいた。この猿の供養のために建てた寺が猿供養寺である。

もう一つ。ある日、1人の僧が信州からの峠を越えた所で、大蛇たちが「大ノケ（地滑り）を起こして川をせき止め、俺らのすみかをつくろう。この大ノケの妨げになるのは、四十八たたき（土

山は丈ケ山、手前の集落が猿供養寺＝県土木部砂防課提供

留め）と人柱だ」と話すのを聞いた。僧が里に下りると、里はまた地滑りで大騒ぎであった。「わしが人柱に立とう」。僧は集落の地滑りを止めるべく、進んで土中に埋められた。

ところが1937（昭和12）年3月、村人が田の客土を求めて、猿供養寺字正浄寺の一角を掘った。するとシャベルに当たるものがあり、甕（かめ）と人骨が発掘されたという。伝説が事実であることが証明される形となったのである。いまの「人柱供養堂」は、その人骨と甕を祭っている。

出土した人骨を祭る人柱供養堂

以上、猿供養寺はその由来説や三千坊の伝承など歴史的、民俗的に魅力を秘めた土地である。一方、これを地名研究の立場からみていくと、「サル」はザル、ズルに通じ、地滑り、崩れを指す語である。猿供養寺のすぐ南を流れる川が「猿俣川」で、土砂崩れ川の意を持つ。

また同じ崩壊地形をいう語に「クイ」がある。同じ板倉区の「飯喰沢」などのクイで、飯喰沢の地滑りもよく知られている。猿供養寺の「猿供養」は「サル・クイ」（地滑り）と深く関わっていると思う。

（2012年9月25日）

《補注》　猿の写経の話は、平安後期の説話集『今昔物語』に見える。その十四巻に「今ハ昔、越後ノ国、三島ノ郡ニ国寺ト云フ寺有リ…」とあるが、寺の所在地は三島郡で、頸城郡（上越市板倉区はもと頸城郡）ではない。寺名も異なっている。つまり「猿供養寺」とは無縁の説話なのである。同様の説話は『元亨釈書』、『古今著聞集』などにも見えるが、『大日本国法華経験記』には「越後国乙寺」とある。

山寺の五山は、頂霊山華薗寺・山寺山乙宝寺・丈六山猿供養寺・丈額山仏照寺・福寺山天福寺であるというが、これは現在上越市寺町に現存する某寺の略縁起に載っているもので史料性は高くないと考える。また、同寺縁起に寺号は正しくは「真言宗〇〇山大甲院〇〇寺」（傍点筆者）といい、その開基は725年ともいうが、これを傍証する史料を知らない。

2002（平成14）年ごろ、町史編さんの委員長をしておられた故・鴨井英雄氏と現地を訪ね、あの峰この山と五山についての説明をいただいたが、地元の調査の結果は、どの峰にも寺の痕跡を認めないとのことであった。猿供養寺の地名は存在するものの、山寺五山の記述は『板倉町史』の通史編・資料編には一切されていない。「三千坊」もない。わずかに、別巻・集落誌に「猿供養寺」集落の由来として、「『今昔物語』によると、その昔、山寺三千坊は、五大寺（華園寺・乙宝寺・猿供養寺・天福寺・仏照寺）によって構成されていたといわれている」と見える。しかし『今昔物語』にそのような記述は全くない。

一方、猿供養寺のすぐ南を西流する川を「猿俣川」というが、上越市浦川原区上岡（旧称「猿俣」＝地滑り地）にも、同・牧区にも「猿俣川」がある。地名「サル」は動物の「猿」ではなく、「ザル・ザレ」などと同根の古語で地滑り・土砂崩れを意味する。また、上越市板倉区の「飯喰沢」、同・清里区の「鶯沢」などの「クイ（グイ）」は同じく地滑りをいう古語である。「飯喰沢」は1969（昭和44）年にも山津波（地滑り）が発生、「鶯沢」には大きな地滑り地形が見られる。『角川日本地名大辞典』にも「当地（鶯沢）の地滑りは規模が大きく」と記されている。

この二つの地滑り古語を重複させたのが「サル・クイ（ヨ）」（イ↓ヨの転訛は容易）で、仏教説話の盛行する世相・地域の中で、『今昔物語』の説話とも混交し、「猿供養」さらには「猿供養寺」伝説が創成されたものではあるまいか。人柱伝説の語るがごとく、また県土木部提供の「猿供養寺地滑り」写真の語るがごとく、この地は古来、名だたる地滑り地だったのである。

ちなみに、地質学的には、新第3期中新世の寺泊層〜椎谷層に相当する黒色泥岩地帯であるといい、新潟県土木部などによれば、「猿供養寺地滑り」の近年の活動は1923（大正12）年の関東大震災にはじまり、昭和に入っては1949（昭和24）年〜1951（昭和26）年、1959（昭和34）年〜1969（昭和44）年と断続し、平成に入っての地滑り活動も認められるという。

101 白田切・大田切

川を逆巻く「たぎり」か

妙高大橋から妙高山を望む　写真下に向かって流れる川は大田切川、橋は手前が旧国道、奥が上信越自動車道

上越市直江津から国道18号で30キロほど南に走ると妙高市立妙高高原北小学校である。過日現地を訪ねてみたが、この小学校の北隣を「白(しろ)田切(たぎり)川」が西に流れている。流れは細いが谷は深い。上流に目をやると、秋晴れの空に妙高の峰が美しくそびえていた。

　しかしこの道が「北国街道」と呼ばれていた江戸期には、深い谷は通行人を苦しめた。1810（文化7）年の絵図に「コレヨリ川マテ(で)下リ・上リ・是マテ(で)上リ　小田切坂コノコト(ご)クマカ(が)ル（かくのごとく曲がる）」と、白田切川筋の街道の様子が記さ

白田切川　正面奥は妙高山

れている。

白田切川の北3キロに「大田切川（おおたぎり）」がある。架かる橋は「妙高大橋」。渡れば名にたがわず妙高、神奈（かんな）、赤倉の山々が高く白雲をまとって立ち、視線を下ろせば高速道、また下ろせば旧国道、そしてわが立つ大橋、3世代の道が深く歴史を刻んで一幅の名画を描き出している。

この深い谷地形を地元では「田切地形」と呼ぶが、なぜこのような地形が形成されたものであろうか。河原に木々が茂り、川が遠慮がちに傍らを流れている現況では、どう思いを巡らしても思い当たるすべがない。

『妙高村史』によれば、1914（大正3）年5月17日午後1時ごろ、妙高山が地鳴りを始めた。噴火かと身構える中、上流から高さ10メートルに余る土石流が猛然と押し寄せ、見る間に大田切橋を突き破り、川辺の男性4人をのみ込んでしまった。似た土石流、洪水、鉄砲水は遠い昔から再三この谷を襲ったものであろう。

長野県の天竜川西岸にも「大田切川」「中田切川」「与太（よた）切川」等々がある。信州の田切由来説には、道（三州街道）が田を切るからというが、文字に惑わされてはいないか。一方、越後では「田切」

は「田切地形」からという。しかし田切が先で地形が後ではないのか。

越後、信濃とも田切川は２０００～３０００メートル級の山から土石を伴って10キロほどを一気に流れ下る。そのために谷は深く特異な地形が生まれた。これが「タギリ地形」であろう。由来は万葉の歌「高山の石本（いわもと）たぎち行く水の…」などのタギチ、すなわち「川が逆巻き流れる」で、これと同根の「たぎり（滾り）」であろうと考える。「滾り流れる川」が田切川の由来であろう。そして滾り溢れた川の造形が「タギリ（田切）地形」であろうと考える。

（２０１２年10月9日）

《補注》　例に挙げた万葉歌「高山の石本たぎち…」（万２７１８）の「たぎち」は、文語四段活用の動詞「たぎつ」の連用形である。これと同根の同じ四段活用の動詞に「たぎる」がある。これの連用形が「たぎり」で、これが「田切」と表記され、地形名や地名に登場するのである。文字に意味はない。ここで大切なことは、名詞は地名となり得るが、動詞は地名とはなり得ないということ。しかしその連用形だけは別で、名詞の役割を負っているのである。これを文法では「転成名詞」と呼ぶが、ここでいう「たぎり」がそれで、地名として存在できるのである。取り上げた用例が不適切で、回りくどい記述となったことをお詫びし、補足する次第である。

102 名立

土地の切り立った場所

「名立大町」は上越市直江津から国道8号を西へ約15キロ、名立川左岸河口部にあり、上越市名立区総合事務所の所在地でもある。

927（延長5）年成立の『延喜式』兵部省の中に越後国駅馬として「名立五疋」と見え、「名立」は古くから北陸道の要衝でもあった。駅家の位置は、当時の地形や北陸道の模様から「名立小泊」にあったろうと地元ではいう。

南の名立大町と北の名立小泊とは町続きで、中世以前は「名立」の名で表れ、南北朝期の1349（貞和5）年の文書には「名立保」の保名も見える。近世になっても「名立大町村」と「名立小泊村」とは「名立村」と1村に扱われる場合が間々あり、宿場としても大町7分、小泊3分の割合で仕事を分担していたという。小泊は、古くは「本名立」とも、また「大泊」「船屋敷」「浜端」などとも呼ばれたというが、「泊」は舟の泊まる所で、港の意である。

1751（宝暦元）年4月25日、この地域に大地震が発生、小泊村は背後の崖が崩れて海中に埋

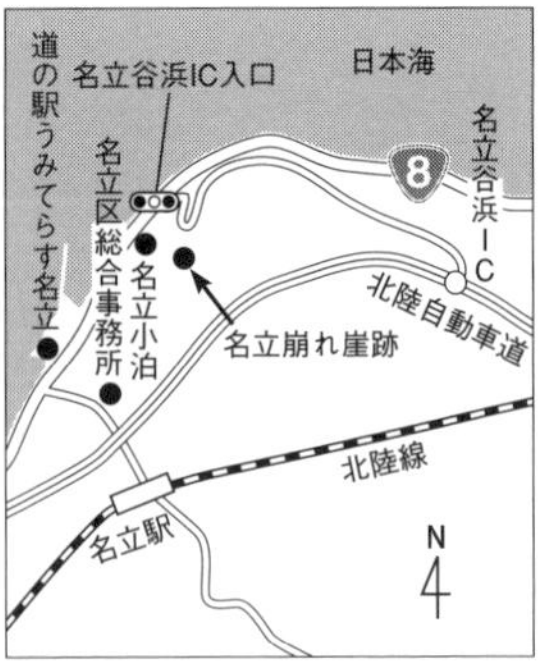

「名立崩れ」の跡に残った崖

没する、いわゆる「名立崩れ」が起こるのである。ちなみにこの大地震で高田藩の領内の家屋の全半壊は9000余戸に及んだ。当時の小泊村の文献には「名立の泊り残らず海の中へ弐拾丁余つき出し、人馬皆埋れ死に申し候」とある。いまも山崩れの跡が高さ140メートル、長さ600メートルの崖として生々しく残る。

名立の由来説として地元には、岩屋観音堂の地形から加賀（石川県）の那谷寺（別称・岩屋観音堂）とつながるからという説や、荒い波風の立つ難所という意味で「灘立ち」からきたという説がある。前者は一つの夢想とも受け取れ、後者は海上の様を岸辺の地名に採るなど、やや無理があろう。

『日本書紀』の天智天皇2（663）年条に「是春地震」の記述がある。これを「このはるなゐふる」と読む。「なゐ」は「大地」をいう古語で、「な」は「土」を意味する。このナが名立のナであろう。「たち」は「立ち」で、地形の屹立をいい、名立は土地の切り立った所、それゆえに地震で崩壊が起こったのである。

（2012年10月23日）

《補注》　名立区岩屋堂集落の観音堂はその背後に覆いかぶさるような巨岩があり、越後三十三観音第一番の札所という。また加賀小松市那谷寺は、別名を岩屋観音堂ともいい、岩崖の上に観音堂が造立されている。

103 福来口

崖地の古語「フク」から

糸魚川市の中心市街地から西南およそ10キロに「黒姫山」（1222メートル）と呼ぶ山がある。平成の合併以前の青海町地内であるが、この青海地域での奴奈川信仰の源流は黒姫山にあり、奴奈川姫にまつわる伝説の最たるものは「福来口」（福来ケ口）だと地元ではいう。

奴奈川姫とは『古事記』の神話に登場する女性で、麗しく才たけた彼女の名は出雲の国（島根県）までも聞こえたらしく、大国主（八千矛）命の求婚を受けて結ばれることになる。黒姫山は山容まことに秀麗であるが、その名もこの姫にあやかる名付けのようである。

「福来口」は黒姫山頂から北東2キロ、その中腹にある鍾乳洞で標高は170メートル、石灰岩の絶壁に縦10メートル、横6メートルの口を開いている。ここからは滝が流れ落ちていて、いまは観光スポットの一つになっている。

江戸期末の『越後地名考』には「富来口（福来口）より一丁ばかり（約109メートル）入りて滝あり、此所にて（姫は）誕生す」とある。姫はここを住まいとし、機を織って、その布を流れにさ

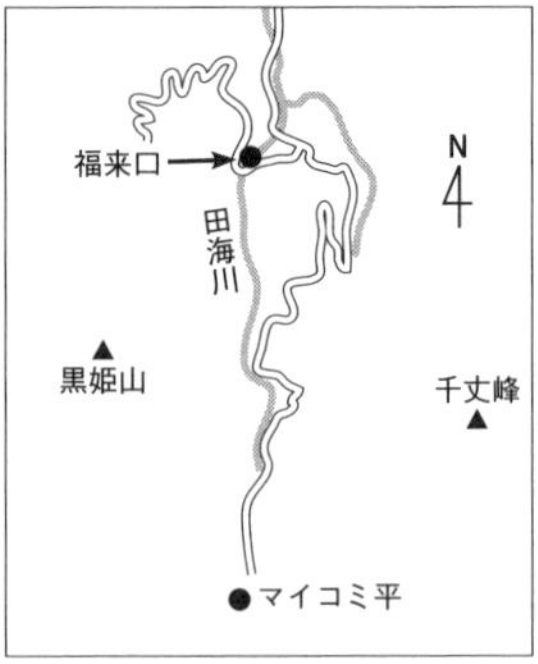

福来口
田海川
N
黒姫山
千丈峰
マイコミ平

らしたことから、流れを布川（奴奈川）と呼び、大国主との恋の出会いもこの福来口であったと地元では語り伝える。

しかし近年の調査によると、洞内の気温は6・6～8度で、湿度は90～100％、人の生活できる環境ではないらしい。そもそもこの福来口に流れ出る川は、黒姫山頂から東南約2キロにある「マイコミ平」（最低標高667メートル）の「白蓮洞（びゃくれんどう）」「千里洞（せんりどう）」などの竪穴群から雨水が地中深く潜ってここに流出するものといわれるが、その迷路はいまだ解明されていない。

福来口　石灰岩の絶壁に口が開いている

ところで、ここがなぜ福来口と呼ばれるのであろうか、鍵は「フク」である。『越後地名考』の「富来口」の「富来」は、「フク」とも「フキ」とも読める。どちらが正しいかは、長い間の母音交代による転訛を考慮すれば、問題にするには当たらない。フクもフキも同源で、崖・急斜面をいう古語である。本書ではすでに第66稿・第76稿で述べている「フケ」「ハコ」も含めてこの種の地形名は全国に広い。2～3例を挙げるならば、愛知県知多半島には「富貴（フキ）」という集落が

福ケ穴（石川県輪島市）A・B・Cの穴は遊歩道でつながっている。Tは国道249号のトンネル入り口

あり、古城跡（崖）がある。また大分県豊後高田市「蕗（フキ）」には「富貴（フキ）寺」があり、崖を背負って立っている。京都府舞鶴市には集落「福来（フキ）」があるが崖地に立地する。近県では石川県輪島市にある「福ケ穴」であろう。海岸部の断崖に開いた大洞窟で「崖の穴」と解される。以上、いずれも文字に意味はない。「福来口」とは、崖地に開いた口と解される地名であると考える。

（2012年11月13日）

104 親不知・子不知

身内でも気遣えぬ難所

松尾芭蕉は1689（元禄2）年7月12日の朝、能生（糸魚川市）をたって午後4時ごろ市振（同市）に到着する。「今日は親しらず・子知らず・犬もどり・駒返えしなどいふ北国一の難所を越えて疲れはべれば…」と『奥の細道』に述べている。

同行の曾良の『随行日記』によると、この日は快晴で、二人は晩夏の浜辺を歩き相当に疲れたらしい。宿での一句に「一つ家に遊女も寝たり萩と月」がある。

また1785（天明5）年の早春、越中から越後に入った橘南渓（たちばななんけい）はその『東遊記（とうゆうき）』の中で、「越中、越後の境に親不知子不知という所あり。北陸道第一の難所としてあまねく人のしる所也。…親も子を思うにいとまなしという心より、土俗称し来たりたる也」と、地名の由来も含めて述べているが、秋から冬の海の荒れる季節の通行はことのほか厳しかった。

この海岸通りは青海から市振まで、およそ13キロであるが、青海から歌（うた）集落までの約5キロ間が「子不知」で、黒岩・駒返（こまがえし）・犬戻（いぬもどり）などの難所がある。

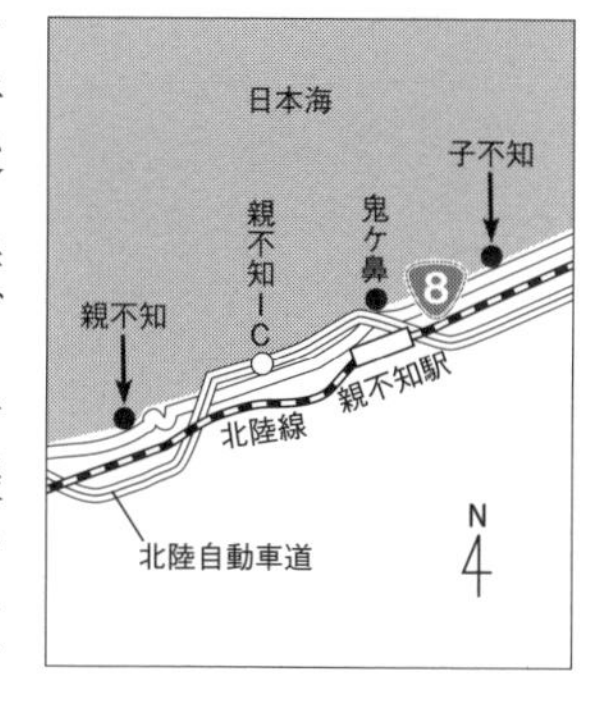

親不知海岸　親不知は、いまや砂浜は消え、昔の面影はない

これに対して外波(となみ)と市振間約6キロが「親不知」で、日本アルプスの北端が日本海に落ち込む所で断崖が連なり、「大懐(おおふところ)・小懐(こふところ)」「大穴・小穴」など、波浪を避ける海食洞の地名も聞かれる。また「大崩れ」「浄土崩れ」などの崩壊地名もあり、落石・崖崩れとも隣り合わせの大危険地帯なのである。

ところで「親不知・子不知」のような、文学的地名は決して古いものではない。いつのころからだろうか。市振の郷土史家蛭子(えびす)健治氏によれば、初見は室町中期から末期にかけて流行した「幸若舞(こうわかまい)」であろうという。その「富樫」の中で、小賢(ざか)しき童が「親不知子不知、市振、浄土、歌の脇」と、義経主従に落ち行く先の難所を教示する部分がある。

文献をさかのぼると13世紀の承久の乱を述べた『承久記(じょうきゅうき)』に「ゐちご・ゐつ中のさかいなるかんばらといふ所」と「かんばら」が見え、これが親不知の古名だという。14世紀の『源平盛衰記』には「寒原」とあり、寒い原か、ともいうが、カンバラは和語ではないのか。後考を待つ。

（２０１２年11月27日）

105 沼垂

湿地表す「ヌタ」からか

現在の新潟市中央区沼垂が日本の歴史の上に登場するのは、「渟足(ぬたり)の柵(き)を造りて柵戸(きのへ)を置く」とある『日本書紀』の647（大化3）年の記述である。ついで同書の斉明天皇4（658）年の条に「渟足の柵の造(みやつこ)大伴君稲積(おおとものきみいなつみ)」に冠位の授与のあったことが見える。

「渟足の柵」の記述はこのあと史料から消えるのだが、1990（平成2）年、長岡市（旧・和島村）の「八幡林遺跡」から養老年間（717〜724年）の「沼垂城」と墨書された木簡が出土し、大きく取り上げられ、話題を呼んだことは記憶に新しい。

ただ、当時の渟足（沼垂）は現在の新潟市東区「王瀬」付近とも「王瀬・河渡」付近ともいわれるが、残念ながらいまだ遺構は見つかっていない。

沼垂は、江戸時代になって種々の理由で4回移転を余儀なくされている。まず寛永年間（1624〜44年）に阿賀野川の河岸が浸食され海寄りの地に。次は1654（承応3）年に河口の「大島」へ。さらに大島から「蒲原」へは1664（寛文4）年、そして現在地へは1684（貞享元）

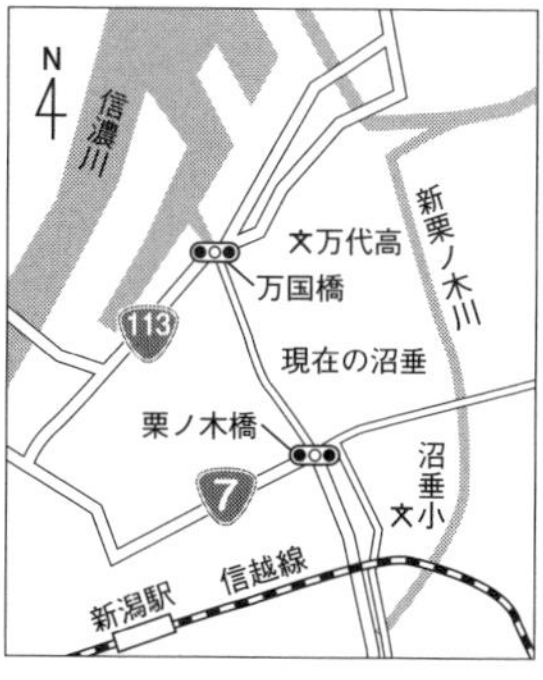

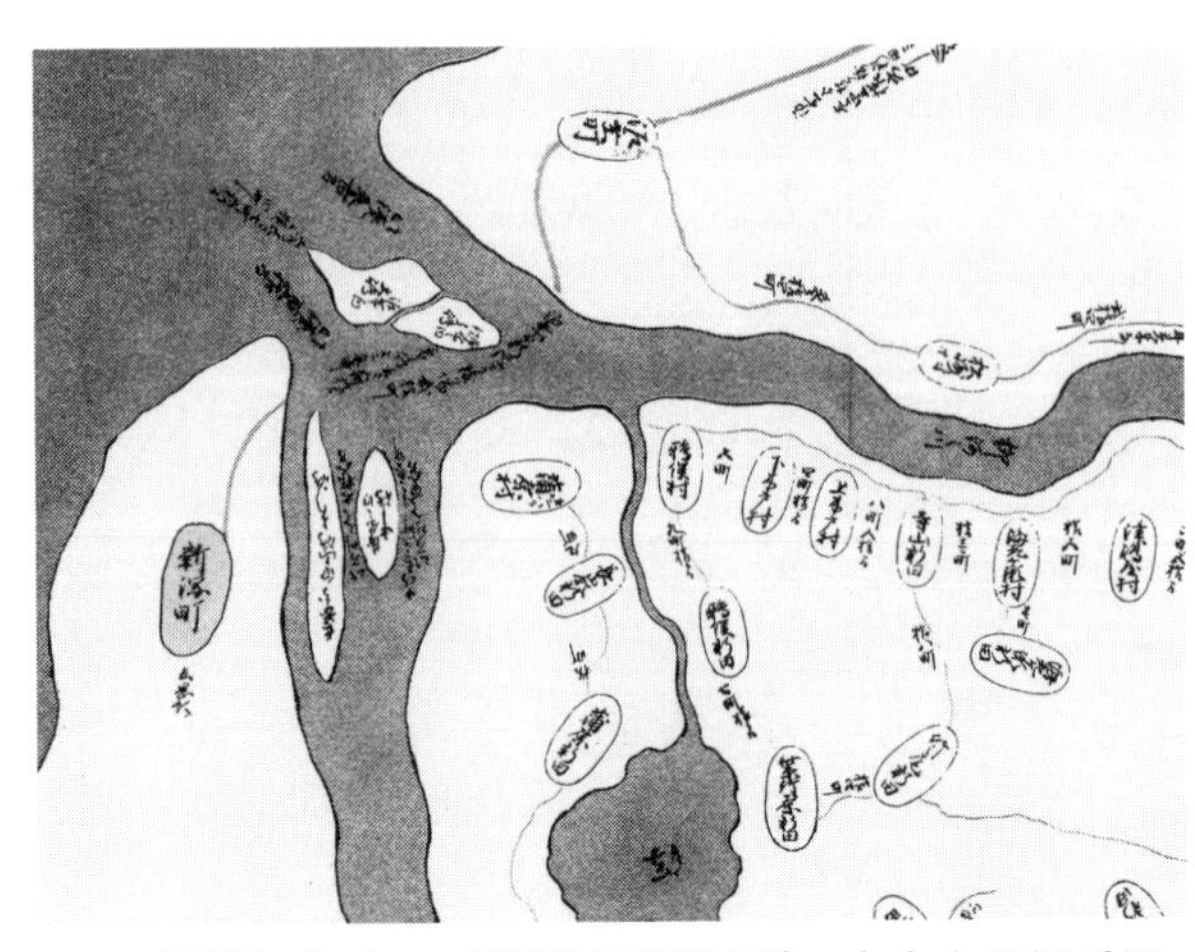

1647（正保４）年の「新発田領絵図」。中央上に沼垂町、川を挟んで大島、その右下に蒲原村、長嶺新田が並ぶ

年である。

沼垂は地名を変えずに移転しているから、由来の検討は、原初の「王瀬」ないしは「河渡」付近を考えなければならない。また中世の「のったり」「乗足」、現代の「ぬったり」の呼称は「ぬたり」の転訛と考えてよいとする。

「ぬたり」をアイヌ語で解こうとする人も見受けるが、アイヌ語地名研究の泰斗山田秀三氏が「アイヌ語風だがどうも…」と、筆者に話された記憶がここによみがえる。

「ぬたり」のルーツは「ぬた」であろう。ヌタ・ニタを泥土・湿地とする所は全国に少なくない。ちなみにアイヌ語「ニタッ（ｎｉｔａｔ）」はヤチ・湿地である。和語ヌタ・ニタとは同源の語ではあるまいか。しかし、アイヌ語に「ヌタリ」はない。山田氏がためらわれたのもこの辺りか。

和・蝦夷（えぞ）の共通祖語とおぼしきニタ・ヌタを和人は「ヌタる」と活用して用いたのであろう。とすればこの名詞形が「ヌタリ」である。古代の城柵は立地を多くヌタ・ヌタリに求めた。古阿賀野川河岸の王瀬・河渡付近がその適地であったことは疑う余地がない。

（２０１２年12月11日）

《補注》　古代において「渟足・沼垂」のような「ヌタる」湿地が、要害の地となり得たことは、たとえば、『日本書紀』神武天皇即位前紀、戊午年九月の条に、「賦虜（あた）の據（を）る所は、皆是要害（ぬみ）の地なり。故（かれ）、道路（みち）絶え塞（ふさが）りて、通らむに處無し、天皇悪（にく）みたまふ」と見えることである。「要害」をヌミと読むのが興味深い。ヌミとはヌマの転といい、「ヌミの地」は、直訳すれば「沼地」だが、当然周縁のヤチ原（湿原）も含むであろう。つまり、敵の防衛拠点とする所は、どこも沼やヤチ原で攻めるのに道がなく、天皇はその状況を憎んだ、と述べているのである。

　日本の古代史に登場する「渟足柵」「磐舟柵」が、共に水辺に造営されている事実は、そこが古代の水上交通の要地であると同時に戦略上、要害の地でもあったことを物語っているのである。

106
岩船
海から望む船形の丘陵

渟足（ぬたり）の柵が造られた翌年、６４８（大化４）年に「磐舟（いわふね）の柵」ができる。『日本書紀』に「是歳、

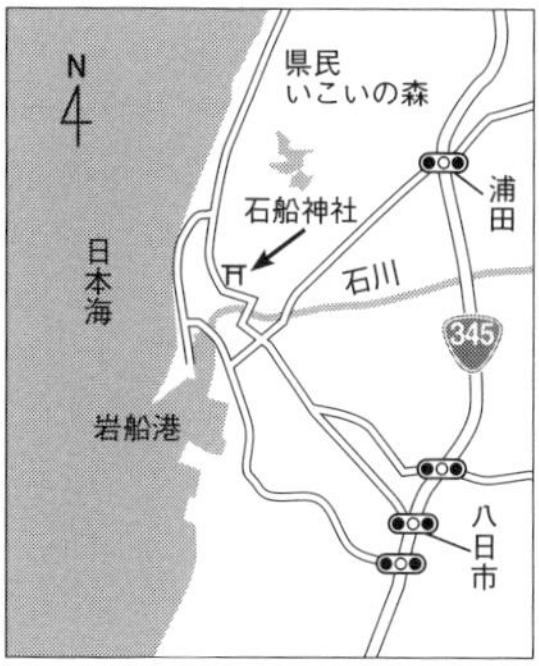

海上から見た明神・浦田山丘陵　丘陵右端に式内社「石船神社」が鎮座する

石船神社の鳥居と参道

磐舟の柵を治（つくり）て蝦夷に備ふ」と見える。この「磐舟」が現在の村上市岩船に当たることはまず疑いない。『大日本地名辞書』は「今の岩船の明神山なるべし」と位置も想定するが、渟足の柵同様、その遺構はいまだ発見されていない。

１９５６（昭和31）年、「明神山」に連なる「浦田山」の一角から石組みが発見され、柵の遺構かと期待されたこともあったが、１９９４（平成6）年の調査で、6世紀の古墳群の一部であることが分かった。既に失われたものも含めると、この古墳群の最古のものは磐舟の柵を１５０年さかの

大阪府の磐船峠の磐船神社（船形巨岩）

ぼるという。その後、磐舟は「磐船」「石船」などとも書かれ、現在は「岩船」である。
地元には、石船(いわふね)神社の祭神饒速日命(にぎはやひのみこと)が磐船に乗ってこられたので「岩船」とする由来説がある。しかし、饒速日が磐船に乗って降臨する話は既に『日本書紀』に見え、大和（奈良県）である。さらに興味深いのは、奈良県生駒市から北西に流れる天野川(あまのがわ)の右岸に、高さ15・6メートルの見事な船形の巨岩があり、傍らに延喜式内社磐船神社（大阪府交野(かたの)市）が鎮座することである。この船形巨岩は饒速日神話とも重なって信仰を集め、やがて式内社となったものである。

全国を訪ね歩くと、磐船に乗る神仏は饒速日のほか、大阪市天王寺区磐船山の天探女(あまのさぐめ)、島根県安来市岩船の地蔵尊、埼玉県小鹿野町の観音菩薩などさまざまであるが、古代のイワフネとは、磐が神座の意を含有すると同時に、その船は天上界と現世との往来を可能にする聖なる乗り物と解されていたことがうかがえる。

全国のイワフネは、交野市の巨石のような船形の自然石、また船形の自然地形・石造物などに由来する地名がほとんどである。そして村上市岩船（磐舟）の地名の由来は、海上から望見した明神(みょうじん)・浦田山(うらたやま)丘陵の船形地形であろう。

これにイワフネと名付けた者は誰か。それは対馬海流に乗り、あつい岩船信仰を携えて北上してきた弥生の人たちに違いない。

（2012年12月25日）

《補注》 県内に「船」地名を概観すると、出雲崎町に「岩船町」があるが、これは近世の岩船神社勧請による神社の所在からの地名である。地形地名としては、小千谷市の信濃川右岸に位置する「船岡山」がある。標高104・5メートル、ほぼ南北に約300メートル、最大幅100メートル、頂上部のほぼ平らな船形丘陵である。また新潟市西蒲区「福井」に鎮座する「船山神社」の社名は、その北側の「船山」（239・3メートル・一名「片平山」）の見事な船形地形によるものと考えられる。江戸期は「船山明神」と称されたこの神社は、弥彦明神六王子の第二神廟といわれ、東1キロほどには「舟戸」集落がある。かつての船運の要地であったことをうかがわせる地域である。

船山は角田山（481・7メートル）の裾野に当たるが、古代の船人たちが、日本海を北上するとき、角田山に別れを告げると、あとは砂丘と河口・湖沼の断続する海岸を右手に見ながら進んだと考えられる。そして再び地山を見るのが「浦田山・明神山」の船形丘陵であった。なお、この丘陵先端部の奥にはかつて「岩船潟」が存在し（第1稿地図参照）、先端部はおのずと船が舳先（へさき）を海上に突き出した形であったことは、想像に難くない地形である。

県外では、大阪府交野市から奈良県（大和国）に越える磐船峠（磐船越とも）に、延喜式内社「磐船神社」が鎮座する。この神社の神体とされる、高さ15・6メートルの船形巨岩は、神代に饒速日命がこの磐船に乗り当地に天下りしたと伝えられている。また、同府天王寺区味原町に「磐船山」と呼ぶ小丘がある。正確には小橋元町字岩船の地である。ここには神代、「天探女」（「姫小曽の神」とも）が磐船に乗って降臨したという伝説があり、自然石に刻んだ「高津岩船事跡」の碑（年紀不詳）が存在する。また近くに延喜式内社「姫小曽神社」も鎮座する。島根県安来市岩舟町には「地蔵影現の碑」の立つ古墳があり、近くの曹洞宗岩舟山印珠寺の本尊、延命地蔵は岩の舟に乗り、この地に天下ったものと語り伝えている。ちなみに、高津磐船事跡・地蔵影現の両地はともに古墳であり、磐船・岩舟の地名の発祥は古墳の「舟形石棺」の豪雨また洪水による露見が、そもそも、伝説と信仰の根源なのである。

　こう見てくると、わが国の古い時代には、神仏がこの世に現出するとき、磐船（岩舟）に乗って降臨するという夢幻的信仰が存在したものと考えられる。しかし寡聞にしてこうした磐船（岩舟）信仰がアイヌのユーカラや伝承の中に存在することを知らない。換言するならば、磐船（岩舟）の信仰は弥生の人々の特有の信仰で、それは、この人たちが、かつて大海を渡ってこの地（日本）にたどり着いたはるかな記憶の残像ではないのかと考えている。

　本稿に返れば、この明神・浦田山の地に「磐舟」と名付けた者は、弥生の人々の後裔であったろう。であればこそこの船形地形を「これぞ磐舟」と見て取り、地名としたものではなかろうか。そこに「磐舟柵」が造営され、また船形地形の舳先に、延喜式内社「石船神社」を祭祀したものであろう（第１０６稿写真）。

　補足するが、明神・浦田の丘陵は単なる地山ではなく、もちろん砂丘でもない。１９７３（昭和48）年の新潟県地学研究会の論文『新潟平野北縁に分布する第四系と古砂丘について』は、この丘陵について「その基盤は硬質頁岩からなる新第三系の七谷層である」と述べ、その地質図も載せている。つまりこの船形丘陵は、地質学的には硬質頁岩の丘陵なのである。なお１５９７（慶長２）年の「越後国絵図」には、石船神社（木船明神とある）付近の海浜に巨岩が描かれている。

■主要参考文献

『古事記』日本古典文学大系　岩波書店　昭和47年
『日本書紀』日本古典文学大系　岩波書店　昭和48年
『万葉集』日本古典文学大系　岩波書店　昭和46年
『続日本紀』新日本古典文学大系　岩波書店　１９９２年
『延喜式』新訂増補国史大系　吉川弘文館　昭和45年
『源氏物語』日本古典文学大系　岩波書店　昭和47年
『今昔物語』日本古典文学大系　岩波書店　昭和47年
『平家物語』日本古典文学大系　岩波書店　昭和47年
『太平記』日本古典文学大系　岩波書店　昭和48年
『義経記』日本古典文学大系　岩波書店　昭和47年
『尊卑分脈』洞院公定著　国史大系吉川弘文館　昭和58年
『新撰字鏡』昌住著 天治本 京都大学文学部編　昭和54年
『吾妻鏡』新訂増補国史大系　吉川弘文館　２００７年
『越後地名考』佐味東正蓮著　文化13年
『越後野志』小田島充武著　源川公章校訂　昭和49年
『越後名寄』丸山元純著　宝暦6年
『式内社神社報告書』第十七巻　北陸道3　昭和60年
『大日本地名辞書』吉田東伍著　冨山房　昭和61年
『中世越後の旅』大家健　野島出版　２００３年
『草加の歴史随歩』横山正明著　松風書房　平成4年
『郷土史概論』大木金平著　大正15年
『新潟県の地名』日本歴史地名大系15　平凡社　１９８６年
『長野県の地名』日本歴史地名大系20　平凡社　１９８０年

『長野県の地名　その由来』松崎岩夫　１９９１年
『角川地名大辞典』４宮城県　角川書店　昭和54年
『角川地名大辞典』15新潟県　角川書店　１９８９年
『角川地名大辞典』２長崎県　角川書店　昭和62年
『日本の地名』松尾俊郎著　新人物往来社　昭和51年
『民俗地名語彙事典』上・下　谷川健一編　三一書房　１９９４年
『新日本地名索引』金井弘夫編　アボック社出版局　１９９３年
『新潟県立歴史博物館研究紀要』第９号　２００８年
『県内地名新考』小林存著　新潟日報事業社　昭和57年
『崩壊地名』小川豊　山海堂　平成７年
『知里真志保著作集』３　平凡社　１９８７年
『アイヌ語地名の研究』１　山田秀三著　草風館　昭和58年
『アイヌ語辞典』萱野茂著　三省堂　１９９６年
『越後国奥山荘波月条絵図』国指定文化財　鎌倉時代末期
『横越島絵図』青木正明氏蔵　寛永16年
『越後国郡絵図』頸城郡　東京大学史料編纂所　１９８７年
『越後国郡絵図』岩船郡　東京大学史料編纂所　１９８７年
『正保国絵図』新発田市立図書館蔵　正保２年頃
『元禄十三年　越後国蒲原郡岩船郡絵図』昭和53年
『越後輿地全図』草間文績著　胎内市蔵　文化13年
『新潟県史』通史編Ⅰ　原始・古代　昭和61年
『新潟県史』通史編２　中世　昭和62年
『新潟県のあゆみ』新潟県　平成２年
『青海ふるさと事典』青海町教育委員会　平成16年
『妙高村史』妙高村史編さん委員会　平成６年

『直江津町史』直江津町　白銀賢瑞執筆　昭和29年
『頸城村史』頸城村史編さん委員会　昭和63年
『頸城文化』52号　上越郷土研究会　平成16年
『頸城文化』57号　上越郷土研究会　平成21年
『大瀁郷新田開発史』渡邊慶一著　昭和50年
『大潟町史』大潟町史編さん委員会　昭和63年
『いたくら郷土史』板倉町教育委員会　昭和60年
『板倉町史』板倉町史編さん委員会　平成15年
『下田村史』下田村史編集委員会　昭和46年
『三条市史』三条市史編修委員会　昭和58年
『加茂市史』上巻　加茂市史編纂委員会　昭和50年
『西川町の地名（一）』西川町教育委員会　昭和46年
『新潟市史』新潟市役所　国書刊行会　昭和63年
『図説新潟市史』新潟市総務部市史編さん室　平成元年
『沢海城物語』角田夏夫著　北方文化博物館　昭和54年
『水原町編年史』水原町町史編纂委員会　昭和53年
『水原常陸介親憲公』三百八十年祭記念誌　平成7年
『新発田市史』新発田市史編纂委員会　昭和55年
『紫雲寺町史』紫雲寺町史編さん委員会　昭和57年
『加治川村誌』加治川村誌編さん委員会　昭和60年
『聖籠町誌』聖籠町誌編さん委員会　昭和53年
『中条町史』中条町史編さん委員会　昭和53年
『村松浜郷土史』村松浜郷土史愛好会　平成12年
『新潟平野北縁に分布する第四系と古砂丘について』新潟県地学研究会　昭和48年
『山北町史』山北町史編さん委員会　昭和62年

『海府七里灘乃記』橘崑崙著　郷土村上7号　昭和47年
『海府游記』頼三樹三郎著　海府攬勝　大正15年
『越後せきかわ大蛇伝説』阿部八郎編　関川村役場　１９９５年
『せきかわ歴史散歩』高橋重右衛門著　平成元年
『越後粟生島の地理的概報』村山方治　京都帝国大学　昭和９年
『佐渡名勝志』撰述伊藤隆敬　延享元年　平成９年
『佐渡相川の歴史』史料集１　相川町史編纂委員会　昭和46年
『佐渡相川の歴史』史料集４　相川町史編纂委員会　昭和51年
『佐渡相川の歴史』史料集９　相川町史編纂委員会　昭和56年
『金泉郷土史全』金泉村教育会　昭和12年
『佐和田町史』佐和田町史編纂委員会　平成14年
『新穂村史』新穂村史編さん委員会　昭和51年
『赤泊村史』上巻　赤泊村史編纂委員会　昭和57年
『佐渡相川郷土史辞典』相川町史編纂委員会　平成14年
『佐渡名勝』岩木拡著　佐渡新聞社　明治34年
『佐渡案内』浅香寛　佐渡日報社　大正12年
『両津市誌』両津市誌編さん委員会　昭和62年
『芦原町史』福井県芦原町史編さん委員会　昭和48年
『越佐の地名』第13号　新潟県地名研究会　平成25年
『佐渡国奉行渡海図』佐渡高校・舟崎文庫　文化13年
『西洋人の描いた日本地図』ＯＡＧドイツ東洋文化研究協会　ブランクス　日本図　１６１７年
『北越軍記』雲庵著　野村長兵衛版　宝永８年
『北国太平記』馬場信意著　河内屋長兵衛版　文政６年
『おくのほそ道』松尾芭蕉著　角川文庫　平成10年
『曽良随行日記』河合曽良著　角川文庫　平成10年

『東西遊記』橘南渓著　東洋文庫248　平凡社　1982年
『金草鞋』十返舎一九著　越後路之記　郷土出版社　1996年
『西遊草』清川八郎著　岩波文庫　1993年
『越佐の伝説』小山直嗣著　野島出版　昭和42年
『新潟県伝説集成』佐渡編　小山直嗣　恒文社　1996年
『新訂大言海』大槻文彦著　冨山房　昭和53年
『時代別国語大辞典』上代編　三省堂　1983年
『日本方言大辞典』上・中・下　小学館　1989年
『方言俗語語源辞典』山中襄太著　校倉書房　1970年
『全国方言辞典』東條操編　東京堂出版　昭和49年
『新潟県方言辞典』大橋勝男編著　おうふう　2003年
『5万分の1地形図　弥彦』明治44年測図　大正3年製版　発行者　大日本帝国陸地測量部
『5万分の1地形図　内野』明治44年測図　大正3年製版　発行者　大日本帝国陸地測量部

あとがき

一読されてのご感想はいかがであろうか。結論への賛否は措くとしても、地名が何らかの故あっての地名であることに思い当たっていただけたらうれしい。そう考えて地名研究に打ち込む者のあることも知ってほしいのである。

当初、新潟日報社から依頼された時点では、愚かにも800字で1稿をつづればよいと承知していた。ところが写真が要るのだという。さいわいカメラ歴はあったから各地へ取材に出向いた。その地にはまた温かく迎えてくれる人がおり、土地の研究会会員にはことのほかお世話になった。

地図や絵図は手持ちのもので間に合う場合も多かったが、写真の場合、佐渡・粟島などの場合は市役所、役場、教育委員会などのご協力を仰いだ。感謝に堪えない。県外の場合も宮崎県の鵜戸神宮、青森県の善知鳥神社、岡山県の藤戸寺などの懇切なご対応には、あつくお礼を申し上げる次第である。

連載の執筆に当たって筆者と新潟日報社の間を取り持たれた村上支局の諏訪敬明元支局長、また在勤中のほとんどを毎月、わが家へ通い詰められた高橋淳元支局長には、深く謝意申し述べたい。また本書の編集に当たっては新潟日報事業社の新保一憲氏にひとかたならぬお世話になった。記して謝意を表する次第である。

平成27年5月

【ゆ】

【よ】

【ろ】

【わ】

【み】

【む】

【め】

【も】

【や】

【へ】

【ほ】

【ま】

【ひ】

【ふ】

【に】

【ぬ】

【ね】

【の】

【は】

【て】

【と】

【な】

【た】

【ち】

【つ】

【す】

【せ】

【そ】

【し】

【く】

【け】

【こ】

【さ】

【き】

【か】

【う】

【え】

【お】

【い】

索　引

【あ】

長谷川 勲（はせがわ・いさお）

昭和４年村上市生まれ。昭和23年秋田鉱専（現・秋田大学工学部資源学部）卒。教職36年、主として県立高校。平成15年「文部科学大臣賞」受賞。平成４年「越後・佐渡地名を語る会」設立に尽力、会長。現在、村上市文化協会会長。新潟県地名研究会会長。著書に『越後朝日村の方言』（昭和56年）、『校内放送のための放送講座』（1980年）、『越後磐舟ことばの風土記』（2001年・第７回自費出版文化賞特別賞受賞）ほか。共著に『新潟県の地名』（野島出版・1996年）、『地名は警告する』（冨山房インターナショナル・2013年）ほか。

にいがた地名考（ちめいこう）

平成27（2015）年６月６日　初版第１刷発行

著　者　長谷川 勲
発行者　関本道章
発行所　新潟日報事業社
〒950-8546
新潟市中央区万代３丁目１番１号
メディアシップ14階
TEL 025-383-8020　FAX 025-383-8028
http://www.nnj-net.co.jp/
印　刷　株式会社ウィザップ

ISBN978-4-86132-601-1